U0103045

吳光著

# 黃宗羲著作彙考

臺灣學生書局印行

黄梨洲先生业像

黃宗羲畫像

（原件現藏浙江餘姚梨洲文獻館）

# 黃宗羲與敉寧老姪（周靖）書眞蹟

（原載清海鹽吳修彙編《昭代名人尺牘》卷一）

僕衰病不堪，非復向日光景，承
委作謚議，或誌，或表，待天和，即當
捉筆。海內老成已盡，況於同難兄
弟乎！此不容辭耳。人行急迫，不盡
所言。

敉寧老姪　　宗羲頓首

# 吳著《黃宗羲著作彙考》序

一九八六年十月，我去寧波參加「國際黃宗羲學術討論會」，才初次見到吳光君。他是會議的秘書長，事務極爲繁忙，但還是找到時間交換了彼此對於黃宗羲以及其他有關學術問題的意見。

說起來，我和浙江是特別有緣的。一九七八年，我第一次由美國回去探親，那時「文革」過了不久，學府還沒對外開放，哲學又是一個特別敏感的題目，不可能進行正常的學術交流工作。一九八一年，在杭州召開「宋明理學國際學術討論會」，第一次邀請海外學者參加。這是一個重大的突破，我滿懷興奮去參加了這次歷史性的會議。可是那時吳光君不在杭州，所以沒有見到面。此後五年內，我沒有再回大陸。我的原則是祇參加與我本行的研究工作直接有關的學術會議。沒想到再回去又是到浙江，而這時吳光君已是浙江省社會科學院哲學研究所的所長。他和我通信連絡，邀請我去開會，我自欣然允諾。我十分感謝浙江古籍出版社寄贈黃宗羲全集第一册給我。在一九八六年的上半年，我由香港中文大學休假，到新加坡東亞哲學研究所作了半年研究。本來是要做周易研究，但在飛機上看了與黃宗羲有關的資料，即思潮澎湃，不能自已，乃先着手寫黃宗羲心學的定位一書（本書已由允晨出版公司出版）。我去寧波開會所提交的論文即是此書之綱領。在新加坡時，同事陳俊民教授就常常稱道吳光君在學術方面的潛質與造詣。我看到黃宗羲全集的前兩册，知道實際的編纂工作多由吳光君負責，每册後面的考據文章也都出於吳君手筆，更加深了我對他的印象。而現在吳君也到東亞哲學研究所做研究工作了。

大陸自「文革」以後，不再對純學術的研究工作橫加干預。學者們對資料的掌握與發掘，乃有了長足的進展。吳光君勤於搜集有關黃宗羲的資料，親身去南北各大圖書館蒐求，果然有了新的突破。先是發現了留書中爲人未見的篇章，後來又找到黃宗羲南雷雜著的手稿，其中有黃宗羲的一封書信，據吳君的考證，是寫給徐乾學的信。由於該信內容牽涉到黃宗羲晚節的問題，我把吳君的考據和我說明的文章，拿到文星發表（見一九八七年四月號）。這大約是多年來大陸學者的學術文章直接在台灣雜誌上發表的第一篇，對於促進海峽兩岸學術的交流，或者多少有一點開風氣之先的作用罷！

總之，就我個人所知，到目前爲止，關於黃宗羲著作的研究材料收集之完備，考證之精詳，實莫過於吳君此書。吳君的考據，本來附錄於黃宗羲全集各分册的後面陸續出版，耗費時日既多，也難於窺其全豹。現經其修改補充，寫成黃宗羲著作彙考一書，首先在台灣單行出版。這是很可以令人歡迎的一件事。

對於黃宗羲的研究，我自己所着重的是義理的演繹與詮釋，吳君用力最勤則在材料的搜集與考據。兩方面的努力都希望把對於黃宗羲的研究帶進一個新的境界。故樂爲之序。

劉述先

一九八八年十月九日

# 梨洲遺著總數考（代序）

黃宗羲（公元一六一〇—一六九五年）字太冲，號南雷，別號梨洲老人、梨洲山人、藍水漁人、魚澄洞主、雙瀑院住持、古藏室史臣等等，學者稱黃梨洲先生，浙江餘姚縣黃竹浦人。他是我國明末清初一位偉大的啓蒙主義思想家和史學家，也是一位博學多才的著述大師。

黃宗羲一生著述弘富，涉及領域也很廣闊，舉凡經學、史學、文學、曆學、數學、地理學乃至金石、音律等領域，都有著作成果，可惜由于迭遭水火之災、戰亂之刧以及清朝文網的禁錮，致使其中不少著作散佚損毀，今人已經無法搜羅齊全。雖然如此，我們還是可以從現存梨洲遺著實物以及歷代學者的著錄、考證、年譜、傳記中了解梨洲著作的總體情況。在此，先簡略地回顧一下自康熙時代至近年幾種記載較全且有代表性的著錄情況：

一、宗羲季子黃百家（公元一六四三—一七〇九年）跟隨父親從事學術活動數十年，比較了解乃父著述情況，所著先遺獻文孝公梨洲府君行略（刊于南雷文定五集附錄）著錄梨洲遺著共計四十六種，但大多未錄卷數，而且種類不全，蓋取其主要者予以著錄之故；

二、康熙時期的歷史學家邵廷采（公元一六四八—一七一一年），與宗羲同邑，且親聆梨洲講學，堪稱及門弟子，其所著思復堂文集卷三之遺獻黃文孝先生傳著錄梨洲遺著四十種，且稱其總數「不下百種」，可見未能盡錄；所錄四十種也未記卷數，雖有黃百家行略缺錄者，但比行略要少幾種；

三、生活在康熙後期至乾隆中期的著名歷史學家全祖望（公元一七〇五——一七五五年）自稱梨洲「私淑」弟子，對梨洲生平事迹及著作情況有較全面的瞭解和考證，所著梨洲先生神道碑文（見鮚埼亭集卷十一）著錄梨洲遺著六十三種，此外又在奉九沙先生論刻南雷全集書（見鮚埼亭集外編卷四十四）中補錄三種，總計六十六種。其中四十種有卷數，計八百九十四卷，其餘則未錄卷數。但祖望將歸屬行朝錄的贛州失事、賜姓始末等七篇單獨著錄，又分宋元儒學案爲宋儒學案、元儒學案兩種，如果加以裁併，則所錄梨洲遺著總數祇有五十八種，仍然未能盡錄；

四、宗羲七世孫黃炳垕（公元一八一五——一八九三年）于同治十二年撰成黃梨洲先生年譜三卷，著錄梨洲遺著較以往更加詳細，共計有七十四種（其中行朝錄九篇單獨著錄），約計一千二百餘卷，雖有遺漏，然尚無妄作增添者。炳垕又著黃氏世德傳贊黃宗羲傳（有光緒十六年刻本）著錄梨洲遺著五十八種，約九百餘卷，較年譜條理更加清楚。

五、近代學者、梨洲後裔黃嗣艾著有南雷學案（民國二十五年南京正中書局出版），其遺著目錄梨洲遺著七十七種，一千三十一卷。雖比以往更多，然考辨未精，眞僞未辨，訛誤較多。如將滇考、鄭成功傳、張玄著先生事略、玄珠密語等誤作梨洲遺著，又謂黃氏宗譜有三十六卷云云，皆係誤錄，致使後人沿襲其錯誤，出現不少混淆。

六、當代歷史學家謝國楨始撰於三十年代而修訂於五十年代的黃梨洲學譜（上海商務印書館一九三二年初版，一九五七年修訂版），其著述考一節著錄梨洲遺著六十四種，一千二百餘卷，雖然未錄其全，也存在某些錯誤（如有關行朝錄、滇考卽有誤記），但其考證嚴謹而求實，頗多前人未發之見，其貢獻不亞於全祖望、黃炳垕二人。

七、南京大學教授洪煥椿在四十年代曾任職於浙江圖書館，對浙江文獻及梨洲遺著頗加重視，所著浙江文獻叢考（浙江人民出版社一九八二年版）專立清初歷史學家黃宗羲著述目一節，著錄梨洲遺著一百零五種，總計一千三百餘卷，且多數條目下附有簡略說明，可資參考。但該著所列書目或爲某書某集之子篇，或沿襲了黃嗣艾、謝國楨的錯誤而未能明辨，或照錄館藏圖書卡片而未審原書，或僅據封頁題簽而未辨內文，故著錄錯誤較多，不可盲目信從。

除上述諸家著錄之外，尚有江藩國朝漢學師承記、錢林文獻徵存錄、阮元疇人傳、唐鑑清學案小識等書之黃宗羲傳記，以及清代餘姚縣志、竹橋黃氏宗譜、梨洲遺著彙刊之編者序言、目錄中均有比較集中的著錄，但與前述諸家大同小異，並無出其右者，恕不一一贅述。

那麼，梨洲著作總數到底有多少呢？筆者近年受浙江古籍出版社委託，具體負責編輯、整理黃宗羲全集（全十二册）的組織工作。於是，不得不盡心竭力，奔走於南北圖書館，埋首於古今故紙堆，不勝其繁地搜集查核梨洲遺著的各種版本，努力發掘罕爲人知，從未刊印的稿本和抄本，反覆核對，辨析前人有關著錄和考證，從而得以比較清楚地瞭解梨洲著作總數及其存佚情況，並對每種遺著的寫作背景、刊行情況、版本優劣等問題作出了自己的考證。儘管我的考證和統計可能仍有誤漏，但較之前人自信更加全面準確。據我所考，梨洲著作總計一百十一種，一千三百餘卷，不少於兩千萬字。這些「著作」，並非全屬本人撰著，其中十餘種近千卷是由黃宗羲主持編選的宋、元、明人著作。如果按著作性質分類，則可分爲三類：一是文選彙編類，如明文案、明文海、明史案等，共十九種，約一千卷，二是自撰專著類，如易學象數論、行朝錄、明儒學案等，共六十四種，約三百卷（其中宋元學案按一百卷計，但非全由宗羲編著）；三是自著詩文集類，如南雷文案、文定、詩曆等，共二十八種，七十餘卷（其中多數是重復結集，如刪其重出者，則只有四十餘卷）。現在尚存者，有文選十種，八百九十五卷，專著二十六種，二百九卷；詩文集十八種，六十七卷（其中有重復計算者，詳見本書南雷詩文集考）總計尚存五十四種，一千一百七十卷，其中屬於宗羲本人撰著的僅存四十四種，二百餘卷。其他都已亡佚難尋了。

如前所述，前人有關梨洲著作的著錄和考辨，存在不少遺漏或錯誤，有必要澄清事實，考定眞僞；有的梨洲著作的寫作背景、年代及刊行情況，前人或者語焉不詳，或者未作交代，也需加以考定和判別；已經刊印的梨洲著作，各種版本精粗不一，需要辨其優劣；各種題名黃宗羲撰、編的未刊稿本和抄本（包括近年新發現者），或爲前人所未考未見，或有僞作夾雜其間，也需作出鑒別和考證。筆者不辭淺陋，自一九八四年至今，費數年之力，陸續撰成三十餘篇考證文章，其中有的已收入黃宗羲全集作爲附錄出版，有的發表於學術刊物，而大多尚未發表。今年五月，筆者應新加坡東亞哲學研究所之聘，攜眷抵新，出任專任研究員之職，研究課題之一即編撰黃宗羲年譜。於是將黃宗羲遺著考各篇初稿略事修訂，增補數篇，彙爲一帙，題名黃宗義著作彙考，擬付出版。承蒙香港中文大學哲學系主任劉述先教授鼎力支持，惠賜大序；又蒙臺灣學生書局慨然接受出版，亦此書之大幸也。我與述先教授交往，始於一九八六年春，而正式見面，却在該年十月舉行的寧波「國際黃宗羲學術討論會」上。當時，他在寫黃宗羲心學的定位一書（現已出版），而我在編黃宗羲全集及做梨洲遺著的考證，所以彼此有很多共同語言，頗有相見恨晚之感。而我對劉先生的道德文章，亦早有聞見，可謂「心嚮往之」了。今請先生爲拙著作序，乃出於一片誠敬之心，非一般泛泛之交所可比也。

還應向讀者鄭重說明的是：梨洲遺著多又散，前人著錄徧而亂，本人學力單薄，識見有限，故筆者以往所作考論中有關梨洲遺著的統計、歸類、存佚諸見解，不免有與本書不合之處，謹以是編爲準。且書海茫茫，考證艱難，前此之誤，已有本書正之；本書之正誤補闕，尚待未來。伏乞讀者指正是幸！

吳　光　謹識

一九八八年十月十六日於新加坡東亞哲學研究所

# 黃宗羲著作彙考 目錄

# 一　明夷待訪錄與留書合考

衆所周知，黃宗羲在抗清鬥爭失敗以後，寫下了一部膾炙人口的政治思想代表作——明夷待訪錄。書中破天荒第一次提出了「爲天下之大害者，君而已矣」的歷史名言，把思想批判的矛頭對準了兩千多年來的中國封建君主專制制度，並提出了「天下爲主，君爲客」、「君與臣，共曳木之人也」以及「人各得自私，各得自利」、「公其非是於學校」、「工商皆本」等思想主張，從而奠定了黃宗羲作爲一位具有民主傾向的啓蒙思想家的歷史地位。

然而，過去一般人所了解的明夷待訪錄，是一卷二十一篇刊印本。而乾隆時代的著名學者全祖望在梨洲先生神道碑文中說：「先生所著，有明夷待訪錄二卷，留書一卷。」（鮚埼亭集卷十一）又在爲鄭氏二老閣刻本寫的明夷待訪錄跋中說：「明夷待訪錄一卷，………原本不此於此，以多嫌諱弗盡出。今並已刻之版亦毀於火。」那麼，明夷待訪錄原本究竟是一卷還是二卷？它寫成於何時？刊刻於何時？它與留書的關係怎樣？那些「嫌諱弗盡出」的內容是什麼？這些問題，在我們整理黃宗羲全集並在一九八五年重新發現留書之前，在學術界一直是個謎。

一九八三年秋，我因編輯黃宗羲全集目錄的需要而到寧波天一閣訪書，從其所藏馮貞羣（字孟顓，爲近代浙東著名藏書家，所藏古籍在「文革」時代由其遺屬移交天一閣）伏跗室書目中查知有留書一卷五篇抄本尚存該館，即向「天一閣文物保管所」管理員駱某借閱，但駱說「此書有目無書」，不肯借閱。其後，我又兩訪天一閣借閱留書，但駱氏均以「未見此書」謝絕。直到一九八五年三月，我從北京中國科學院圖書館善本室所藏南雷文鈔鄭祐抄本中發現了留書中的文質、封建兩篇佚文以後，於同年八月再次到天一閣會見駱氏時，駱才說「最近我們也找到了留書抄本」，並將原本借我校閱。其後，駱在鈔錄留書副本寄我「指正」時，又另抄一本交文獻雜誌發表，並自稱「發現了失傳三百年的留書」。其實，留書並未「失傳」，早由二老閣主人鈔錄於前，馮貞羣先生收藏於後。而且這次也非首次「發現」，因爲謝國楨先生於一九五七年春至寧波訪書時，馮貞羣親將留書抄本出示，謝氏又在黃梨洲學譜（商務印書館一九五七年修訂本）中作了著錄和補充說明，祇是當時沒有受到學者足夠重視而已。但不管怎樣，這次重新發現留書是件好事，它使我們得以解開了明夷待訪錄從初稿到刊刻流傳之謎，弄清了留書和明夷待訪錄之間的密切聯繫。

原來，明夷待訪錄從寫作初稿到修改定稿乃至刻印流行，經歷了一個不平凡的過程，其大致情況如下：

在清順治二年（公元一六四五年）六月，清軍消滅南明弘光政權後挺進浙東，前明官員錢肅樂、孫嘉績、熊汝霖等在寧波、餘姚等地組織了浙東抗清武裝，迎立明宗室魯王朱以海在紹興建立了監國魯王政權。黃宗羲在家鄉組織黃竹浦子弟六百餘人爲「世忠營」，追隨孫、熊等人進行了艱苦卓絕的抗清鬥爭。但時過八年，即順治十年（一六五三年）癸巳歲三月，魯王被迫取消「監國」名號，從而標志着浙東抗清鬥爭徹底失敗。這時，「半生瀕十死」的黃宗羲，開始冷靜地總結明朝覆亡的歷史教訓，決心爲後人留下治國經世之作。就在這年九月，自稱「梨洲老人」而實際年方四十四歲的黃宗羲，寫下了分別題名爲文質、封建、衞所、朋黨、史、田賦、制科、將的八篇政論文章，合爲一卷，並寫了一篇自序云：

> 古之君子著書，不惟其言之，惟其行之也。僕生塵冥之中，治亂之故，觀之也熟；農瑣餘隙，條其大者，爲書八篇。仰瞻宇宙，抱策焉往？則亦留之空言而已。自有宇宙以來，著書者何限？或以私意攙入其間，其留亦爲無用。吾之言非一人之私言也，後之人苟有因吾言而行之者，又何異乎吾之自行其言乎？是故其書不可不留也。癸巳九月，梨洲老人書於藥院。

這篇序文表明三點：第一，八篇文章皆屬政論，寫作目的旨在總結歷史上的「治亂之故」，爲後人治國留言；第二，本書寫於「癸巳九月」，即清順治十年（一六五三年）；第三，當成稿之初，祇有八篇名而無總書名，後來，蓋因序中有「其書不可不留」一類話，故定名爲留書。今存馮氏伏跗室藏鄭性父子校抄本所題書名爲「黃梨洲先生留書」，而中國科學院圖書館藏南雷文鈔鄭祏手抄本中鈔錄了文質、封建二篇而未言及留書之名，也證明留書之名是後來定的。

關於留書的內容，現在僅存前五篇全文，後三篇即田賦、制科、將，據原抄者註稱，已收入明夷待訪錄。但今存明夷待訪錄的各種抄本、刻本都無此三篇名，而祇有篇名相近的田制（三篇）、取士（二篇）、方鎭（一篇），說明明夷待訪錄定稿刊印時，已對原屬留書的篇名、次序作了調整，甚至內容也有增刪。現存留書的文質、封建、衞所、朋黨、史的內容，充滿了作者強烈的反清民族主義情緒。如文質篇譏刺春秋時代的由余和秦繆公，稱「由余之所謂道，戎狄之道也，而繆公以爲聖人。……繆公之謚爲『繆』，不亦宜乎！」封建篇列舉歷史上「夷狄」入主中原的事例，證明其「自三代以後，亂天下者無如夷狄」的論斷，朋黨篇則有「虜設僞朝」、「陳名夏亡命入虜，其酋聽之」等直接攻擊清朝的話；史篇大談「夷夏之辨」，說：「中國之於夷狄，內外之辨也。以中國治中國，以夷狄治夷狄，猶人不可雜之於獸、獸不可雜之於人也。」其反清傾向如此強烈，難怪後人不敢刊刻了，即便傳鈔也是要冒殺頭風險的。鄭性後人在南雷文鈔中祇敢鈔錄留書中的文質全篇和封建篇大半篇，收藏南雷文鈔的徐時棟在同治七年整理該抄本時，又在封建篇末批註云：「此文未全，議論極乖張。雖曰吠堯，然狂吠矣！叢殘不足惜也。」這條案語，已足以說明留書未能與明夷待訪錄同時刊行的歷史原因了。

黃宗羲在寫作留書初稿以後十年間，目睹清朝統治日漸鞏固，遂對恢復明室不再寄予期望。但他並不願意承認新朝的統治，而認爲當時依然「亂運未終」，治世尚待未來。於是他繼續探討「治亂之故」、「條具爲治大法」，最後在康熙元年壬寅至二年癸卯（公元一六六二──一六六三年）完成了一部新著──明夷待訪錄（黃宗羲、黃百家、邵廷采、顧炎武等清初學者著作中都稱作待訪錄，「明夷」二字是後加的）。此稿可稱爲「癸卯稿」，較之十年前的八篇「癸巳稿」，作者的思想得到了升華。他不再像文質、封建諸篇那樣僅僅批判「夷狄入亂中國」，而是把矛頭指向了秦、漢以來的整個君主專制制度，從政治、經濟、法律、軍事、教育、文化等方面提出了頗具民主啓蒙傾向的政治大綱。

那麼，留書與明夷待訪錄之間究竟有何聯繫呢？我認爲，前者是後者的發端，後者是前者的發揚。理由有三：

第一，從寫作動機看：二書都寫於明亡以後，旨在總結歷史教訓，爲後世立言立法。留書自序自稱「治亂之故，觀之也熟」，遂「條其大者，爲書八篇」，期望「後之人苟有因吾言而行之者」；明夷待訪錄自序也稱「嘗疑孟子一治一亂之言，何三代而下之有亂無治也？乃觀胡翰所謂十二運者……皆在一亂之運」，於是「條具爲治大法」，期待「如箕子之見訪，或庶幾焉」。可見二書宗旨相承。

第二，從內容看：留書五篇原文，雖未收入明夷待訪錄，但其基本觀點，已在待訪錄中得到反映。如文質、封建篇批評秦以後「廢封建」和「夷狄亂天下」的觀點見於待訪錄之原臣、原法；衞所篇關於唐、宋、明兵制利弊的觀點見於待訪錄之兵制；朋黨篇論奄黨禍國的觀點見於待訪錄之奄宦，等等。所不同者，留書有直接反清文字，而待訪錄則沒有，但後者增強了批判君主專制的理論色彩，其「爲治大法」也更系統、更明確。這說明二書思想前後相承。

第三，留書五篇本書末鈔者註云：「先生留書八篇，其田賦、制科、將三篇見待訪錄，茲不具載。」今本明夷待訪錄雖無此三篇之名，但由抄者註可知其必有三篇之實，祇因內容重復才被略鈔的。這說明待訪錄實是留書八篇之擴充。

那麼，擴充後的明夷待訪錄有幾卷？是否刊刻？現在雖無實物證據，但從下述馮貞羣、黃宗羲、全祖望著錄可知一二：

馮貞羣伏跗室書目著錄云：「南雷黃子留書一卷，一册，是亦居傳抄本。」下列其篇名爲文質、封建、衞所、朋黨、史，並錄原本所載黃宗羲題記一則，文云：

> 癸巳秋，爲書一卷，留之篋中。後十年，續有明夷待訪錄之作，則其大者多採入焉，而其餘棄之。甬上萬公擇謂尚有可取者，乃復附之明夷待訪錄之後，是非予之所留也，公擇之所留也。癸丑秋，梨洲老人題。門人萬斯選訂。

根據馮氏著錄和黃氏題記，我們不但可以知道留書還有個經萬斯選校訂的是亦居傳鈔本，而且可以推測：一、宗羲之所以寫此題記，很可能是因爲門人準備刻印待訪錄和留書，而這個刻本也就是全祖望在二老閣刻本跋中所說「今並已刻之版亦毀於火」的那個最早刻本；二、全祖望在梨洲先生神道碑文中所說的「明夷待訪錄二卷，留書一卷」，即指明夷待訪錄原本後附有留書五篇的萬斯選校訂本。如果上述推測不錯的話，則明夷待訪錄原本是分爲二卷並附有留書一卷五篇的，其初刻年代應在癸丑年，即康熙十二年（一六七三年），或者稍晚一些。可惜這個初刻本未能流傳下來。

現在流傳下來的明夷待訪錄最早刻本，是慈溪鄭氏二老閣刻本。該本現藏餘姚市梨洲文獻館，原本封面已毀，後爲藏家補綴。其首頁題書名爲「黃梨洲先生明夷待訪錄」，下題「後學鄭性訂，鄭大節校」。內文首刻顧寧人書，即顧炎武與黃宗羲書。考宗羲思舊錄「顧炎武」條，知此書函寫於康熙十五年丙辰（公元一六七六年）。該本封面雖毀。但審其版式、字型，與浙江圖書館所藏「二老閣叢書」之明夷待訪錄完全一樣，而叢書本扉頁印有「二老閣藏版」字樣，故可斷定餘姚梨洲文獻館所藏刻本爲二老閣初刻本。

關於二老閣本的初刻年代，曾有人以爲是在嘉慶年間（見中華書局一九八一年版明夷待訪錄標點本之重印說明），這是誤斷。考慈溪鄭氏宗譜，鄭性爲梨洲門人鄭梁之子，生於康熙四年（一六六五年），卒於乾隆八年（一七四三年）；鄭大節爲鄭性之子，生於康熙四十四年（一七〇五年），卒於乾隆四十五年（一七八〇年）。明夷待訪錄既爲鄭性、鄭大節父子校刻，則就不會遲至嘉慶年間了。

另據全祖望五嶽遊人穿中柱文和二老閣藏書記（二文均載鮚埼亭集）記載，鄭性於梨洲之學，表章不遺餘力，晚年自遊五嶽回鄉後，即繼承其父鄭梁遺志，於居所東築成二老閣，用於貯書和祭祀「二老」（即鄭性祖父鄭溱及黃宗羲二人）。又考鄭性南溪偶存詩，鄭性於康熙五十七年才「勃然發愿遊五嶽」，由此可推斷二老閣修成之年，已在康熙末年或雍正年間。而據鄭性南雷文約序的記載，鄭氏集中刊刻梨洲遺著乃在乾隆初年，其明儒學案二老閣本刻成於乾隆四年（一七三九年），而南雷文約則刻成於乾隆七年（一七四二年），明夷待訪錄既爲鄭性父子校訂、二老閣刊刻，則其刻成之年可以肯定是在乾隆初年了。

從馮氏伏跗室藏留書鄭氏校抄本與同氏校抄之明夷待訪錄、思舊錄合抄爲一册的情況分析，鄭氏本來是計畫將三書一起付刻的，但由于留書五篇反清的色彩實在太明顯，他可能在全祖望勸告下未刻留書，而衹刻了明夷待訪錄和思舊錄。故今存二老閣刻本之待訪、思舊二錄，都由全祖望分別寫了序、跋。其書明夷待訪錄後（卽二老閣刻本跋）所說「明夷待訪錄一卷……原本不止於此，以多嫌諱弗盡出」之語，也正可作爲全氏主張刪刻留書的證明。於是，今本明夷待訪錄的各種刻印本，也就衹有一卷了。

民國時代學者，黃氏後裔黃嗣艾編撰的南雷學案（一九三六年正中書局初版）卷八全謝山先生關於南雷先生語一節，編者黃嗣艾註云：「憶予幼時，見先大父永州公（卽黃文琛，生於嘉慶間，卒於光緒七年——光註）遺篋內有明夷待訪錄抄本，似較今行世者多。據聞族人在道、咸間往餘姚攜出傳寫者，乃並留書爲一耳。」又同書卷九甕叟公傳記云：「公（黃文琛）同時使門人往餘姚訪家屬……由上虞某姻家輾轉得南雷公明夷待訪錄原本，始知南雷公生平王佐之略：其發抒者題曰留書，而明夷待訪錄則留書中三分之一。」按黃嗣艾所謂「發抒者題曰留書，而明夷待訪錄則留書中三分之一」之說並不準確，因爲留書原稿僅一卷八篇，而今刻本明夷待訪錄則有一卷二十一篇。但由嗣艾的記載可以證明：明夷待訪錄原本確是與留書合爲一書的，其內容比今傳刻本要多。

綜合以上考證，可以得出如下結論：

第一、黃宗羲於順治十年癸巳秋（公元一六五三年）寫成文質、封建、衞所、朋黨、史、田賦、制科、將等八篇政論稿，合爲一卷，其後題名留書，此即癸巳初稿，爲明夷待訪錄之前身；

第二、時隔十年，即康熙二年癸卯（一六六三年），黃宗羲在癸巳初稿基礎上寫成明夷待訪錄二卷，吸收了留書原稿的主要內容，此即癸卯定稿，其分卷方法可能是以改寫過的留書諸篇爲一卷，以增寫的待訪錄諸篇爲一卷；

第三、又過十年，即康熙十二年癸丑（一六七三年），梨洲門人萬斯選將未收入待訪錄的留書殘稿，整理成文質、封建、衞所、朋黨、史五篇，附錄於明夷待訪錄後，並請黃宗羲爲之題辭。該校訂本可能付刻，但後來連同刻版一起被燒毀；

第四、乾隆初年，梨洲另一及門弟子鄭性與其子鄭大節校刻梨洲遺稿，對待訪錄原本作了刪節調整，刻成明夷待訪錄一卷，此即後世流傳的該書初刻本（二老閣刻本），留書五篇則未刻，而由鄭氏另鈔一部，得以保存至今。

此後，留書五篇抄本之文質、封建兩篇，曾由鄭性後裔鄭祏抄入南雷文鈔，但從未刊刻。而明夷待訪錄自乾隆至近代，曾經多家重印、重刻，版本衆多，文字亦有差異，但所據底本皆源出二老閣初刻本。現存明夷待訪錄的主要刻印本是：

一、民國初年吳興劉氏嘉業堂據「二老閣藏板」重印之二老閣叢書刻本，與思舊錄合刊，未收顧寧人書；

二、道光十九年（一八三九）金山錢氏刊指海刻本；

三、道光二十九年（一八四九）番禺潘氏刊海山仙館叢書刻本；

四、同治十三年（一八七四）虞山顧氏小石山房叢書刻本；

五、光緒二十三年（一八九七）沔陽李氏校印鐵香室叢刻刻本；

六、光緒二十四年（一八九八）豐城余氏刊寶墨齋叢書刻本；

七、光緒三十年（一九〇四）甘肅文學堂刻本；

八、光緒三十一年（一九〇五）杭州羣學社石印黃梨洲遺書十種本；

九、宣統二年（一九一〇）上海時中書局鉛印梨洲遺著彙刊本，及民國四年、民國八年（一九一九年）增印本；

十、民國十四年（一九二五）上海中華書局鉛印四部備要本；

十一、一九五五年北京古籍出版社鉛印標點本；

十二、一九八一年北京中華書局鉛印標點本；

十三、一九八五年浙江古籍出版社據二老閣初刻本校點之黃宗羲全集第一册鉛印標點本。

此外還有幾種清代抄本，如：寧波天一閣所收馮氏伏跗室原藏乾隆年間鄭氏校抄本；北京圖書館善本室藏翁心存校跋本以及戴望校跋、蕭穆又跋本各一種，原本抄寫年代不詳。

# 二 明儒學案考

明儒學案六十二卷，近百萬字，是黃宗羲編撰的明代學術思想史專著。在全部梨洲遺著中，對於後世影響最大並且最受重視者，莫過於明夷待訪錄和明儒學案了。此書編成之後，立即風行學界，爲當時學者傳鈔、研習，並在梨洲生前即有刻本問世。清代著名學者湯斌、全祖望以及四庫全書總目提要的作者，對該書評價都很高。近代著名學者如梁啓超、錢穆、侯外廬、張岱年等，也對該書作了專門分析和高度評價。

近年來，國內外有不少學者對明儒學案的思想內容和歷史價值作了較深入的研究和評價❶；有的則對其成書年代、版本異同等問題作了考辨；特別是日本「中國學」專家山井湧教授所著明清思想史研究（東京大學出版會一九八〇年版）和黃宗羲（講談社一九八三年版）二書，對明儒

❶ 請參閱：黃進興：學案體裁產生的思想背景（載漢學研究一九八四年六月第二卷第一期；阮芝生學案體裁源流初探（載史源一九七一年九月第二期）；倉修良：黃宗羲與明儒學案（載杭州大學學報一九八三年第四期）。

學案的刊行過程和版本異同等問題作了較細緻的考辨❷。本文擬在前人研究基礎上，對有關問題再作辨析，並澄清若干錯誤認識。

## 一 歷史價值

明儒學案在中國思想文化史和史學史上，有其特殊的歷史貢獻和重要價值。概而言之有兩點：

第一、系統整理了一代學術思想史資料，開創了一種新的史學體裁——學案式的斷代學術史體。中國的學者歷來有重視總結學術思想發展演變歷史的傳統。在明代以前，大體上通過三種方式進行這種總結：一是通過修史，如史記以後各代正史的儒林傳、文苑傳、藝文志、經籍志等等；二是編纂類書、叢書，如唐、宋至明、清的藝文類聚、太平御覽、永樂大典、四庫全書等等；三是由思想家、史學家個人撰寫總結性著作，如莊子天下篇、司馬談的論六家要指、劉歆的七略、朱熹的伊洛淵源錄等等。但上述著作中，有的僅是史料彙編或著錄彙輯而非學術思想史；有的雖可稱作學術思想史，然而對學派、人物的記載很不系統全面，或着重敘其生平而略論宗旨，或重視概括思想宗旨而忽略其生平，並缺乏對各家各派思想資料的輯錄和保存。而自宋至明，學術發展很快，講學之風盛行，學派林立，人物衆多，宗旨各別，異說蜂起。在總結和整理如此紛繁複雜的學術演變史時，單靠舊形式的資料彙編或傳記式、概論式的學術史體裁，顯然已經不能滿足新形勢的需要。於是，突破舊形式、創立學術史書新體裁成爲必要。特別是在遭逢朝代更替的明清之際，無論是統治者還是「亡國士大夫」都感到有必要從政治上、思想上、學術上認眞總結有明一代興亡的歷史經驗和教訓。而身歷「亡國之痛」的黃宗羲，既是一位自覺地以總結歷代「治亂之故」，保存歷史文獻爲已任的史學家和思想家，又是一位博學多才、熟諳各家各派學術「宗旨離合之故」的學術大師。因此，創立學術史新體裁的重任歷史地落在了黃宗羲身上。

在黃宗羲之前，王陽明的再傳弟子劉元卿曾著諸儒學案一書八卷（未見傳本，書名見明史藝文志及劉元卿傳），黃宗羲的老師劉宗周曾著皇明道統錄七卷（今佚），與宗羲同時代的學者孫奇逢著有理學宗傳、周汝登著有聖學宗傳等通史體學術史著作。這些著作無疑對明儒學案的定名、定體有着重要的啓迪和借鑒作用。但從著作規模的弘大、蒐集資料的完備、編纂體例的嚴整、概括宗旨的準確、評論各家得失的客觀等方面看，上述著作都無法與明儒學案相提並論。

黃宗羲的明儒學案共立學案十九個，分卷六十二，上起明初吳與弼、陳獻章、薛瑄，中經王學各派及王艮、湛若水等，下至明末東林學者顧憲成、高攀龍、劉宗周，論列學者二百餘人，系統記載和評論了明代儒學各主要流派、各重要學者的生平、事蹟、著作及其學術思想的演變情況。每個學案中，首列小序一篇，次立個人小傳，次載傳主著作、語錄或書函，其間夾附編

❷　參閱「國際黃宗羲學術討論」會論文集：黃宗羲論，浙江古籍出版社一九八七年十二月出版，集中所收山井湧、司徒琳文，對明儒學案作了考辨，另有一些論文則作了分析評價。

者按語和評論，條理清晰，結構嚴整，師承分明，宗旨歷然。全書之首，列明儒學案發凡一篇，以申明著書之宗旨；次列師說一篇，以示對劉宗周學術觀點的尊重；十九個學案又以王陽明及其後學所占比重最大，以突出明代學術重心之所在。這一切表明，明儒學案確實可稱爲中國第一部學案式的斷代學術思想史專著。

第二、建立了以「一本而萬殊」的眞理論爲指導，以「會衆以合一」爲方法去把握和整理學術演變史的學術史觀。

黃宗羲在明儒學案發凡以及某些學案的案語中，提出了編纂學術史的指導思想和方法論原則，從而建立了具有普遍理論意義的學術史觀。他在發凡中說：

> 學問之道，以各人自用得着者為眞。……此編所列，有一偏之見，有相反之論，學者於其不同處正宜着眼理會，所謂「一本而萬殊」也。以水濟水，豈是學問！

在黃宗羲看來，學術發展的客觀狀況是「一本而萬殊」的，眞理即在各種「一偏之見，相反之論」的互相爭鳴中求得，因此作爲學術思想史的整理者和總結者，應當善於把握各家學術宗旨的殊異之處，以透露其人「一生之精神」。這個「一本而萬殊」的原則，是黃宗羲觀察和把握學術發展千差萬別情況的指導原則，是一種微觀分析的方法。

但作爲一種科學的學術史觀，僅僅着眼於理會各家學術之不同處是不夠的，還必須有會通萬殊使歸一本的歸納能力。正如黃宗羲在明儒學案案語中所說：「理雖一而不得不殊，入手雖殊而要歸未嘗不一」，這便是分析與歸納相結合的方法。宗羲在諸儒學案中張邦奇傳論窮經方法時也強調了會通即歸納方法的意義，他說：

> 夫窮經者，窮其理也。世人之窮經，守一先生之言，未嘗會通之以理，則所窮者一先生之言耳！

黃宗羲更明確地在南雷文定前集卷八萬充宗墓誌銘中將他的「會通之以理」的窮經方法概括為「會衆以合一」的方法。他說：

> 士生千載之下，不能會衆以合一，由谷而之川，川以達於海，猶可謂之窮經乎？自科擧之學興，以一先生之言為標準，毫秒摘抉，於其所不必疑者而疑之，而大經大法反置之而不用。

這個「會衆以合一」的方法，雖然是講窮經方法，但同樣適用於學術史的整理，我們完全可以視之為黃氏學術史觀的重要組成部分。一個歷史學家或思想史家，如果對浩如烟海的學術資料缺乏「會衆以合一」的學術歸納能力，那麼他就寫不出好的學術史著作，即便能夠成書，也無非是材料堆積，未必得其要領。而黃宗羲編纂明儒學案，「皆從全集纂要鉤玄，未嘗襲前人之舊本」，正是從實踐中貫串其「一本萬殊」與「會衆合一」有機結合的學術史觀的。

梁啓超在中國近三百年學術史中評論說：

中國有完善的學術史，自梨洲之著學案始。……明儒學案這部書，我認為是極有價值的創作，將來做哲學史、科學史、文學史的人，對於他的組織雖有許多應改良之處，對於他的方法和精神是永遠應採用的。

梁氏這一評論，不僅是中肯的，而且頗有先見之明。自梁氏以後至於今，不是陸續有人效做黃宗羲明儒學案的形式編纂新的學術史著作嗎！

當然，我們在肯定明儒學案的歷史價值時，也毋庸諱言其缺陷：從包括明代在內的中國學術發展更廣闊的背景和豐富的內容看，明儒學案還只是一部明代儒學史，並未包括明代的佛、老之學和其他「異端」之學，因此嚴格地說還不能算完整的斷代學術史。它在材料取捨、學案編排、學術得失的評價等方面，雖然有其系統性、客觀性的優點，但也未免帶有王學門戶之見和世俗偏見，例如它過分突出了王陽明學派的主流地位而對明初至明中葉朱子學的演變注意不夠，對屬於王學異端的著名學者李贄既不立案、也不立傳，就反映了著者的學術偏見。今人或以「疏忽」為梨洲辯解，恐怕是難以令人信服的。

## 二 成書年代

關於明儒學案的成書年代，過去一般論著都據黃宗羲明儒學案序稱「書成于丙辰之後」一語，認定爲康熙十五年（一六七六年）。同治間黃炳垕撰黃梨洲先生年譜，將成書之年係於康熙十五年丙辰，後人遂沿此說，既無疑者，也無考者。在一九八六年舉行的「國際黃宗羲學術討論會」上，有人對丙辰說提出了懷疑，認爲所謂「書成於丙辰之後」也可能指丙辰以後若干年，並判斷明儒學案的完稿時間「當在康熙二十四年」（參見陳祖武黃宗羲生平事迹叢考關於明儒學案成書時間的幾個問題）。因此，具體地考定明儒學案的成書時間，對於弄清黃宗羲的生平著述事迹是必要的。

我認爲，明儒學案的成書時間，既非康熙十五年，也非康熙二十四年，而是在康熙十七年至十八年間。其證據有三：

第一，宗羲在明儒學案序中說「書成于丙辰之後」，確實不能理解爲「成于丙辰」，而應理解爲「丙辰」稍後一二年間，更有可能的是，此書始撰於丙辰年，完成於丙辰之後一二年。但不會距丙辰年太遠，否則講「成於丙辰之後」就失去意義了。

第二，由黃宗羲親自選定的南雷文定附錄交遊尺牘中存有兩封湯斌寫給黃宗羲的信，其中一封寫於康熙二十年（該信又見於湯子遺書卷五，題名答黃太冲）。信中說：

史局旣開，四方藏書大至，獨先生著述弘富。一代理學之傳，如大禹導山導水，脈絡分明，事功文章經緯燦然，真儒林之巨海，吾黨之斗杓也。

信中所謂「史局旣開」，指康熙十七年詔徵博學鴻儒，設明史館由徐元文、徐乾學、葉方藹等主持纂修明史事。當時湯斌應徵往試，被授翰林院侍講，參與纂修明史。信中所指「一代理學之傳」，顯然只能是指明儒學案。因爲在黃宗羲著作中只有這部書能當得起如此高的評價。而湯斌在寫信之時（當時湯在浙江鄉試正考官任上，宗羲之子百家攜父函至杭州拜謁），或在寫信之前如果沒有見到過這部「一代理學之傳」，他是作不出「如大禹導山導水」之類評價的。有人或據信中稱「承諭蕺山學案序」而以爲湯斌當時尚不知有明儒學案，並以此證明明儒學案作於康熙二十年以後，我認爲是誤解。因爲蕺山學案僅一卷，只是記載了劉宗周一人的生平言行及其學說，怎能稱之爲「一代理學之傳」呢？又怎當得起「如大禹導山導水，脈絡分明」和「儒林巨海」之類評價呢？由湯斌答黃太冲書可以證明，明儒學案的成書之年，必定在康熙二十年以前。

第三，明儒學案最末兩卷是卷六十一東林學案四、卷六十二蕺山學案。前者記宗羲之父黃尊素以及東林學者顧憲成門人吳鍾巒、高攀龍門人華允誠、陳龍正，後者記宗羲之師劉宗周。從編撰次序看，這兩卷成書應當最晚，而其記事則透露了該書成書時間。如卷六十一宗伯吳霞舟先生鍾巒傳末說：

先生嘗選時文名士品……而某與焉。其後同處圍城，執手慟哭。某別先生，行三十里，先生復棹三板追送，其語絕痛。……嗚呼！先生之知某如此。今鈔先生學案，去之三十年，嚴毅之氣尚浮動目中也。

據全祖望撰梨洲先生神道碑文和黃炳垕撰黃梨洲先生年譜，黃宗羲在順治六年（一六四九年）自舟山返故居，吳鍾巒駕船送別。由此下推三十年，即康熙十七年（一六七八年）。傳文稱「今鈔先生學案，去之三十年」，證明此卷學案撰成於康熙十七、十八年間。

又明儒學案卷六十二蕺山學案小序載：宗羲同門友惲日初（字仲升）於戊申歲（康熙七年）撰成劉子節要，後請宗羲作序，宗羲認爲「日初亦便未知先師之學」，故不肯作序。至撰蕺山學案時，宗羲又感嘆「惜當時不及細論，負此良友。今所錄，一依原書次第」。此序說明：宗羲撰蕺山學案時，惲日初已逝世，但爲時不久。考清史列傳卷六十六惲日初傳：日初字仲升，江南武進（今江蘇常州）人，黃宗羲嘗稱爲宗周門下第一人，曾撰劉子節要十四卷，康熙十七年卒，年七十八。這又說明：黃宗羲明儒學案的成書時間，又不會早於康熙十七年。

綜合以上三點證據，大致可斷定明儒學案一書，當成於康熙十七年，最晚不後於康熙十八年。

## 三　版本彙錄及刊行過程

明儒學案的木刻本和鉛印本，迄今共約二十種，即：

(1) 康熙間安陽許三禮（字酉山）刻本。僅刻數卷而止，今無傳本。

(2) 康熙三十年（一六九一年）鄞縣萬言（字貞一）刻本。此本僅刻卷一至十八、卷二十、二十一，共計二十卷，後由鄭性補完，成二老閣本。

(3) 康熙三十二年（一六九三年）故城賈氏紫筠齋刻六十二卷本（以下簡稱賈本）。此本由賈潤（號若水）據抄本整理評點，始刻於康熙三十年，未成而潤卒，其子賈樸（字醇庵）續刻成於康熙三十二年。今中國科學院圖書館、浙江圖書館均有藏本。

(4) 乾隆四年（一七三九年）慈溪二老閣主人鄭性在萬言刻本基礎上依據黃氏手稿刻齊全書，即鄭氏二老閣刻本（以下簡稱鄭本）。鄭性校刻之卷爲卷十九，卷二十二至六十二。今浙江圖書館、寧波圖書館藏有原刻本。

(5) 乾隆間據山東巡撫採進賈刻本謄寫的四庫全書本。今有文淵閣寫本及臺灣商務印書館景印文淵閣本。

(6) 道光元年（一八二一年）會稽莫晉（字寶齋）、莫階（字芝庭）校刻本（以下簡稱莫本）。今有傳本。

(7) 光緒八年（一八八二年）慈溪馮全垓據二老閣藏板補修重印本。今有傳本。

(8) 光緒十四年（一八八八年）南昌縣學據莫本重刻本。今存。

(9) 光緒三十年（一九〇四年）湘潭黃氏蘇山草堂據莫本重刻本。今存。

(10) 民國元年（一九一二）國學研究會據莫本重刻本。今存。

(11) 民國十八年（一九二九）上海商務印書館鉛印標點本（即萬有文庫本）。分十二冊。

(12) 民國二十五年（一九三六）上海世界書局鉛印標點四朝學案本。分二冊。

(13) 民國二十五年（一九三六）上海中華書局據鄭氏補刻本校刊（實即據莫本重排）本，分十二冊。另有縮印本一冊。

(14) 一九八五年北京中華書局據馮全垓本標點（參校賈本、莫本）鉛印新版本，分上下二冊。

此外，還有節選本四種：(1)光緒三十一年（一九〇五年）杭州羣學社石印黃梨洲遺書十種本，據馮刻本選收鄭性序、馮全垓跋、明儒學案發凡、師說及各卷序錄、叙傳分八卷；(2)光緒三十一年新民社排印新會梁啓超節抄明儒學案二十卷本一冊；(3)北京大學圖書館藏抄本四卷；(4)民國二十年（一九三一年）上海商務印書館排印繆天綬選註本。又據丁丙撰八千卷樓書目和楊立誠編四庫目略載，尚有呂氏刊本一種，今未見傳本。

根據黃宗羲明儒學案序以及賈本、鄭本、莫本、馮本和近代諸本的序、跋，明儒學案的刊行經過大體如下：明儒學案編成後，即有鈔本流傳。許三禮首先刊刻數卷。萬言於康熙三十年刊刻其中三分之一（二十卷）。賈氏父子於康熙三十年至三十二年首次刻成全書。鄭性在萬言刻本基礎上據稿本補刻完全書，始於雍正十三年，成於乾隆四年。乾隆四十三年，賈本被收入四庫全書。道光元年，莫氏兄弟據家藏鈔本校勘賈、鄭二本，依鄭本卷次重刻賈本。光緒八年，馮全垓據鄭刻底板修補重印。近代各種刊印本包括聲稱「據鄭氏補刻本校刊」的四部備要本，其實都是莫本的翻版，其內容與賈本差異不大，而與鄭本出入較多。

## 四 主要刻本異同之比較

現存明儒學案版本雖多，但值得進行比較研究的只有四種，即賈氏紫筠齋刻本、莫氏刻本；鄭氏二老閣原刻本、馮全垓補刻本。其中莫本僅在學案排列順序上與鄭本一致，而在內容上除個別字句外與賈本無異；馮本係修補二老閣藏版後重印本，在排列順序和內容上除增加馮全垓跋之外，並無多少差別。因此，眞正值得作些比較研究的其實只有賈本和鄭本。

賈、鄭二本都是十九個學案，分六十二卷，主要內容是相同的，所謂比較異同，主要是爲了找出其相異處，並分析產生「異」的原因。下面從四個方面進行比較：

第一，刻本所據底本不同。賈本依據的底本是經賈氏整理過的傳鈔本，而鄭本是在萬言刻本基礎上依據黃宗羲原稿本刊刻的。

關於賈本之底本來源，據賈潤序稱：「余因遺兒輩執經仇滄柱先生（名兆鰲）在北京講學，兒樸往來都下，得覯明儒學案，則梨洲先生所手輯其門，將由此以上溯姚江，庶幾獲聞緒論。兒樸往來都下，得覯明儒學案，則梨洲先生所手輯也」。此序未言賈樸所見是稿本還是鈔本。但賈樸跋交待稍爲清楚：「先君（賈潤）聞甬江仇先生入中秘，講學京邸，乃呼樸，謂『仇先生文章學術，源本六經，爲東南學者，爾其往受業焉』。樸乃執經先生之門。未幾，手授明儒學案一書，樸携歸以呈先君。先君讀而卒業，……

遂命樸等朝夕校讎，授諸梓以廣其傳。」這說明賈氏所得之本來源於仇兆鰲，並經賈樸等「校讎」後付刻。

但仇兆鰲是否擁有明儒學案的稿本呢？我們從賈本序、跋都不能作出肯定，但從鄭本所載鄭性序、黃千秋題識則可加以否定。鄭性序稱「故城賈氏一刻，雜以臆見，失黃子著書本意」，既云賈本「雜以臆見」，不合原著本意，則其底本決非原稿本，而是經過改竄的鈔本了。黃千秋題識敍述了黃氏原稿本的輾轉流傳及刊刻過程：首先，該書由「甬上萬管村先生（即萬言）宰五河時捐俸刻之，未及半而去官，遂輟。其稿本歸勾章鄭義門（即鄭性）」；然後，因餘姚人胡泮英傳言廣東巡撫楊文乾欲刊此書，囑託黃千秋從鄭性處借出稿本寄送胡泮英，不幸「書往而泮英歿」，隔了幾年，泮英之甥景鳴鹿受泮英臨終囑託，又將原稿奉還鄭氏，鄭氏遂「慨然捐貲續刻」。由此可知，明儒學案原稿本始由萬言，後由鄭性掌握，並未經過仇兆鰲之手，則仇氏所有之書，只能是鈔本了。賈本之底本既從仇氏處得來，自然也是鈔本。

賈氏父子是否據鈔本整理過黃氏原書呢？賈潤撰寫的明儒學案總評說：「愚意前輩諸家（指王陽明以前之明初諸儒——光註）當稍從增益，後來（指王門後學）衆說紛紜當大爲裁損，日者衰病連年，未遑從事，一仍其原本，不敢私有進退也。」這段話透露了賈潤想要增刪明儒學案原本的意圖。雖然他自稱「衰病連年，未遑從事」，但恐怕不過是僞飾之詞。即便在賈潤是「未遑從事」，也說不定繼承其父遺志的賈樸是作了這種增刪的。因爲事實上今存明儒學案的編目次序與學案內容的詳略，賈本與鄭本有很大出入。如果二本所據底本相同，是不會出現這種情況的。因此，鄭性批評賈氏「雜以臆見」是可信的。

第二，賈本有黃宗羲序而鄭本無黃氏序。這也是明儒學案以及黃宗羲思想研究者衆說紛紜，甚至迷惘不解的問題，需要予以澄清。

中華書局一九八五年新版明儒學案點校本前言稱：

萬氏之後，鄭氏之前，故城賈潤看到明儒學案鈔本……決心刻印而未及開工即去世，他的兒子賈樸繼承遺志，從康熙三十二年（一六九三年）至四十六年（一七〇七年）刻完，歷時十四年。其間曾請黃宗羲撰寫序言，宗羲因病，口授兒子百家代書，病愈後又親自修改。這二篇略有出入的序言，都收在賈刻中。是刻以賈潤齋名紫筠，亦稱紫筠齋本。……賈潤之孫賈念祖於雍正十三年（一七三五年）以紫筠齋版重印。……這次整理，以二老閣版一八八二年馮全垓印本為底本，校以紫筠齋版一七三五年印本，及一九三六年四部備要據莫刻排印本。

基於上述認識和選擇，中華書局一九八五年本收入了黃氏二篇序言，一題「明儒學案序」，落款是「黃宗羲序。康熙三十二年癸酉歲，德輝堂謹梓」（下簡稱「德輝堂刊黃序」）；一題

「黃梨洲先生原序」，末署「康熙癸酉歲，紫筠齋謹梓」（下簡稱黃氏原序）。點校者又據中華書局一九五九年版黃梨洲文集本所收明儒學案序校黃氏原序，據明儒學案序（改本）校德輝堂刊黃序。於是，竟有人撰文說黃氏有四篇明儒學案序。

但在事實上，中華書局新版本前言中的這段話是有重要疏誤的，是未審賈氏原刻本所致。

查中國科學院圖書館和浙江圖書館分別收藏的賈氏「紫筠齋藏板」原刻本，都載錄了賈潤序和賈樸跋，序末署「康熙辛未歲仲夏月」，即康熙三十年（一六九一年）五月，跋末署「歲在癸酉夏月」，即康熙三十二年（一六九三年）夏，且跋文明載「工起於辛未春，竣於癸酉之孟春」，其間相隔僅二年，何曾經歷十四年！這是中華書局點校本前言的錯誤判斷之一。

其二，科圖和浙圖藏賈氏原刻本都只有一篇黃宗羲撰明儒學案序，自「盈天地間皆心也」至「其功偉矣」共六百十一字，末署「黃宗羲序。康熙三十二年癸酉歲，德輝堂謹梓」十八字。此序即刊於南雷文定五集（又名病榻集，所收作品係黃氏晚年所作文）卷一的明儒學案序（改本），僅有個別文字出入而內容無異。而中華本前言誤以爲紫筠齋本收了「二篇略有出入的序言」，看來是未見康熙三十二年原刻本之故。

其三，賈念祖於雍正十三年（一七三五年）重印的紫筠齋藏版本，確實收入了二篇黃氏序言，一篇是上述德輝堂刊黃序，即南雷文定五集之改本序；一篇題稱「黃梨洲先生原序」，末署「康熙癸酉歲，紫筠齋謹梓」，自「盈天地皆心也」至「口授兒子百家書之」，計六百八十餘字。此序實即刊於南雷文定四集卷一的明儒學案序，但在後半篇論及明儒學案刊行始末時，賈念祖重印本序與南雷文定所收序有幾處重要出入。如文定本之「許酉山刻數卷而止，萬貞一又刻之而未畢。然鈔本流傳，陳介眉以謹守之學，讀之而轉手。湯潛庵謂余曰：『學案宗旨雜越，苟善讀之，未始非一貫也。』」。賈氏重印本改作「中州許酉山暨萬貞一各刻數卷，而未竣其事。然鈔本流傳，頗爲好學者所識。往時湯潛庵有云：『學案宗旨雜越，苟善讀之，未始非一貫。』此陳介眉所傳述語也」。考南雷文定後集卷三之翰林院編修怡庭陳君墓誌銘，陳介眉於康熙己未（十八年）「告假送親」，從北京回到故鄉寧波，此後「里居五年，遂膺末疾，不能出戶，又三年而卒」。這八年中，他無緣會見湯潛庵，焉能「傳述」湯氏論學案之語？墓誌銘又載：「明儒學案成，君（指陳介眉）讀之……從此殆將轉手，天不假之以年，惜哉！」這說明陳氏是在晚年才讀到明儒學案的（光按：陳氏死於康熙二十六年），「讀之殆將轉手」與文定本序「讀之而轉手」含義一致，指其在爲學宗旨上的轉折，但賈氏重印本序却刪除了「陳介眉以謹守之學，讀之而轉手」而改爲陳氏傳述湯氏之語，豈不荒謬！又如，文定本序之「北地賈若水」、「賈君死」等語，賈氏重印本序改作「北地隱士賈若水」、「賈君逝」，顯然是賈念祖的曲筆。由上可知，所謂紫筠齋版黃梨洲先生原序，在賈氏初刻本中是沒有的，而是由賈潤之孫賈念祖根據南雷文定四集所收明儒學案序加以增刪後補入賈本的。

除上述賈本外，四庫本所收明儒學案原序一篇，內容與賈氏德輝堂刊黃序完全相同；鄭本與馮本則未收黃序；而莫本所收明儒學案原序則與賈氏初刻本及四庫本黃序不同，而與賈氏重印本序相同，沿襲了賈念祖的妄改。後世諸本大多未辨黃序眞僞，或是或非，在此不必贅論了。

簡而言之，黃宗羲在完成明儒學案時，並未爲之作序，後來在康熙三十二年，因爲賈樸刻成此書，遂作序二篇，一篇是在病中「口授兒子百家書之」，並未寄送賈樸；一篇是在病後改作，由賈樸收入了紫筠齋初刻本。前序由梨洲門人收入南雷文定四集，後經賈念祖竄改後收入紫筠齋重印本。後序除收入賈氏初刻本外，又由梨洲之子黃百家收入了南雷文定五集。今人若要研究明儒學案序中的黃宗羲思想，應當依據賈氏初刻本和南雷文定本，而不應據賈氏重印本以訛傳訛。

第三，部分學案的編排次序和名稱不同。明儒學案卷一至九共有四個學案，其中崇仁學案四卷，白沙學案二卷，河東學案二卷，三原學案一卷。其排列次序是：賈本、四庫本依次爲河東、三原、崇仁、白沙；鄭本、莫本、馮本依次爲崇仁、白沙、河東、三原。自卷十至六十二，各本排列次序相同，每案卷數亦同，但其中卷十一至三十的六個學案名稱略有不同：賈本和四庫本題作「某某相傳學案」，鄭本、莫本、馮本則題作「某某王門學案」。

第四，學案內容詳略不同。較之鄭本，賈本（四庫本、莫本亦同）增補了七個人物敘傳，即河東學案的學人楊天游先生應詔（傳）和楊天游集，姚江學案的許半圭先生璋（傳）、王黃擧先生文轅（傳），浙中相傳學案五的教諭胡今山先生瀚（傳），南中相傳學案一的副使薛畏齋先生甲（傳）和薛畏齋文集、副使查毅齋先生鐸（傳）和查毅齋先生集，甘泉學案的文定王順渠先生道（傳）和文定先生文錄。但賈本刪除了黃氏原本的書末附案。鄭刻本將此附案置於蕺山學案後，未編卷次，收錄尚寶司丞應天彝先生典、周德純先生瑩、盧德卿先生可久、杜子光先生惟熙等四篇叙傳。另有副使顏冲宇先生鯨叙傳一篇，賈本置於卷五十三諸儒學案下一卷末，而鄭本却置於全書之首即明儒學案發凡前（馮氏補刻本移置全書附案之末），並附刻鄭性撰按語一條，略記五峯書院創建始末，並稱「性從王崇炳金華徵獻錄中得之。又黃子親筆原本載有顏冲宇先生鯨傳，謹附見於後」。顯然，這篇顏鯨傳的歸屬應從賈本，而鄭本之所以置於卷外，蓋因梨洲原稿本錯頁所致。這是鈔本反勝於稿本之一例。

至於各個學案具體內容的詳略不同之處，更是不勝枚擧。總的來說，較之以黃氏原稿爲底本刊刻的鄭氏二老閣本，賈本、莫本內容較略而鄭本較詳。例如第三十四卷，賈本就比鄭本少錄五千餘字。全書合計至少要比鄭本少錄十餘萬字。因此從總體而言，鄭本較賈本要優勝得多。我認爲今人若要重印明儒學案並且研究它，應以鄭氏二老閣原刻本爲底本，而以賈本、莫本爲參考，方不失黃宗羲著書之本意。從這個意義上說，浙江古籍出版社新版明儒學案，要比此前各種版本要好一些。

# 三 宋元學案補考

宋元學案又名宋元儒學案，是宋儒學案與元儒學案的合稱。該書是繼明儒學案以後又一部大型學術思想史專著，具有極大史料價值。

從宋元學案卷首所載王梓材、馮雲濠合撰之宋元學案考略、識語及各卷案語可知，該書實際上是由黃宗羲及其子弟門人黃百家、楊開沅、顧諟等人着手編纂，由全祖望增補修訂，最後又由王梓材、馮雲濠整理編定的，其中出力最多的是黃百家、全祖望、王梓材三人。當然，起例發凡之功還是屬於黃宗羲。該書自康熙中葉開始至道光十七年定稿，前後經歷一個半世紀，其繁難程度可想而知。

由於已有馮、王二氏的宋元學案考略（以下簡稱考略）在前，本文爲避免重複計，僅祇略陳考略已考之問題，而着重就考略交待不明的問題，以及馮、王以後又一個半世紀的該書版本異同、存佚等情況，作些補充說明和考證，故稱「補考」。考略原文則附於本文之後，以便讀者對照。

## 一 成書經過與編著人員考

宋元學案從始編到定稿付梓，經歷了一個複雜的過程。大體經歷了三個階段：

第一階段是在康熙時代，由黃宗羲搜集史料、創例發凡，而由其子百家（字主一，號耒史。生於明崇禎十六年，卒於清康熙四十八年，即公元一六四三——一七〇九年）具體編輯，宗羲門人楊開沅（字禹江，康熙間山陽人）、顧諟（字在瞻，山陽人）、張采（鄉貫未詳）分任編輯之責。但他們祇編成五十多個學案初稿，並爲之作了案語（以百家案語居多），並沒有編定全書，且未釐定卷次。據筆者統計，今存宋元學案百卷刻本，有六十七卷屬黃氏原本而由全氏修補而定。這六十七卷又分屬五十八個學案，有黃宗羲案語六十五條，分列三十三卷；黃百家案語二百零八條，分列四十三卷，楊開沅案語二十二條，分列四卷；顧諟案語二十三條，分列六卷；張采案語五條，分列五卷。五人合計案語三百二十三條，分列六十八卷（其中卷三高平學案中有一條百家案語係由王梓材從原本安定學案移入）。實際上，黃氏原本中的黃百家案語應比現存的要多些，後被全祖望、王梓材刪削了。由此可見，編纂宋元學案初稿的主要功績，應歸於黃宗羲和黃百家父子。

但黃氏父子從什麼時候開始編纂此書？前人沒有提供確切的記載，考略也未作出具體的考證。有必要作些補考。

據黃百家先遺獻文孝公梨洲府君行略（刊載於南雷文定五集）載：梨洲所著明儒學案等「皆有成書」，「其未成者宋元儒學案、宋元文案，已有稿本，未經編輯，遺命不孝百家成之」。又據全祖望梨洲先生神道碑文（載鮚埼亭集卷十一）載：「晚年於明儒學案外，又輯宋儒學案、元儒學案，以誌七百年來儒苑門戶；於明文案外，又輯續宋文鑑、元文鈔，以補呂、蘇二家之闕；尚未成編而卒。」由此可以證明兩點：第一，宋元學案爲宗羲晚年著作，已有原始稿本而未成編；第二，編纂宋元學案是在完成明儒學案、明文案之後，與編集宋元文案的計劃大致同步進行的。

根據黃宗羲本人的說明，明文案在康熙七年至十四年間編成（見南雷文案卷一明文案序上），而明儒學案則「成於丙辰（康熙十五年）之後」（見南雷文定五集明儒學案改本序）。因此，編輯宋元文案或續宋文鑑、元文鈔以及宋元儒學案的計劃只有在康熙十五年以後才有可能實施。

我們從黃百家、全祖望的著錄可以斷定，宋元文案或續宋文鑑、元文鈔這類書，是與明文案同類性質的資料書，而宋元儒學案則同明儒學案一樣，屬於學術思想史專著。因此，要完成宋元儒學案就必須在大量收集宋人、元人文集資料的基礎上才能着手編著。所以，我們又有必要查考一下康熙十五年以後黃宗羲的行踪。

黃宗羲在西山許先生墓誌銘（載南雷文定四集卷三）中說：「余自丙辰至庚申五年，皆在海寧奉先生之教，而先生又從余受黃石齋先生三易洞璣及授時、西、回三曆。」可見在康熙十九年（庚申）以前，宗羲尚未將精力轉向編輯宋元文案和學案。此後幾年，即自康熙十九年至康熙二十四年，無論從黃宗羲自述生平事蹟的詩文還是從黃百家的梨洲府君行略、全祖望的梨洲先生神道碑文或黃炳垕的黃梨洲先生年譜中，都找不到證明黃宗羲從事編輯宋元文案或宋元學案的記載。

但我終於在黃宗羲的一封書信手稿（我考定它是在康熙二十五年寫給內閣學士徐乾學的信，定名與徐乾學書，載浙江古籍出版社一九八七年版黃宗羲南雷雜著眞蹟影印本）中找到了一段重要文字，可以作爲宋元文案和學案編輯年代上限的證據。該稿寫道：

> 去歲得侍函丈，不異布衣骨肉之歡。……宋元集略尚未鈔完，然亦不過旬日，即當送上也。……弟初意欲分敍記各體，以類編纂。旣而思之，以為不可。蓋集中文字亦未必皆佳，只據一集存其大概，使其人不至湮沒。若類編之，則恐文盈目，反足為累。又未見之集極多，後來見之，又難於插上，不若一人自為一集，不論多少，隨見隨選，故名之曰宋集略、元集略。先生以為然否？弟架上亦有百餘集，亦一概鈔出，以請正也。……曹秋老健甚，相別一月，即爾奄忽，人生不可把玩如此。傳聞其藏書盡歸先生，若然，亦是可喜一事。弟雖老病，尚當力疾一讀耳。

文中所謂「曹秋老」，係指曹溶（字秋岳）。他死於康熙二十四年。信中說「去歲得侍函丈」，又說與曹溶「相別一月」而溶逝，可證明宗羲在康熙二十四年旣見過徐乾學，又見過曹溶，而見他們的目的顯然是爲了看書、借書或鈔書。衆所周知，徐乾學家傳是樓和曹溶靜惕堂藏書極富，尤好收宋、元、明人文集。宗羲在此所閱之書，自然以宋、元、明人文集爲主。

上引文字透露的主要信息有四點：一是當宗羲在康熙二十四年見到乾學時，向乾學借去一些宋、元人文集以便鈔錄；二是宗羲自己打算選編宋、元文集，並將所選文集定名爲宋集略、元集略；三是在這以前，宗羲已積累了百餘種宋、元人文集；四是在康熙二十五年寫信時，選編宋集略、元集略的工作尚未結束。

在我看來，宗羲選編的宋集略、元集略，正是黃百家所說的宋元文案和全祖望所說的續宋文鑑、元文鈔，或爲後者之張本。而積累這些原始資料，一方面可爲修補宋史、元史作參考，另一方面是爲編纂宋元儒學案作資料準備。據此，我們可以得出結論：宋元儒學案的始編之年，不會早於康熙二十五年宗羲七十七歲之時。

然而，我們從黃梨洲先生年譜可以看到，自康熙二十五年至三十四年黃宗羲逝世止，他除了應付親友、操勞家事，輾轉病榻之外，還做了大量其他文字工作：一是將明文案擴編爲四百八十二卷的明文海；二是校勘劉子全書；三是刪定自己的文集爲南雷文定，如此等等，占去了他不少時日。加之從康熙三十一年以後，宗羲基本上臥病不起，自然沒有多少時間和精力從事於宋元學案的編纂工作了。這就是該書不能完編的主要原因吧！

黃宗羲逝世後，其子百家繼承父志，續輯宋元學案，也未完編而卒。具體續輯多少卷已難考定，至少那祇有百家案語而無宗羲案語的十卷，是由百家獨立完成的。

第二階段是在乾隆、嘉慶時代，由全祖望、黃璋等人對黃氏原本作了修訂、增補或校補。雖然黃氏父子的宋元儒學案原本已立五十多個學案，打下了基礎，但如沒有全祖望的修訂增補，它將很不完備。據考略所引董秉純撰謝山先生年譜可知，祖望自雍正十一年二十九歲時就已評論黃氏宋儒學案之陸氏學案。而從乾隆十一年(一七四六年)至十九年(一七五四年)近十年中，全祖望主要興趣放在梨洲遺著的整理，特別着重於宋元儒學案的修補。概而言之，全祖望對宋元學案成書的貢獻有三點：一是修補黃氏原案；二是增補了三十三個新案(計三十三卷)；三是撰寫了序錄一卷，並確定全書百卷之數。

黃氏後裔是承認全氏修補學案之功的，但並不完全滿意。於是，宗羲五世孫黃璋、黃徵乂父子對經全氏修補過的黃氏原本作了校補。

今存竹橋黃氏宗譜卷十一華陔先生傳載：

先生諱璋，字稚圭，號華陔，晚號大俞居士……梨洲先生之元孫也……年二十九登丙子(乾隆二十一年)鄉試，任嘉善敎諭。乾隆壬辰(三十七年)，詔徵天下遺書，浙江設訪採局，大吏選先生司其總……以卓異陞江蘇沭陽知縣……辛丑去官歸里，年纔五十四，不復有出山意，優遊林下者二十有二年。所著有大俞山房詩文集、楊龜山先生年譜考證，已刊行。……校補宋元儒學案藏於家。享年七十有五。

同書卷末生卒志載，黃璋生於清雍正六年(一七二八年)，卒於嘉慶七年(一八〇二年)。

又同書卷十一平黼先生傳載，黃徵乂爲黃璋次子，生於乾隆二十一年十二月二十四日(一七五七年二月十三日)，卒於道光九年(一八二九年)。

黃璋校補宋元儒學案之功，雖不可與全祖望相提並論，但也不容抹煞。今餘姚市梨洲文獻館仍然珍藏着經黃璋、黃徵乂父子校補過的草稿本，從中可以看到他們的勞動痕跡。例如，草稿本上貼補着黃璋、黃徵乂數十條案語和謄鈔、增刪的指令。有的是對黃百家、全祖望案語的補充，有的是對全氏增補失當的批評（詳見下文版本存佚和異同補考）。仔細審閱其內容，有助於我們弄清宋元學案從發端到修定的歷史過程。

第三階段是在道光時代，宋元學案經馮雲濠、王梓材校勘定稿，最後刊刻印行。

據民國二十六年（一九三七年）鄞縣張壽鏞刊四明叢書第五集宋元學案補遺附載慈溪縣志馮雲濠傳載：馮雲濠，字五橋，家素封，以優貢中式道光十四年（一八三四年）舉人。嘗於所居構醉經閣，藏書多善本。得全祖望宋元儒學案於鄞盧氏，與同年生王梓材校補完善，出資刊之，並著補遺一百卷。

又據同書（宋元學案補遺）附載陳勱撰先師王子行狀載：王梓材初名梓，字楚材，更名梓材，後以字行，學者稱臒軒先生。鄞縣西柳莊人。生於乾隆五十七年（一七九二年），卒於咸豐元年（一八五一年）。道光十四年（一八三四年）拔貢，次年考取八旗教習。道光三十年（一八五〇年）出任廣東，署樂會縣知事，卒於官。勤於著述。屢訪宋元學案，得黃氏耒史（黃百家）補本，而全氏弟子盧學博鎬之後人亦出謝山遺書，遂與慈溪馮雲濠合校補訂，以付剞劂，文安公（何凌漢）序之。板燬於西夷兵火。先生携書入都，復與文安伯子何紹基重校刊。另成宋元學案補遺百卷，馮氏、何氏各存其副本。

關於馮、王二氏對宋元學案的整理校刊過程，今存馮雲濠校錄、王梓材重校的手稿本及醉經閣初刻本、何紹基重刻本所載何氏序、馮、王之考略、跋尾、校刊條例、書中案語均有說明。簡言之，可分三點：第一，搜羅稿本鈔本，知其成書始末。自道光十四年至十六年，訪得黃氏原本、全氏修補本、鄭氏二老閣刻本（僅刻全氏序錄一卷、橫渠學案上卷）、盧氏鈔稿本、蔣氏鈔稿本、黃璋校補鈔稿本。第二，整理校勘，釐定百卷。自道光十七年春初至夏末，經歷半年，校定全書，並爲各卷補立學案表，補充案語，編定總目，撰寫宋元學案考略、校刊條例等。此項以王氏之功爲多。第三，刊刻行世。先由馮雲濠出資，於道光十八年刻成醉經閣本，此刻板燬於兵火。後又由王梓材於道光二十二年至二十四年重新校定付刻，由何紹基出資，於二十六年（一八四六年）秋刻成全書，從而使宋元學案得以廣爲流傳。

## 二　版本存佚與諸本特點考

宋元學案從黃氏草創以來，已經歷了近三百年。從初刻至今，也有一百五十年了。其間世事滄桑，紛亂多變，當年馮、王二氏所見所考之本，有的已經亡佚，而經何氏重刻以來，又有數種刊印本爲馮、王所未見，故須作出補考。下按考略所論次序及其後版本刊印時間順序逐一說明。

(1) 梨洲黃氏原本

考略所謂「黃氏原本」，一指黃宗羲、黃百家草創之原稿，今已亡佚。梓材案語所謂「後日謝山先生所修補者，殆即取之淮陰久而復得之本歟」，屬於猜測之辭，蓋梓材也未見到原稿，其所見之「黃氏原本」，其實是盧鎬所藏之全祖望修補稿之底本；一指黃氏後人據原稿本鈔錄的副本，此即全氏據以修補，又經黃璋等人校補之本，現存餘姚梨洲文獻館。

(2) 謝山全氏修補本

考略本條梓材案語引董均言云：「謝山先生將卒……以宋元學案屬之盧月船先生，月船鈔錄未完。」又「月船盧氏所藏底稿本」條梓材案語謂「謝山先生卒，其書多歸同邑抱經樓盧氏，學案之稿亦雜入其中。月船先生……特取學案于抱經宗人，而稿已不全」。其「樗庵蔣氏所藏底稿殘本」條梓材案語謂：蔣氏藏本「多與盧氏本複」，亦有不複者，故「不得以殘本少之」。其「餘姚黃氏校補本」條引黃直垕跋云：「大父（黃璋）曾向全氏索觀而不得。全氏歿，配京盧氏寄示底稿二十册，續寄序錄一卷。」總之，全氏修補之稿，自全氏歿後至馮、王搜輯之時，已分存三處：其大部已歸黃氏後人，其一部分歸盧氏，其少部分則歸蔣氏（後歸阮訓）。

(3) 二老閣鄭氏刊本

據考略，鄭氏僅刻全祖望宋元儒學案序錄一卷及宋元學案卷十七橫渠學案上一卷。原刻本未見，不知今尚存否？

(4) 月船盧氏所藏底稿本

盧鎬字配京，號月船，鄞縣人，乾隆十八年舉人，爲全祖望高弟之一。梓材案語稱其「謄寫學案十餘本，有濂溪而無百源，有明道而無伊川，有晦翁而無三陸」，此說與今餘姚梨洲文獻館所存黃璋校補稿本二十册存案相符，也證明黃直垕所云「寄示底稿二十册」非虛。說明盧氏所藏全氏修補本原稿大部分已歸黃璋及其後人，而王梓材所見之盧氏藏稿，實即經謄清之全氏修補本以及未及謄寫之三百餘頁全氏底稿。

(5) 樗庵蔣氏所藏底稿殘本

本條梓材案語謂此本由樗庵先生蔣學鏞轉歸董瀚，董又轉歸阮訓，其本多與盧氏藏本複出，亦有不複者；其書末又有六十卷之目云云。考王梓材於此前兩年即道光十四年十二月所寫宋儒學案識語，對此本存卷情況記載更詳，文云：「小巖明經阮君（即阮訓）過館見之，云其家有殘本四帙……亦謝山本也。首帙安定，與盧氏本重出；外此則紫陽、平陽、潛庵、鶴山、西山、金華、雙峯、四明、朱門、新安、北方、草廬諸學案具在焉。因分勉齋于金華、分木鐘于雙峯、分二江于平陽、分深寧于西山、分靜修于北方……共十八卷。」按梓材寫此識語時，尚未見盧氏藏本之全部，故上述引文與後來所寫考略之本條案語有所不同。但由此可以肯定，阮氏所藏之樗庵蔣氏藏稿本，確爲全氏修補稿本之一部分。可惜原本今已亡佚。

(6) 餘姚黃氏校補本

考略本條引梨洲七世孫黃直垕（字宗實）跋，云此本二十册，即盧氏配京寄示其大父黃璋之全氏補本「底稿」，然後由黃璋、黃徵乂先後校補，「爲之正其舛誤，補其闕略，併其仵繫。命直垕鈔錄而次第之。是書始克成編」。梓材案語又謂「校補本爲卷八十有六，而冠謝山百卷序錄于首」。則梓材所見之校補本，系經徵乂補定、直垕謄清之本，而非梨洲文獻館收藏之黃璋校補稿本。（以上六種爲考略所列之本）。

(7) 梨洲文獻館藏黃璋校補稿本

從考略、識語、跋尾看，馮、王二氏均未見此稿本，特詳論之：

此校補本分裝二十本，無總目，無卷次，封面總題作「黃梨洲宋元學案、元孫稚圭校補稿、清雍正十三年鈔本」，顯係藏家手筆。每本鈔錄學案一至六個不等，共錄學案五十五個，其中永嘉學案、鳴道學案、西山學案分別有草稿本和謄清本，除去重復者，實存學案五十二個。現將各本所載學案列目如下（目下有＊者爲復出本）：

第一本　安定、泰山、徂徠學案。

第二本　四靈、元城、濂溪學案。

第三本　關中學案。

第四本　明道學案。

第五本　道南、上蔡、薦山、和靖、平江、永嘉學案。

第六本　鳴道學案。

第七本　豫章、延平、橫浦學案。

第八本　玉山、武夷、致堂、五峯學案。

第九本　紫陽學案。

第十本　勉齋、西山、潛庵學案。

第十一本　雙峯、朱門、深寧學案。

第十二本　東發學案。

第十三本　新安、木鍾、雲峯、定宇、鶴山學案。

第十四本　西山*、滎陽、紫薇、東萊學案。

第十五本　香溪、蛟峯、金溪學案。

第十六本　廣平、慈湖、潔齋、定川學案。

第十七本　永嘉*、止齋、永康、金華學案。

第十八本　水心學案。

第十九本　鳴道*學案。

第二十本　北方、草廬、九江學案。

這個校補稿本有如下特點：

甲、稿本非一人所鈔，也非一代之作。對照其他手蹟並審其內文之避諱字、眉批、夾條等，可以斷定並非宗羲、百家之原稿。各本鈔寫時代不一，上起雍正，下至嘉慶。稿中全祖望、黃璋、黃徵乂之手蹟，大多可以識別。而全氏手蹟均寫在原鈔本上，黃璋、黃徵乂手蹟，或寫在眉批處，或另附一紙條。黃璋案語，也有出自後人筆錄者。

乙、書名尚未劃一。第一本首頁題「黃梨洲先生宋元儒學案元稿」，第十三本「隱君倪道川先生士毅」前題名「元儒學案」，第二十本首頁題「元儒學案」，其餘各本案前均題名「宋儒學案」。

丙、除第二、四本有學案簡表外，其餘各本均無表。但第二本內夾條稱「此非主一公原本」，第四本黃璋註稱「此非原稿，鄭氏已有刻本」，則知學案表並非創自宗羲、百家，而是由祖望所創，梓材增補。

丁、凡屬黃氏原本，其案首序錄（案語）多由黃璋撰寫，也有錄百家原序者。如第一本安定泰山徂徠三先生學案序錄：

璋謹案：宋興八十年，泰山孫先生、安定胡先生、徂徠石先生始以其學教授天下，士子知有師，繼而伊、洛興焉。故朱子有「伊川不敢忘三先生」之語，則三先生其椎輪也。安定、泰山年相若，而又同學。安定以白衣召，泰山以范、富薦，皆有名位，而安定之徒最盛，故世謂湖學多秀異。慶曆四年，詔天下州縣立學，而先生入太學，學者彬彬然。泰山垂老，偃蹇一官，位不稱德。而徂徠年雖亞於二先生，於明復義當師友，早年擧甲科，慨然以斯道為己任。故歐公謂「太學之興，自先生始，及學興而先生亦遂賫志以歿矣！」禮不忘其所自始。若三先生，其道不有久而益光者歟！

如第二本明道學案序錄：

百家謹案：宋乾德五年，五星聚奎，占啓文明之運。逮後景德四年、慶曆三年，復兩聚而周子、二程子生於其間。朱子曰：「元公不由師傳，默與道體，建圖屬書，根極領要。當時見而知之者有程氏，遂廣大而推明之，使夫天理之微、人倫之著、事物之衆、鬼神之幽，莫不洞然畢貫於一而周、孔、孟氏之傳煥然復明。」此定論也。顧二程雖同受學濂溪，而大程德性寬弘，規模闊廣，以光風霽月為懷；二程氣質剛方，文理密察，以峭壁孤峯為體：其道雖同而造德自各有殊也。作二程學案。

又如第二十本北方、草廬、九江學案序錄，也係百家所撰。這些序錄，雖不如全祖望所作序錄言簡意賅，但亦自有特點，祖望修補時並未删去百家原序，但王梓材校刊時却將百家、黃璋序錄刪除，甚至刪去了黃璋、黃徵乂的全部案語，故今日流傳之宋元學案，實際上主要是全氏修補本了。

戊、校補本各本案名下，大多署「遺獻黃梨洲先生原稿，男百家纂輯，後學全祖望續修，元孫黃璋校補」，個別學案則署「全祖望續修，鄭義門校訂」（第十九本鳴道學案）或「平黼校」（第七本），但每本均有「全祖望續修」字樣，說明此本是經全祖望修補之稿，由此證明前引黃直垕所說全氏死後，盧鎬曾向黃璋「寄示底稿二十册」即此本。

己、第六本與第十九本均錄鳴道學案（內文題名屏山鳴道集說略）第六本爲謄清稿，首頁原題「遺獻黃梨洲先生稿，男百家纂輯，後學全祖望續修，元孫璋校補」，可見黃璋當時並未辨明此案原非黃氏原本而係祖望補本。但該頁眉批云「此案宜毀」，次頁附夾批二條，一云「與上半篇似乎相反」，一云「原稿讀史太多，似可節存，現陳督學鈔去。祇有讀易、讀詩、周官、羣經各序，未有原本，亦未校。甲午一月廿日記」。按陳督學即陳用光，字碩士，一字石士，江西新城人，道光十三年冬提督浙江學政，次年即甲午歲。但此時黃徵乂已死，則寫此條者當爲黃直垕。第十九本爲草稿本，內文首頁原題作「宋儒學案卷一百，後學全祖望續修，鄭大節、毛德基校」，下題案名爲「屏山鳴道集說略」，但封面題註稱「此係全謝山續修、鄭義門校訂。宋儒不知有何說以處此？況鳴道怪誕不經，豈可列於學案耶！復冒梨洲公之名，其語甚矣！」其意與第六本眉批一致。反映了黃氏後人對全祖望修補學案的批評與取捨。

庚、校補本雖非完本，且未分卷次、眉目不清，但其成書在馮、王校刊學案之前，又爲馮、王未見之本，與別本頗多差異，往往可據以校正醉經閣以後諸刻本之誤，且有助於研究宋元學案的成書過程，故此本存在價値不容忽視。惜其未被刊印行世也。

(8) 馮雲濠王梓材手校鈔稿本

此本實爲最早的宋元學案百卷定稿本，也是馮氏醉經閣初刻本的底本。原書現藏浙江圖書館善本室，自刻本問世以來，它一直冷落幽室，無人問津。今略陳其概貌如下：

甲、全書分裝四十五册，原底爲謄清本，馮雲濠以紅筆校勘在先，王梓材以墨筆重校于後，二氏手蹟清晰可辨。第一册前半本爲馮王合撰之宋元學案考略、校刊宋元學案條例、宋元學案總目附跋尾、宋元學案卷首序錄（全祖望定本、馮云濠校刊）；後半本載錄學案卷一安定學案。自第一册至第四十一册分載學案卷一至一百，但均題名爲「宋儒學案」，第四十二至四十五册爲宋儒學案備覽，分別補充原本卷三、四、七、十五、二十五、三十一、四十四、五十、五十八、七十四、八十五、八十六、九十五之闕略。這部分內容，大多是由全祖望據宋人文集等原始資料輯錄出來作爲增補學案之用的，後皆刊入醉經閣刻本各卷之中。

乙、底本所錄案語，除屬宗羲、百家、祖望之案語以外，還有相當多的黃璋、黃徵乂案語，顯然是從黃璋校補稿本過錄的。第一册首頁有雲濠案語一條，文云：「先生名垕，宗實其字也，以字行。」按「垕」即黃直垕，爲梨洲七世孫，黃璋之孫、徵乂之子。這條案語是馮雲濠以硃筆添加，說明該本之部分底本正是黃直垕鈔錄的黃璋校補本。該本又有若干卷內文或卷末空白處有「盧鎬」署名，而這些學案多係全祖望補本，說明該本之另一部分錄自盧氏藏本。審閱全書各卷案語情況，可知此本實由馮雲濠、王梓材合黃璋校補本、盧鎬藏稿本、蔣學鏞藏殘稿本爲一書的謄清本，其卷次編排以及學案的分合拆併工作，則由馮、王二氏最終完成。

丙、此本凡屬黃氏原本、全氏修補之學案，均無學案表；而屬全氏增補、盧氏謄錄之學案也祇有少數案末附有說明師承關係的學案簡表，但自醉經閣刻本以降的各種刻印本，每個學案前均有學案表。這說明學案表的體例，雖由全祖望所創，但實際上是由馮、王二氏補立的。

丁、此本之全祖望撰宋元儒學案序錄，置於第一册卷首，各學案案首則無祖望之序錄案語，但部分學案前有黃百家、黃璋的序錄式案語。而王梓材却在所有案首、案主本傳前之百家、黃璋案語眉批處附寫了「移寫傳後」的指令性批語。以後，王梓材據醉經閣刻本重校宋元學案以應何紹基重刻之求時，又將原刻本之黃璋、黃徵乂案語全部勾除。這是梓材輕視黃璋校補本之證明。

戊、此本所載馮、王合輯之宋元學案考略，與醉經閣刻本一致而與何紹基刻本差異較大，其所署寫作時間爲「道光十七年丁酉三月既望」，而何刻本考略則未署寫作時間；鈔本內又夾有一紙王梓材無題手稿，落款署「道光十四年甲午十二月望前三日後學王梓材謹識」。手稿內容與該鈔本及各種刻本所載之考略、題識頗異，實即考略之初稿。可見考略自初稿至何氏刻本定稿，曾經屢作修改，也可見梓材整理學案時間之長久、工作之繁難。爲使讀者知其變遷，現將王梓材手稿全文附錄于後：

宋元學案一書，姚江黃梨洲先生原本、其子百家述之而吾鄞全庶常謝山先生補之者也。原本六十卷，謝山定為一百卷。嘗與鶴浦鄭氏謀刻之，僅刻序錄與第十七卷橫渠學案而止。其稿歸及門盧月船先生家，今已散逸者半，惟存鈔本十九帙云。歲壬辰，何少司空仙槎先生試士及寧，特問此書，梓材未有以對。癸巳冬，陳少宗伯石士先生試以宋儒學案考，與試者互相稱述。始悉是書之詳。甲午秋試，慈水馮君五橋以姚江黃氏本錄呈石士先生，其書亦採全氏而更易其卷為八十餘卷。石士先生欲見全氏底本。梓材歸而假諸月船之孫卓人茂材，得錄十九帙之七。所錄安定、泰山、古靈、濂溪、明道、和靖、永嘉、永康諸學案焉。若滎陽則分自安定，紫薇則分自和靖，止齋、水心則分自永嘉。第校為卷一、卷二、卷五、卷十一、十二、十三、十四、卷二十三、二十七、卷三十二、三十六、卷五十二、五十三、五十四、五十五、五十六，共十六卷。復因其書質于人，不獲盡錄。小巖明經阮君過館見之，云其家有殘本四帙，前歲得之董茂才瀚。董亦吾鄞世家，則其書亦謝山本也。首帙安定，與盧氏本重出；外此則紫陽、平陽、潛庵、鶴山、西山、金華，分木鐘于雙峯，分二江于平陽，分深寧于西山，分靜修于北方，為卷四十八、四十九、卷六十一、六十三、六十四、六十五、卷七十二、卷八十一、八十二、八十三、八十五、八十六、八十七、八十九、九十、九十一、九十二，共十八卷，第平陽、木鐘、二江、深寧尚未足卷耳。若序錄則于春初得之小巖，小巖得之鶴浦鄭上舍喬遷者；橫渠學案尚未見，則將問之上舍而錄之。梓材會兩家本而校之，雖未竟其功，于百卷之目或未失次，較之姚江改本，當有真贋之別矣！請人謄寫，將質諸石士先生，未知先生以為何如也。道光十四年甲午十二月望前三日，後學王梓材謹識。

按：梓材寫此稿時，因未見到宋元學案諸家藏本全貌，故不免有錯誤或片面認識。但由此正可幫助我們全面認識宋元學案百卷本的成書經過。

(9) 慈溪馮氏醉經閣初刻本　一百卷，卷首一卷。

此刻本即據上述馮、王校稿本刊刻，但在刊刻過程中對原本作了調整和刪改，刻成于道光十八年戊戌（一八三八）七月。其與原鈔本不同者，一是各學案前均有學案表，二是全祖望序錄除刻入全書卷首外，又分刻于各案之首，三是刪去了部分黃璋、黃徵乂案語，四是將鈔本第四十二至四十五冊之「宋儒學案備覽」分別刻入所屬各案卷內。

據何氏重刻本總目所附之梓材案語（寫于道光二十五年春）云：醉經閣本刻成後，未即印刷行世，原版藏于馮雲濠家，至道光二十一年，是版毀于兵火，「而梓材行篋所留一部巋然尚在」。考今存實物，醉經閣刷印本尚存兩部：一藏北京圖書館善本室，為百卷全本，蓋即梓材所留之本；另一部分而為二，由浙江圖書館存殘本八十三卷（卷十七至九十九），由北京圖書館存殘本十四卷（卷首及卷一至十，卷十四至十六），合計九十七卷，另有三卷則不知失落何處。

⑽ 道州何紹基重刻本 一百卷，卷首一卷。

此本刻成于道光二十六年。由王梓材重校，何紹基刻。今北京中國科學院圖書館藏有全本。浙圖則僅存其殘本（存九十五卷，卷首一卷）。卷首有何凌漢序、何紹基識語，又有王梓材重校識語，爲醉經閣本所無。其考略、校刊條例及各卷內容，亦經梓材調整删改。

⑾ 光緒五年（一八七九）長沙龍汝霖刻本

⑿ 民國十八年（一九二九）上海商務印書館鉛印萬有文庫第一集標點本

⒀ 民國二十五年（一九三六）上海中華書局排印四部備要本及其縮印本

⒁ 同年上海世界書局鉛印四朝學案標點本

⒂ 民國年間上海文瑞樓石印本

以上五種均據何氏刻本重印，圖書館多有藏本。

⒃ 一九八七年北京中華書局據長沙龍氏本標點鉛印精裝本

此本分爲四冊，由陳金生、梁運華標點。

⒄　一九八八年浙江古籍出版社據四部備要縮印本標點鉛印之黃宗羲全集平裝本、精裝本（已有校樣，尚未發行——光補註）

此本共四冊，分屬黃宗羲全集第三、四、五、六冊，由吳光、姚延福、方祖猷、魏得良標點。其特點在於所選底本較好，並與黃璋鈔稿本、醉經閣初刻本、何氏初刻本作了校勘。

此外，尚有兩種重編、簡編本：一爲陳叔諒、李心莊之重編宋元學案，將原本一百卷改編爲八十八卷，分四冊，有民國三十五年（一九四六）南京正中書局鉛印標點本；一爲繆天授之宋元學案選註，僅選擇百卷本中三十七個學案案主之「傳略」、「學說」、「附錄」等加以註解，實即宋元學案之簡編，有一九二八年上海商務印書館鉛印本和一九七〇年臺灣商務印書館人人文庫重印本。這兩種改編本雖就編者而言頗費心力，但對讀者來說難免有以偏概全之失，故未受到普遍重視。

# 附錄：

## 宋元學案考略

（清）王梓材馮雲濠同輯

### 梨洲黃氏原本

全謝山吉士爲梨洲先生神道碑文云：「公諱宗羲，字太冲，海內稱爲梨洲先生；浙江紹興府餘姚縣黃竹浦人也；忠端公尊素長子；年十四，補諸生。」又云：「是時，山陰劉忠介公倡道蕺山，忠端公遺命，令公從之遊。」又云：「工部尚書湯公斌曰：『黃先生論學，如大禹導山，脈絡分明。吾黨之斗杓也！』」又云：「晚年，于明儒學案外，又輯宋儒學案、元儒學案，以志七百年儒苑門戶；于明文案外，又輯續宋文鑑、元文鈔，以補呂、蘇二家之闕；尚未成編而卒。」

梓材謹案：南溪鄭氏序續刻明儒學案云：「宋惟周子渾融，罕露圭角。朱、陸門人，各持師說，入主出奴；明儒沿襲，而其間各有發揮開闢，精確處不可淹沒。梨洲黃子臚爲學案，而並錄之。」謂之「並錄」，未悉其著述之先後。及觀謝山所作梨洲神道碑，知宋元儒學案之作，實後於明儒學案。猶之宋人作唐會要、五代會要，而後儒更有西漢會要、東漢會要之作也。

雲濠謹案：梨洲先生為宋元學案，未及成編而卒。二老閣鄭氏校刻梨洲先生宋儒學案卷十七，標云「男百家編，門人楊開沅、顧諟分輯」，知當時分任者不一人，而為之編輯者實梨洲季子百家、字主一、號耒史者，故主一案語較多於梨洲。

鄭南溪性與沈欒城書云：「年前，中丞在粵，屬其師購覓黃梨洲先生所著宋元明儒學案，且欲刊之。其宋元底本已失，梨洲之孫證孫取之淮陰楊氏，久而復得。」

梓材謹案：中丞為廣東巡撫楊公文乾，其師乃姚江胡泮英。中丞橋梓俱受業於胡。梨洲第五孫千秋跋明儒學案云：「胡泮英言：廣撫楊公令子某欲刻之。」與鄭語合。第書往而泮英歿，未幾而中丞亦歿，故宋元底本遂致遺失。後日謝山先生所修補者，殆即取之淮陰久而復得之本歟？

## 謝山全氏修補本

鄞縣志人物傳云：「全祖望字紹衣，南工部侍郎元立六世孫。四歲入塾，即粗解章句。十四，補縣學生。」又云：「督學王蘭生極賞之，以選貢入成均，舉順天鄉試。閣學李紱見其所答策，親過其寓齋，劇談竟日，出曰：『此深寧、東發以後一人也。』嘗謁尚書楊名時，楊稱其『博雅』，即遜謝曰：『以東萊、止齋之學，朱子尚議之。何敢言博？』名時曰：『但見及此，則進矣！』會詔舉博學宏詞，尚書趙殿最以其名薦。乾隆元年，成進士，選庶吉士。是年試詞科，以先入館例，不預。次年散館，歸進士班，補外。遂歸。」又云：「晚年，兩廣總督延主端溪書院，將特疏薦之。因語諸生曰：『是以說經爲媒也。』託疾辭歸。」又云：「嘗輯宋元儒學案，以補餘姚黃氏之所未及。卒年五十一，學者稱謝山先生。」

雲濠謹案：謝山先生爲梨洲神道碑文，述所著明儒學案六十二卷，而宋儒學案、元儒學案不言卷數，未知其書爲二書否也？觀謝山所定序錄，自宋及元，合爲百卷，宜合稱宋元學案，其專稱宋儒學案者，舉宋以概元也。

董小鈍明府秉純編輯謝山先生年譜云：「雍正十一年癸丑，先生二十九歲，居京師紫藤軒，與李臨川先生論陸氏學案，凡四上書。」又云：「乾隆十年乙丑，先生四十一歲，續選甬上耆舊詩集。十一年丙寅，仍錄耆舊詩，兼修南雷黃氏宋儒學案。蓋春杪至湖上，遂自苕上至吳門，寓陸氏水木明瑟園。舟中取南雷宋儒學案未成之本編次序目，重爲增定。夏，過維揚，館馬氏畬經堂，編纂學案。十二年丁卯二月，至湖上，上巳後，重過水木明瑟園，謀刻宋儒學案。夏，返武林，修宋儒學案。十三年戊辰，秋，主蕺山講席，重定黃氏遺書。十四年己巳，校水經註。十五年庚午，仍校水經註。十九年甲戌，先生五十歲，居揚州畬經堂，仍治水經，兼補學案。」

梓材謹案：謝山先生修補學案，歲月之深如是。其卒，在乾隆二十年乙亥。前歲甲戌，猶治水經，兼補學案。是謝山之於學案，雖謀刻於吳門，而修補未了。故月船盧氏詩稿自註云：「宋元學案經耒史、謝山兩先生續葺，尚未成書。」耒史卽梨洲季子主一先生別號也。

又案：小鈍先生，鄞人。以乾隆癸酉選拔知泰安縣，為謝山高弟。謝山之卒也，其年正月，手定文稿，刪其十七，約五十卷，時小鈍先生與同學張先生炳、盧先生鎬、全先生藻、蔣先生學鏞鈔錄，皆謝山門人。梓材嘗聞之董茂才均曰：「謝山先生將卒，以餘稿歸先祖，先祖為輯鮚埼亭集外編五十卷；以續甬上耆舊詩集歸蔣樗菴先生，樗菴亦為輯錄成編；以宋元學案屬之盧月船先生，月船鈔錄未完，蓋其事較難措手云。」茂才為小鈍諸孫，其言當有所本。

## 二老閣鄭氏刊本

梓材謹案：謝山先生蓋又以學案謀刻于鄭氏，第所刻止序錄與第十七卷橫渠學案上卷。序錄為謝山先生定本，百卷之次，首尾完密。月船盧氏所藏底稿亦有序錄，其文多異，又少序錄者九，蓋其未定稿也。橫渠學案原本完全，故序錄而外，先以是卷付刻。其第十八卷已刻數板而輟，蓋刻于謝山末年，謝山卒而其事亦寢矣！

雲濠謹案：序錄與第十七卷並標「後學全某續修，鄭大節、毛德基校」，鄭卽二老閣後人，南溪先生之子也。南溪之父為高州太守寒村先生梁，世家吾邑鸛浦。寒村受學于梨洲，其父秦川先生溱，與梨洲友善，隱居相與論學，故名其藏書之室為二老閣云。

## 月船盧氏所藏底稿本

月船外翰鎬和姚江黃稚圭見贈原韻詩云：「南雷正學源流長，亭林夏峯遙相望。甬上前賢多入室，蕺山俎豆傳馨香。小泉翁既不可作，典型無復如中郎。遺書散漫孰收拾？末學執卷增傍偟。區區校勘力未及，敢效束晳補詩亡。覃思幸藉下帷客，助我尙賡求友章。何期雙瀑老孫子，枉顧不勞置鄭莊。黃茅白葦正彌望，忽見秀幹方崇強。秋雨閉門共商榷，足本擬續續鈔堂。從今剞劂庶可望，告成五緯重輝煌。」自註云：「梨洲先生宋元學案，經耒史、謝山兩先生續葺，尙未成書，稿本今在余處。久思補完之，不及也。」又註云：「君力任與余共成學案，謀即入梓，且欲續成宋文鑑，索余平園、攻媿諸集。

梓材謹案：謝山先生卒，其書多歸同邑抱經樓盧氏，學案之稿亦雜入其中。月船先生字配京，乾隆癸酉擧人，抱經之宗子，而謝山高弟也，任平陽學諭。卸篆歸，特取學案于抱經宗人，而稿已不全。因手錄之。謄寫者半，未及謄寫者半，而月船又卒。其稿與謄本蓋庋藏于月船家者已八十年。始，月船外孫黃支山孝廉桐孫，嘗以是本攜至安徽康中丞節署，徧訪皖江諸子，謀完是書。未果，中丞移節廣東，又訪粵海諸子，亦未獲克任校讎者。旣，支山自粵歸，過西江十八灘，行篋盡墮水中，唯藏是書之篋獨浮水面。月船之孫卓人茂才杰愈寶藏之，不輕以示人。已而其家被竊，箱篋俱空，而學案一笥棄置屋外。蓋是書之得存者亦幸矣！

梓材又案：月船先生謄寫學案十餘本，有濂溪而無百源，有明道而無伊川，有晦翁而無三陸，蓋皆梨洲原本所有而未錄或遺失者。又所藏謝山手稿，字迹稠密，而月船未及謄寫者三百餘頁，其中又有梨洲季子主一先生手鈔本，而謝山修補之迹宛然可據者數本。又陸門諸子小傳，謝山筆迹稍異，蓋與臨川李氏論陸氏學案時所葺。月船與梨洲後人相往還，又以共成學案是任，故主一鈔本有在盧氏者。

雲濠謹案：梨洲先生嘗寓吾邑鸛浦。其在甬上，則自幼從忠端公館于洞橋董氏，後梨洲亦館于董氏與月湖張氏，又館于管村萬氏別業，擧證人講社。謝山述其講社弟子二十七人，為：陳環村先生赤衷，張學齋先生汝翼，馮蓋仲先生□□，陳非園先生紫芝，范筆山先生光陽，陳怡庭先生錫嘏，董在中先生允瑫，與其弟義山先生允珂，董巽子先生道權，陳堯山先生自舜，董侯真先生允瑋，鄭寒村先生梁，萬公擇先生斯選，與其弟充宗先生斯大，董吳仲先生允璘，仇石濤先生雲蛟，萬貞一先生言，仇滄柱先生兆鰲，王忝堂先生之坪，萬季野先生斯同，張天因先生士培，與其弟雪汀先生士塤，張梅先先生九英，李子實先生開，張壁薦先生九林，陳和仲先生寅衷，錢果齋先生魯恭。寒村而外，多為鄞人。故月船詩云「甬上前賢多入室」，詩中又云「續鈔堂」者，謝山所作梨洲神道碑言其「建續鈔堂于南雷，思承東發之緒」，蓋欲續其日鈔云爾。梨洲紹蕺山正傳，而姚江黃氏文獻之傳，實源於菊東先生珏，乃東發先生再傳弟子也。蓋亦同出一派，故梨洲、耒史之為學案，往往稱「先文潔公」云。

## 樗庵蔣氏所藏底稿殘本

梓材謹案：蔣氏藏本，後歸樗庵孫壻董茂才瀚，董又歸之同邑阮明經訓，顧其本多與盧氏本複，然其不複者如張南軒弟子李悅齋悳傳、徐宏父弟子趙時隱希館傳，謝山著錄甚詳。吉光片羽，皆可寶貴，不得以殘本少之。其本帙尾有六十卷之目，是謝山未定序錄時之目，或卽耒史所編之目也。

梓材又案：樗庵先生名學鏞，乾隆辛卯舉人，為謝山母氏同懷弟蓼厓先生拭之之子、蛾野先生學鏡之弟，嘗受學于謝山，謝山諸弟子小鈍、月船多宦遊于外，而樗庵先生則以名孝廉家居授徒者最久。梓材先高祖太學鈍夫公諱炳，學于王忝堂先生，為梨洲再傳弟子；大父郡學都講漁村公諱鍔，則嘗從樗庵遊；而梓材先君子縣學都講夢僧公諱謨之受業師范外翰耐軒先生懋裕，早學于漁村公，後又及蔣門，是祖父師承所自出，謹附識于此。

## 餘姚黃氏校補本：

梨洲七世孫直垕跋云：「先遺獻公于明儒學案外，又輯宋元儒學案，尚未成編而卒。命季子主一公纂輯之。其後，謝山全庶常又續修之。大父曾向全氏索觀而不得。全氏歿，配京盧氏寄示底稿二十册，續寄序錄一卷，大父得之，欣同拱璧。晚歲里居，爲之鈔輯者有年。無如展轉鈔寫，多有闕略舛誤，魯魚亥豕，更不待言，而全氏手筆又多蠅頭細草，零星件繫，幾不可識別。先子于歸田後，復爲之正其舛誤，補其闕略，併其件繫，命直厔鈔錄而次第之。是書始克成編。」

雲濠謹案：梨洲先生之元孫璋，號大兪，卽月船盧氏所與和韻黃稚圭者也。六世孫徵乂，號平黼，嘗校孫燭湖集而刻之，其拳拳于學案固宜。所云「大父向全氏索觀而不得」，蓋謝山逐年修補其稿，時置行篋，故欲觀而不得也。抑梨洲之孫證孫既得原本于淮陰楊氏，迺大兪、平黼父子校補，猶待盧氏所藏底稿，是亦知學案之當如全氏修補矣！

梓材謹案：謝山稿底零星件繫，誠如所云。然悉心尋究，仍復脈絡貫通。梨洲後人校補本為卷八十有六，而冠謝山百卷序錄于首。蓋亦以學案次第，當遵序錄。特欲如謝山卷數而不得，故以泰山、徂徠各為一卷，而不知徂徠之當合泰山也。高平、廬陵，底稿無存，卽缺其卷，而不知高平家學可分自安定、廬陵學派間見于盧氏藏稿也。華陽、景迂、說齋，皆在藏稿而是本無之；兼山流派與陳鄒諸儒，藏稿有之而是本亦無；劉李、滄洲、嶽麓、麗澤、槐堂，可自伊川、晦翁、南軒、東萊、象山分卷而未別其卷；蛟峯、江漢，卷第所無，而不知蛟峯之當附北山、江漢之當冠魯齋；北山四先生，合為一卷而分卷者四；李、張、胡、熊、李、兪、九江，亦卷第所無，不知各歸學派而徒冠序錄于首，亦贅矣！然盧氏藏底所遺，如百源、伊川、三陸，固具有之，則是本亦安可少哉！

# 四 易學象數論考

此書又名象數論，分內編、外編各三卷，共六卷，是黃宗羲的哲學代表作，也是在周易象數研究中廓清僞科學迷霧的自然科學著作。

黃宗羲易學象數論自序說：

夫易者，範圍天地之書也。廣大無所不備，故九流百家之學俱可竄入焉。自九流百家借之以行其說，而易之本意反晦矣。……世儒過視象數，以為絶學，故為所欺。余一一疏通之，知其於易本了無干涉，而後反求之程傳，或亦廓清之一端也。

四庫全書總目提要也具體地評論說：

蓋易至京房、焦延壽而流為方術，至陳摶而歧入道家，學者失其初旨，彌推衍而轇轕彌增。宗義病其末派之支離，先糾其本源之依託。前三卷論河圖、洛書、先天、方位、納甲、納音、月建、卦氣、卦變、互卦、筮法、占法，而附以所著之原象為內篇，皆象也；

> 後三卷論太玄、乾鑿度、元包、潛虛、洞極、洪範數、皇極數，以及六壬、太乙、遁甲為外篇，皆數也。………其持論皆有依據。

這都說明，宗羲著易學象數論的宗旨，在於糾正「九流百家」特別是宋、明理學家對於周易本意的曲解，廓清被後世儒者視爲「絕學」的周易象、數方面的迷霧，以把易學從神秘主義中解放出來，恢復其「範圍天地」即宏觀地認識世界的本來面貌。

關於易學象數論的成書年代，黃百家、邵廷釆、全祖望的論著都無明確交代，祇有黃炳垕所著黃梨洲先生年譜在順治十八年辛丑條下著錄，稱宗羲該年「仍居龍虎山堂，著易學象數論」，又稱「王侍御仲撝來，公授以天官、壬遁之學」。按炳垕之說，實從宗羲南雷文案卷六王仲撝墓表概括而來。墓表稱仲撝「辛丑來訪，授以壬遁」，接着，宗羲感嘆說：「自某好象數之學，其始學之也，無從叩問，心火上炎，頭目爲腫，及學成，而無所用屠龍之技不待問，而與之言亦無有能聽者矣。跫然之音，僅一仲撝。」按辛丑年，即清順治十八年，公元一六六一年。所謂「授以壬遁」，即指宗羲傳授仲撝（名正中）象數學中的「壬遁之學」，而在宗羲易學象數論卷四，即有六壬、遁甲諸篇章，所以黃炳垕把寫作象數論之年定在順治十八年是有一定根據的。

然而，黃宗羲在易學象數論卷四乾坤鑿度一「今定天元至壬子」句中有個夾註，稱壬子年即「作象數論之年」，而壬子年已是康熙十一年即公元一六七二年了，與辛丑年對王仲撝「授以壬遁」相距十一年。這該作何解釋呢？據我推測，宗義從事象數學之研究是在順治初年追隨魯王抗清即將失敗而處在苦悶徬徨之際。抗清失敗後，宗義經歷了數年亂離生活，至順治末年才開始安定下來，避居於化安山中龍虎山堂，於是開始寫作易學象數論一書，但並沒有能完成。直到康熙十一年時，此書才最後完成。今本象數論之所以分爲內編、外編，除了內容上的區別外，恐怕同各卷篇非作於一時也有關係。這一點，我還可以列舉邵廷采所撰黃文孝先生傳作爲佐證。該傳在著錄宗義遺著時，未列易學象數論書名，而只在列舉其律曆著作之後稱「納甲、納音等皆有成書」，而納甲、納音不過是今本易學象數論內編卷一之篇章名稱。邵氏在傳末論贊中又稱：「余同里親炙黃先生……嘗示余乾坤鑿度、象數等書，望而不敢即蓋。」而乾坤鑿度却是今本象數論卷四之一篇，邵氏將它與象數書名相提並論，說明他所見的易學象數論，尚非後世流傳之六卷本。所以我認爲，易學象數論從寫作到成書是經過了相當長的過程的，其最後成書之年，當不是順治十八年，而是康熙十一年甚至更晚一些。

黃宗義的易學象數論在中國易學史上是有重要地位的。在宗義生前，能領悟其易學宗旨並有所發明的，有宗義的抗清戰友王正中（公元一五九九—一六六七年）和宗義之弟黃宗炎。正中字仲撝，曾在餘姚山中向宗義請教律曆、象數之學，並著周易註、律書詳註等書，事見前引王仲撝墓表（南雷雜著原稿作王御史傳），又見易學象數論卷六答王仲撝問冷州鳩七律對一文。宗炎著有周易象辭二十二卷、尋門餘論二卷、圖學辨惑一卷，其宗旨大略與易學象數論一致，且同被收入四庫全書。稍晚於黃氏兄弟的，有德清胡渭（字朏明，號東樵。公元一六三三—一七一四年），曾著易圖明辨十卷，（四庫全書題作圖書辨惑），專辨宋儒所傳太極、先天、後天諸說之謬，認爲宋儒所謂河圖、洛書皆由陳摶所造，與周易本無關係，這同黃氏兄弟之論如出一轍。故梁啓超曾說宗羲之易學象數論「力辨河、洛、方位圖說之非，爲後來胡朏明易圖明辨的先導」（引自中國近三百年學術史第五節），這不是沒有道理的。

易學象數論由於內容深奧難懂，尤其是有許多圖表難以刻印，所以刊本極少，流傳不廣。始由梨洲門人汪瑞齡刊刻，即康熙年間西麓堂刻本。此本原版未見，現寧波天一閣有汪氏後人汪虞據「西麓堂藏板」校訂重印本，似爲乾嘉年間重印本，分內、外編各三卷，共六卷，卷前有汪瑞齡序、黃宗羲自序。另有光緒年間廣雅書局據汪氏原本重刻本，分內外編，共六卷，卷前有四庫全書易學象數論提要，次錄汪瑞齡序、黃宗羲自序。刻本之外，現有四庫全書文瀾閣鈔本、文淵閣鈔本以及臺灣商務印書館據文淵閣本影印精裝本，但四庫本既無汪氏序，亦無黃氏自序，未免遺憾。另有餘姚梨洲文獻館藏清鈔本一種，僅存內編三卷，當係殘本。

# 五 破邪論考

此書分從祀、上帝、魂魄、地獄、賦稅、科舉、罵先賢等七篇，是一部批評時政積弊，反對世俗迷信的哲學——政治思想著作。

黃宗羲破邪論自序寫道：

> 余嘗為待訪錄，思復三代之治。崑山顧寧人見之，不以為愚。今計作此時，已三十餘年矣。秦曉山十二運之言，無乃欺人！方今飾巾待盡，因念天人之際，先儒有所未盡者，稍拈一二，名曰破邪。

此序說明：第一，破邪論的寫作年代，在明夷待訪錄之後三十餘年，也即康熙三十年（一六九一）以後，當時宗羲已年逾八十二歲；第二，寫作破邪論的目的，同寫待訪錄一樣，是欲破當時世俗之「邪」，發先儒「未盡」之意，「思復三代之治」。

又昭代叢書已集楊復吉破邪論跋云：「破邪論一卷，附刊於南雷文定四集之末。家傳稱作是論時，先生年已八十。」這與上引宗羲自序所記該書寫作年代大體一致，即康熙三十年前後。

該書雖屬專著性質，但未見單行刊本。始載於南雷文定四集，後由鄭性刊入南雷文約。有康熙間山陽楊氏校刻南雷文定四集本（未見），乾隆七年（一七四二）慈溪鄭氏二老閣刻南雷文約本、道光十三年（一八三三）沈氏世楷堂刊楊復吉編昭代叢書已集本、民國四年（一九一五）上海掃葉山房鉛印梨州遺著彙刊本等。

# 六 深衣考與黃氏喪服制合考

深衣考爲黃宗羲註解禮記深衣篇之作，是借考證喪服形制而批評諸家得失並創立己說的經學著作。

謝國楨先生黃梨洲學譜著述考云：「深衣考一卷，未見。目見誦芬室詩略。」

洪煥椿先生浙江文獻叢考著錄：「深衣考一卷，有光緒十四年（一八八八）南菁書院刊本，民國九年（一九二〇）上海博古齋印借月山房彙鈔本。此書四庫全書據瓶花齋鈔本著錄。黃氏喪服制一卷，此書附刊於深衣考後。」

然而，遍查上述各版本，深衣考書末皆未附黃氏喪服制之文。有必要作些考證。

今考深衣考之書名，不見於黃百家、邵廷采、全祖望、江藩、黃炳垕等人的著錄。但邵廷采黃文孝先生傳却有喪服制之著錄，黃百家梨洲府君行略則云：「玄冠不弔，勞心棘人，作黃氏喪服制」。全祖望梨洲先生神道碑文也著錄了黃氏喪服。而深衣考之名，是在全祖望死後的乾隆中期下令採集民間遺書以修四庫全書時出現的，將深衣考與黃氏喪服制著爲二書也始見於此時。

乾隆三十九年（一七七四），由黃宗羲玄孫黃璋等人校定並進呈清廷的浙江採集遺書總錄著錄：「深衣考一卷，瓶花齋寫本」。註云，「國朝黃宗羲撰。首考深衣形制，次列經文，分段詳解，次列諸家，辨析朱子、吳草廬、朱白云、黃潤玉、王浚川之說。末附黃氏喪服制一篇。」乾隆四十六年（一七八一）所刊餘姚縣志藝文類亦著錄：「深衣考一卷，附黃氏喪制考。」註云：「此書辨諸儒深衣之異論。」

但四庫全書只收入深衣考一卷，註明是「浙江巡撫採進本」（即瓶花齋寫本）。四庫全書總目深衣考提要記云：「是書前列己說，後附深衣經文，並列朱子、吳澄、朱石、黃潤玉、王廷相五家圖說，而各辟其謬。其說大抵排斥前人，務生新義。」但黃氏喪服制既未附在深衣考後面，也未見諸四庫全書存目。此後有些學者（如錢林、黃嗣艾），雖在著作中分別著錄深衣考和黃氏喪服制各一卷，但都未說明後者有何內容。而洪煥椿先生所謂「此書附刊於深衣考後」云云，實際上幷未見到原書，而只是照錄前人所記，其源蓋出於浙江採集遺書總錄。

愚見以爲，當浙江進呈遺書時，確有黃氏喪服制一篇附於深衣考之後，但大概因其與深衣考之第一部分考論「深衣形制」之內容大同小異，故在編定四庫全書時將其刪除，而只保留深衣考全文。今存四庫全書文淵閣、文瀾閣寫本，第一部分之黃氏「己說」並無標題，而第二、三部分則分別有「深衣經」及「諸家」之小標題。其實所謂「己說」，所謂「考深衣形制」，也可稱爲「黃氏喪服制」，而後面兩部分，其實是「深衣經解」和「諸家圖說」。我們從深衣考一書，已可窺知黃氏喪服制的具體內容了。

現存深衣考版本，有四庫全書文淵閣本（台灣省商務印書館影印本）、文瀾閣抄本、嘉慶十三年（一八〇八）張海鵬刊借月山房彙鈔本、道光三年（一八二三）陳氏重刊借月山房彙鈔本、光緒十四年（一八八八）王先謙刊南菁書院叢書本、民國九年（一九二〇）上海博古齋重印借月山房彙鈔本。諸本實出一源，即四庫全書所收之清初錢塘吳隱瓶花齋藏抄本。

# 七 葬制或問與梨洲末命合考

二文均係梨洲晚年之作，反映了作者的無神論思想。

梨洲末命作於康熙三十三年（一六九四），當時黃宗羲久病不愈，長子、次子相繼去世，自知不久人世，乃書梨洲末命一篇，預作薄葬遺囑以示家人。其子黃百家與族人私議，感到「不用棺槨」之遺命難遵，宗羲又作葬制或問一篇，以釋家人之疑，並重申「不用棺槨」、「不循流俗」之意。時當甲戌、乙亥（一六九四—一六九五）之際❶。

葬制或問現載南雷文定五集附錄黃百家之梨洲府君行略，有乾隆廿六年（一七六一）休寧程志隆初刻南雷文定五集本，民國廿四年（一九三五）四明林集虛藜照廬叢書翻刻南雷文定五集本，一九五九年中華書局鉛印陳乃乾編黃梨洲文集本，又邵廷采撰黃文孝先生傳亦全文載錄此篇，傳見邵氏思復堂文集。

❶ 參見黃百家先遺獻文孝公梨洲府君行略。關於二文寫作年代，黃炳垕黃梨洲先生年譜、江藩國朝漢學師承記所記略異，當以行略爲準。

梨洲末命全文未見刊刻，黃百家行略、邵廷采黃文孝傳、黃炳垕黃梨洲年譜中均有著錄。黃炳垕年譜中有原書輯略，僅三百餘字。今從年譜輯出，編入全集第一册。

# 八　孟子師說考

此書是以解說孟子章句形式、闡發其師劉宗周學術宗旨的哲學著作。約撰成於康熙七年(一六六八)前後。

黃宗羲孟子師說自序說：

> 先師子劉子於大學有統義，於中庸有愼獨義，於論語有學案，皆其微言所寄。獨孟子無成書。羲讀劉子遺書，潛心有年，粗識先師宗旨所在，竊取其意，因成孟子師說七卷，以補所未備。或不能無所出入，以俟知先生之學者，糾其謬云。

由此可見宗羲寫作此書目的，意在發明師說，補其未備。黃百家、全祖望、江藩、黃炳垕、黃嗣艾有關傳記、年譜中均有類似記載，此不具錄。

但關於孟子師說的卷數，各家著錄頗不一致，有二卷、四卷、七卷之異。如黃百家梨洲府君行略、黃炳垕黃梨洲先生年譜皆未錄卷數，全祖望梨洲先生神道碑文、江藩國朝漢學師承記及黃嗣艾南雷學案均云四卷，四庫全書總目及錢林文獻徵存錄則云二卷，今人馮貞羣伏跗室書目、謝國楨黃梨洲學譜、洪煥椿浙江文獻叢考等皆云七卷。

今存孟子師說的各種鈔本、刊本，所記卷數也不一致。如四庫全書文淵閣本（台灣商務印書館影印本）分上、下二卷，其他各本則都分爲七卷。但未見到四卷的鈔本或刊本。

今查校諸本，無論是四庫全書二卷本還是清代、民國時期的七卷本，內容其實都是一樣的，並無詳略之分，各章排比次序也無二致（首章均為「孟子見梁惠王章」，末章則為「由堯舜至於湯章」，中間各章次序均同）。愚見以爲，之所以造成各家著錄及刊本的卷數之異，乃由於宗義原著本未分卷（「自序」所謂「七卷」二字，當為刊印者所增），而流行之鈔本或因俗分孟子爲上孟、下孟，而分其書爲上下二卷；或因孟子原分爲七章，而分孟子師說爲七卷者。而全祖望所謂「四卷」之說，可能因爲他見到的鈔本是裝訂爲四分册的，後來江藩、黃嗣艾又沿襲了全氏著錄，亦云「四卷」。如果宗義原稿已經分卷的話，那麼作爲最了解乃父生平及著述的黃百家，就會在行略中注明卷數，因爲行略著錄其他分卷著作時，一般都寫明卷數或云「若干卷」的。現在既然多數刊本分爲七卷，且又與四庫全書二卷本內容相同，則亦可沿襲七卷之說而不必按四庫全書本分卷了。

該書版本，現有四庫全書文淵閣二卷本（台灣商務印書館影印本）、四庫全書珍本（五集）二卷本、四庫全書文瀾閣丁氏補抄七卷本、道光十一年（一八三一）姚江王槐生刊七卷本、光緒八年（一八八二）慈溪馮氏醉經閣重刊七卷本、民國四年（一九一五）上海掃葉山房梨洲遺著彙刊重刊王氏七卷本、民國五年（一九一六）吳興張氏適園叢書重刊七卷本。

# 九　子劉子行狀考

子劉子行狀上下二卷，是黃宗羲記述其師劉宗周生平事跡和概括其學說宗旨的傳記體著作。此書又名蕺山傳，見黃百家行略著錄。

黃宗羲寫於康熙七年的惲仲升文集序曰：「今年渡江弔劉伯繩（宗周之子，名汋），余與之（惲仲升，名日初）劇談晝夜，盡出其著撰。」五年以後，惲日初與黃太冲書記曰：「河干握別，倏已五年……先師節要（指惲撰劉子節要），敝鄉學者亟欲見書，遂謀付梓。………吾兄所為狀（指黃撰子劉子行狀），欲采入『附錄』中，並望惠教。」可見子劉子行狀一書，在二人「河干握別」（康熙七年）之前已有成稿。

黃炳垕年譜在康熙六年一條下記曰：「子劉子講學於證人學院，正命之後，虛其席者二十餘年。九月，公與同門友姜定菴希轍、張奠夫應鰲兩先生復為講會，公表顯師門之學，發前人所未發者，大端有四。」又在康熙七年一條下記曰：「至郡城，仍與同門會講於證人書院……公次婿茂林，蕺山冢孫也，公從其家搜得（劉子）遺書，乃大闡其傳……甬上諸門士請主鄞城講席。三月，公之鄞與諸子大會於廣濟橋，又會於延慶寺，亦以『證人』名之。」由此可見，子劉子行狀的成書年代，在康熙六年至七年間。

子劉子行狀始刻於康熙年間，經黃百家所校。現有民國十一年（一九二二）上海涵芬樓據小綠天藏原刻本影印的四部叢刊南雷集本。另有道光六年（一八二六）慈溪葉棨重刊本、道光十五年（一八三五）王宗炎等據董瑒抄本校刊劉子全書本、中華書局一九五九年據四部叢刊本鉛印黃梨洲文集本。四部叢刊影印原刻本因忌諱而闕文較多，故非善本，而以王宗炎校刊本爲善。

# 十 汰存錄考

此書旨在辨駁夏允彝所著幸存錄中非難東林黨人之言論，反映了黃宗羲對於明代統治階級內部鬥爭的政治見解。

黃宗羲汰存錄自序云：

余見近人議論，多有是非倒置者，推原其故，大略本於夏彝仲允彝幸存錄。彝仲死難，人亦遂從而信之。豈知其師齊人張延登，延登者攻東林者也。以延登之是非為是非，其倒置宜矣！獨怪彝仲人品將存千秋，並存此錄，則其為玷也大矣，謂之「不幸存錄」可也。晚進不知本末，迷於向背，余故摘其一二辨之，所以愛彝仲耳。雙瀑院住持識。

由此可見宗羲著書之動機，亦可知書中議論，未免帶着東林黨人偏見。故鄭性曾言宗羲「門戶之見，尚未盡化」，全祖望也贊成這一批評，言鄭性「疑南雷門戶之見未化，則最足中明季諸公之病者」❶。

❶ 參見全祖望五嶽游人穿中柱文。

關於汰存錄寫作之年，舊無定論。黃炳垕年譜將它繫於順治六年（一六四七），失於詳審。我認爲其著作之年，當在康熙初年，理由有：

第一，黃宗羲思舊錄載：「乙巳，（巢明盛）聞余館語溪，破戒相訪。夏彝仲有幸存錄……是非刺謬。余作汰存錄以正之。……端明序汰存錄，以爲彝仲亡後，他人假託其名爲之。」據此，可知汰存錄作於康熙四年（一六六五）以前，但不至於相隔很久。

第二，汰存錄中記云：「愚嘗言有明之亡，方、沈、溫、蔡，湖州之力也。觀年來湖州之史禍，抑所謂天之報施者非耶？」所謂「湖州之史禍」，指的是順治末年（一六六一）至康熙二年（一六六三）間的「莊廷鑨明史獄」，又稱「湖州莊氏史獄」、「湖州逆書案」。黃宗羲對籍貫湖州的崇禎朝內閣首輔溫體仁之流是深惡痛絕的，斥爲「奸相」、「小人」，視如逆案同黨。莊廷鑨也是湖州人，其明史輯略乃竊取他人之作，而且幾乎因此書而連累宗羲好友陸圻、查伊璜等，故宗羲對於莊氏史禍，並不報以同情。汰存錄謂「觀年來『湖州之史禍』」云云，一則說明黃宗羲將此禍歸咎於湖州人士溫體仁輩的態度，二則也說明該書寫作之年，當在此案發生一年左右，即康熙三年前後。

第三，自康熙二年至五年，黃宗羲多數時間在語溪（今屬海寧境內）講學，爲雙瀑院院長❷，故宗羲汰存錄自序自稱「雙瀑院住持」，這也說明汰存錄作於此時。

根據以上三點，我們可以肯定，汰存錄寫作之年，在康熙三年（一六六四）前後。

此書原刻本未見。今所見最早刻本，係道光十三年（一八三三）沈氏世楷堂據楊復吉編昭代叢書丁集刊刻，按昭代叢書丁集，始編於乾隆三十八年（一七七三）。楊復吉思舊錄跋云：「梨洲先生雜著，………其見於家傳者，有汰存、思舊、待訪三錄……。丙申夏，余得張太史損持手抄汰存錄，已校登新編矣。」據此，知汰存錄在當時未曾刊刻，僅有抄本流傳而已。所以道光十三年之沈氏刊本可能就是初刻本。

汰存錄其他版本，尚有光緒六年（一八八〇）趙氏刊仰視千七百二十九鶴齋叢書本，清大興傅節子編校長恩閣叢書抄本、宣統二年（一九一〇）上海時中書局鉛印梨洲遺著彙刊本、民國三十六年（一九四七）上海神州國光社鉛印中國歷史叢書本等等。

❷ 參見黃炳垕黃梨洲年譜，全祖望寓公雙瀑院長黃宗羲。

# 十一　思舊錄考

此書為追念昔日師友之作，反映了作者強烈的愛國主義情緒和始終不渝的民族氣節，但某些篇章也反映了作者對農民起義的階級偏見。

全祖望梨洲先生思舊錄序云：

> 梨洲先生產於百六之際，其生平磨蝎之宮、野葛之餉，有為世人所不堪者，而百年中閱歷人物，視兗公（指北宋歐陽修——光注）有過之而無不及……。
>
> 先生碑、板、傳、狀，文字最多，其思舊錄則其追懷朋好、雜錄見聞，腸斷於甘陵之部，神傷於漳水之湄，纏綿愴惻，託之巵言小品以傳者也。以先生之撰述言之，學案、文案如山如河，是錄其渺焉者。然先生百年閱歷，取精多而用物宏，於此約略見之。在他人則分先生之一節，皆足以豪。兗公當其盛，故哆兮者如春；先生當其衰，故噫兮者如秋。

由此可見宗羲之作思舊錄，意在託物言志，激勵風節，非一般雜史異聞所可比也。

思舊錄的寫作年代，已在宗羲晚年。康熙三十二年八月十八日，黃宗羲與鄭禹梅書❶稱：

> 老病廢人，足不履地……明文海選成，亦一代之書，此外……枕上想生平交友，一段真情不可埋沒，因作思舊錄，皆鼎革以前人物，一百有餘。呻吟中讀之，不異山陽笛聲也。

由此信可知，思舊錄之作，已是宗羲呻吟病榻之際，且在明文海選成以後。今考索宗羲生平事跡，宗羲在八十二歲時（康熙三十年）體格尙健，曾與武密靳治荊同游黃山，自八十三歲以後，一病不起。其明文海選成之年，在八十四歲時，因此思舊錄之作，應在康熙三十一至三十二年之間。

關於思舊錄的卷數和刊刻年代，各家著錄頗不一致，其中亦有誤謬，尙須辨明。

查考近今學者有關著錄，是混亂不確的。

謝國楨先生黃梨洲學譜（一九三二年上海商務印書館出版）著錄：「思舊錄二卷。梨洲遺著彙刊本、昭代叢書本、二老閣刊本。」而其增訂晚明史籍考（一九八一年上海古籍出版社出版）則著錄：「思舊錄一卷。清康熙間二老閣刊本、梨洲遺書（著）本、昭代叢書本。」這裏前後所記卷數不一，而二老閣刊本則誤以爲是康熙年間所刻。

孫殿起先生販書偶記續編（雷夢水整理，上海古籍出版社一九八〇年出版）著錄：「黃梨洲思舊錄一卷。清餘姚黃宗羲撰，後學鄭性訂，無刻書年月，約雍正間刊。」又「思舊錄一卷。清餘姚黃宗羲撰。光緒間五桂樓刊。」這裏把鄭性訂本當作雍正年間的刊本。

洪煥椿先生浙江文獻叢考（浙江人民出版社一九八三年出版）著錄：「思舊錄二卷。追憶舊友而誌之，其忌諱處多黑釘。有二老閣刊本、昭代叢書本。光緒間五桂樓刊本（一卷）。梨洲遺書彙刊本（一卷）。清鄭性訂本作黃梨洲思舊錄一卷。」這裏似乎把二老閣刊本和昭代叢書本都當作二卷本了。

爲了澄清混亂，現將我所見到的思舊錄各個抄本、刻本開列如下：

一、手抄本一卷一册，未署抄寫年代。原題「黃梨洲先生思舊錄，後學鄭性訂，大節校」。抄本無墨釘，避乾隆帝弘曆名諱，（弘寫作宏、曆寫作歷），無嘉慶、道光朝諱字，可以肯定是乾隆間抄本。

二、二老閣叢書刻本一卷，與明夷待訪錄一卷合刊爲一册。未署刊刻年代。原題「黃梨洲先生思舊錄，餘姚黃宗羲太冲撰，後學鄭性訂，大節校」。有「二老閣藏板」字樣，並有「劉承幹字貞一號翰怡」和「吳興劉氏嘉業堂藏書印」篆印兩方。文中多有墨釘，當因避諱所致。

---

❶ 此書未見收入南雷文定五集及黃梨洲文集之中，唯載於鄭性所刊二老閣本南雷文約卷首，題爲黃梨洲先生遺先子書，現改題爲與鄭禹梅書。

三、道光十三年沈氏世楷堂刊楊復吉編昭代叢書己集一册，不分卷。楊復吉思舊錄跋云：「……思舊錄則客歲於明文授讀題識內摘錄成帙，今知不足齋主人復擧二老閣刊本見貽，因參互異同，彙爲一編。」

四、宣統二年上海時中書局石印薛鳳昌編梨洲遺著彙刊本一卷。

五、民國四年上海掃葉山房增印薛編梨洲遺著彙刊本一卷。

以上五種均藏浙江圖書館古籍部。

六、二老閣刻本一卷一册，現藏寧波天一閣圖書館，題名同第一種。

七、光緒間五杜樓刊本思舊錄一卷一册，現藏餘姚縣梨洲文獻館。

八、淸抄本思舊錄一卷一册，淸戴望校並跋，蕭穆又跋。此本原題「姚江黃宗義撰，後學鄭性訂，大節校」，且「玄」、「弘」等字不缺筆，後校改者用朱筆改爲諱字，可知原本抄寫年代較早。此書與明夷待訪錄抄本一卷一册合稱爲黃梨洲先生遺書二種，現藏北京圖書館善本室。

九、長恩閣叢書抄本思舊錄一卷，淸大興傅以禮（節子）校，現藏北京圖書館善本室。

按：以上第八、九兩種抄本謝國楨、孫殿起、洪煥椿先生均未著錄。

我們從上述抄本、刊本可知，思舊錄只有一卷本，並無二卷本。所謂「二卷」之說，並無實物可證。

今考淸人著錄，黃百家、邵廷采、錢林、江藩、黃炳垕、黃嗣艾等均無二卷之說；他們記及思舊錄，或曰一卷，或不言卷數，與今存抄本、刊本相符合。唯有全祖望所撰梨洲先生神道碑文稱「思舊錄二卷，追溯山陽舊侶，而其中多庀史之文」（光按：全氏其他著作論及思舊錄時未言卷數）。應當說，全祖望對黃宗羲遺著存佚情況比較清楚，這一記載不會是偶然筆誤。但根據何在呢？看來濫觴於宗羲原著。

思舊錄作者跋尾稱：

> 余少逢患難，故出而交游最早，其一段交情不可磨滅者追憶而誌之，開卷如在。於其人之爵位行事，無暇詳也。然皆桑海以前之人。後此亦有知己感恩者，當為別錄。

由此可見宗羲在思舊錄之外，當曾另撰思舊別錄，記鼎革以後與「知己感恩者」之交情。然而今存思舊錄各種抄本、刊本，所記一百餘人「皆桑海以前之人」，即前朝遺民，而無「後此」之「知己感恩者」，可見宗羲所言別錄並未併入今存思舊錄。可能由於宗羲晚年疾病纏身，別錄未能完稿之故。但其未完稿在當時恐怕是存在的。其家人或弟子將它與思舊錄合爲一書，遂有二卷之數。到乾隆年間鄭性、鄭大節選刻梨洲遺著時，或因別錄乃記桑海以後人事，或因其爲宗羲暮年之作，尚未成編，且多訛誤，於是刪去別錄而僅存思舊錄原書一卷。自此以後，別錄不再流傳，後起各種抄本、刊本都以二老閣本爲底本，所以只存一卷之數。但全祖望是康熙乾隆間人，他是知道既有思舊錄又有思舊別錄的，故在梨洲先生神道碑文著錄二卷，而在梨洲先生思舊錄序中未言卷數。近人未加詳察，沿襲了全氏二卷之說，於是造成了著錄卷數與實物的矛盾。

關於思舊錄二老閣本（即鄭性訂、鄭大節校本）的刊刻年代，我們從浙圖、天一閣所存抄本、刻本文字均避乾隆帝名諱可知，決非康熙或雍正時代所刊。而且，抄本、刻本都題名「黃梨洲先生思舊錄，後學鄭性訂、大節校」，都是一卷本，因此，並不存在二老閣二卷思舊錄的抄本或刊本，也不存在只有「鄭性訂」而無「大節校」的抄本或刊本，近人有關著錄的錯誤應當糾正。

# 十二 黃氏家錄考

此書爲黃宗羲輯錄本族各代人物主要事跡的家史體著作，始於南宋黃萬河，止於其父黃尊素。它雖非哲學著作，但對研究黃宗羲思想的淵源和治學風格有參考價值，故收入全集第一册。關於黃氏家錄，有兩個問題須作考證：一是黃氏家錄與黃氏宗譜的關係，二是黃氏家錄的寫作年代和刊刻情況。

考梨洲遺著，未見黃氏家錄或黃氏宗譜的書名記載。今存黃氏家錄諸刻本，均題名黃氏家錄，下題「遺獻公筆錄」。書尾有宗羲第三子百家「恭記」，曰「攟殘集及家錄俱先遺獻公四十歲以前之作也」。由此可見，此書原名家錄，今名係黃百家所定。

黃氏家錄或家錄的書名，不僅不見於宗羲原著，而且不見於黃百家、黃炳垕、黃嗣艾等黃氏後人及邵廷采、全祖望、錢林、江藩等人所撰梨洲年譜、傳記、碑文有關梨洲遺著的著錄，而只見於黃氏家錄的刻本和今人孫殿起、謝國楨、洪煥椿諸先生的著錄中❶。這似乎令人費解。

---

❶ 參見孫殿起販書偶記、謝國楨黃梨洲學譜和增訂晚明史籍考、洪煥椿浙江文獻叢考。

另一個似乎矛盾的現象是：黃百家、邵廷釆、全祖望、黃嗣艾等人雖未著錄黃氏家錄之名，却明白著錄了黃氏家譜或黃氏宗譜之名。黃百家梨洲府君行略云：「宗支日衍，一本追思，作黃氏宗譜。」邵廷釆黃文孝先生傳則稱黃氏家譜、全祖望梨洲先生神道碑文稱黃氏宗譜。黃嗣艾南雷學案亦稱黃氏宗譜，但竟稱有三十六卷之多。

正因爲上述看來矛盾的現象存在，致使後人發生了錯覺，以爲黃氏家錄和黃氏宗譜是兩部不同的梨洲遺著。如洪煥椿浙江文獻叢考就同時著錄了黃氏宗譜和黃氏家錄一卷兩種書目，對前者未作任何說明，對後者僅列其刊本，而未說明二者的關係。

我認爲，上述現象看似矛盾，其實不難解釋。所謂家錄、黃氏家錄或黃氏家譜、黃氏宗譜，作爲黃宗義的著作而言，本來就是同一部書，不過名稱不同罷了。所以，黃百家在黃氏家錄附記中簡稱爲家錄而不稱黃氏宗譜，而在行略中則只稱黃氏宗譜而不稱黃氏家錄，在邵廷釆、全祖望、黃嗣艾等著錄中也只稱黃氏家（宗）譜而不稱黃氏家錄。如果眞是兩部書的話，黃百家在行略中决不至於漏記家錄的。

那麼爲什麼黃嗣艾又稱黃氏宗譜有三十六卷呢？我認爲，這是將黃宗義所編著的黃氏家錄與整個黃氏家族的宗譜混爲一談所致。應當說，黃宗義的家錄是依據歷代流傳下來的黃氏家族的傳說加上他自己的調查和考證以後編寫的一種傳紀體家族簡史，而且黃宗義以後，又有「雲間族侄仲簡公（黃）炳」編寫了黃氏續錄[2]，到黃嗣艾撰南雷學案之時（民國十六年），已經歷了二百餘年十多代人了。黃嗣艾本人是遷居漢陽而原屬餘姚竹橋黃氏的旁系遠裔子孫，他家藏的一些梨洲遺著是其先祖於咸、同年間從餘姚、上虞輾轉訪來的。可以肯定，所謂黃氏宗譜三十六卷，其中絕大部分必非黃宗羲親撰。

筆者在餘姚曾見到一部民國十七年續修的竹橋黃氏宗譜十六卷，黃氏惇倫堂刻。考其內容，知此譜共刻六十部，漢陽支存其一。嗣艾所見，當即此譜，又知黃氏修譜始於乾隆四十一年，乃黃嶽據黃氏家錄，黃氏續錄和家傳祭板撰成。可見作為梨洲遺著，黃氏家錄、家譜、宗譜等名雖各異，書實同一也。

此書寫作年代，據黃百家「附記」所云，乃宗羲四十歲（一六四九年）以前所作。書中又記載着崇禎十七年（一六四四）黃尊素被謚予「忠端」稱號的事實，可知此書作於黃宗羲三十五歲以後。這幾年中，黃宗羲率兵抗清，奔波於山谷海島，無暇著書，唯三十八歲（一六四七）這年稍有空閒，避居化安山中從容著書，黃氏家錄蓋即此時所作。

關於此書刊刻年代，黃百家「附記」云：家錄「久塵破簏中，將為蠹鼠齧盡。康熙癸未上元日，百家到雲間，仲簡兄慨然刻之」。按癸未年即康熙四十二年（一七〇三），雲間仲簡兄即黃宗羲族侄黃炳，此為家錄初刻之年。現上海圖書館和北京圖書館均有康熙四十二年餘姚黃氏抑抑堂刻本，即黃炳初刻本。

---

❷ 參見販書偶記、增訂晚明史籍考及黃梨洲先生年譜。今北京圖書館、浙江圖書館和餘姚梨洲文獻館均有黃氏續錄清刻本。

其他刊本有：道光四年（一八二四）聚珍版重刻本、民國年間黃氏惇倫堂重刻本、民國二十四年（一九三五）四明林氏藜照廬叢書翻刻本。

諸本文字無異。藜照廬叢書翻刻本，附有黃百家及黃紹顥等人的刊刻附記，可資參考。

# 十三　弘光實錄鈔考

此書又名弘光實錄，因它基本上是逐日記錄，敍事頗詳，故又名弘光日錄。由於黃百家先遺獻文孝公梨洲府君行略、邵廷采遺獻黃文孝先生傳、全祖望梨洲先生神道碑文、黃炳垕黃梨洲先生年譜等都沒有著錄弘光實錄鈔或宏光記年，也沒有提到黃宗羲曾撰弘光朝史書的事實，有人曾經認爲此書恐非梨洲所撰。前人對此已有所考辨，肯定它是黃宗羲的著作。

據筆者所見，最早著錄此書爲黃宗羲遺著的，是清初溫睿臨的南疆逸史凡例。其後，楊鳳苞的南疆逸史跋、江藩的國朝漢學師承記黃宗羲傳、傅以禮爲弘光實錄鈔所寫的題跋（見華延年室題跋卷上）、朱希祖的弘光實錄鈔跋（見明季史料題跋一書），直到今人謝國楨先生所撰增訂晚明史籍考，亦莫不如此。

一九六三年第三、四期合刊的南京大學學報（人文科學）刊載的陳恭祿先生弘光實錄鈔的作者及其史料價值一文，從書中稱謂特點、黃宗羲與劉宗周的關係等方面，證明該書作者「舍黃宗羲而外，別無他人」。該文寫道：「書中三次稱『臣父黃忠端』，證明作者確係其子。另一事實，見於范景文傳。稱魏廣微以魏忠賢的宗人入相。書臺省黃忠端、李應升、周宗建等八人姓名……死者諸人稱名，其中有追謚者皆不稱謚，而獨尊素稱謚，也是其子所爲的一例。」

又云：「弘光朝，劉宗周在南都爲左都御史，黃宗羲也在南都從事政治活動。弘光實錄鈔記載不少消息，非內幕中人不能知道，當事者也不願向外人言及，茲引其關於劉宗周者三事爲例：……三事證明作者和劉宗周親密的關係，上自國家大計，人事的臧否，下至私人可能遭遇的命運，無不談及，絕不是一般通家友誼及尋常師生關係所能做到。作者所記是親身參與其事的見聞，黃宗羲並未入仕，若非身在南都，從事政治活動，交遊廣而所識者多，不可能洞悉朝中情狀，又非與劉宗周有親密的關係，不能知其家屬的談話。我們從這些方面考慮，弘光實錄鈔的作者舍黃宗羲而外，別無他人。」這些考證是確鑿可信的。

陳文又從清代政治情況，對照此書內容，論該書未能在當時刊印的原因：「清統治者入關後，多所忌諱，不願明清之際的記錄傳於後世。康熙年間曾以史書興起文字之獄，牽及無辜人士，誅殺慘重。弘光實錄鈔關涉清政府的記載很多，例如陳洪範奉使北聘而歸的報告，中有清方攘奪財物，及違反公布的諾言，剪伐陵旁樹木等情。………黃宗羲參加抗清的斗爭，對於抗清的士大夫，實錄鈔有忠實的記載，並表揚死難的人物，和清政權立於敵對的地位，是它不容許發表的記錄。後乾隆帝大規模收集明清之際的史料，並將它焚燬。在這種政治情況下，弘光實錄鈔不但不能流傳，而收藏者也可能招至大禍，故親友諱而不言。復因宗羲參加反清鬥爭，初無人爲之撰作碑銘，其故廬復遭一水一火之災，而遺書毀失，其中且有印行而板毀者。……弘光實錄鈔蓋在散亡之列，但有鈔本流傳，辛亥革命時，商務印書館才把它印行。」這一推論也言之成理。

弘光實錄鈔的清鈔本，筆者所見有二種：一是浙江圖書館善本室藏大興傅氏長恩閣校鈔本，其題跋有云：「此本從丁松山大令丙所藏武林瞿穎山良玉清吟閣舊鈔傳錄。原本但題古藏室史臣，不署姓氏，殆當時有所嫌諱，不敢顯著其名，今旁證他書，爲之補題。卷四舊闕一翻，俟覓他本補之。光緒三年七月既望。大興傅以禮節子識於三山寓邸之花延年室。」並有「傅節子題識」藏書印一方。二爲南京大學圖書館善本室藏清鈔本四卷，附有弘光大臣月表。此本共分四册，首册封面有「半百此生」、「孫郎」、「白鶴山樓主」等篆文藏書印記，正文首頁有「譚隱廬所得善本」篆文藏書印一方，第二頁上又有「半閑子」眉批三條，看來抄者就是「半閑子」，但不知其眞實姓名。從鈔本內容看，凡原書稱清爲「虜」的文字，皆用□代替，其文字並避康熙、乾隆、道光、咸豐諸帝名諱，可知爲清季鈔本，很可能是光緒年間鈔本，當比傅氏校鈔本晚出。二本對勘，也以傅氏本錯誤較少。

此外，謝國楨增訂晚明史籍考又稱：「余所見之清吟館鈔本題弘光日錄四卷，黃宗羲撰。」不知此本今在何處？但據傅以禮跋，可知傅氏鈔本與謝氏所見清吟館鈔本同出一源，即瞿世瑛清吟閣舊鈔本。據吳晗江浙藏書家史略載：「瞿世瑛，字良玉，號穎山，清錢塘人。……手鈔罕見古書，以爲日課。」「築清吟閣以儲書籍，計名人鈔本七百九十二種，批校鈔本四百七十五種……惜失於庚申之亂。」所謂「庚申之亂」，即指清咸豐十年庚申（公元一八六一年），太平軍佔領杭州之役。由上可以推知，傅氏校鈔本所據原本當鈔成於道光年間或者更早一些。又孫殿起先生販書偶記續編雜史類著錄有「弘光實錄鈔四卷，清餘姚黃宗羲撰底稿本」一條，不知依據何本？很可能他所見到的，仍然是浙圖所藏傅氏鈔本，而非底稿本。

除上述鈔本之外，自民國以來先後出版過幾種鉛印本，即：民國元年（一九一二年）上海商務印書館痛史本，民國二十五年神州國光社中國內亂外禍歷史叢書本，一九五一年神州國光社據初版重新校勘排印的中國歷史研究資料叢書本。另有臺北新興書局一九七五年影印的筆記小說大觀本。這幾個本子中「虜」字都用□代替，其文字也無多大出入，顯然出於同一祖本。從其中有的避諱字（「甯」字）尚未改正可知，其所據祖本不會早於道光年間。

既然我們可以確認，弘光實錄鈔的作者就是黃宗羲，那麼該書寫作年代也就能夠確定了。因爲該書作者自序稱「寒夜鼠囓架上，發燭照之，則弘光時邸報，臣畜之以爲史料者也。年來幽憂多疾，舊聞日落，十年三徙，聚書復闕。後死之責，誰任之乎？先取一代排比而纂之，證以故所聞見，十日得書四卷，名之曰弘光實錄鈔。」其自序落款署明「時戊戌年冬十月甲子朔」，則知成書時在清順治十五年（公元一六五八年）十月。

# 十四　行朝錄考

現存行朝錄各個鈔本或刊本，都由若干單篇彙輯而成。其內容記載了南明小朝廷隆武帝、永曆帝、監國魯王的興亡史，而以魯事記載最詳。

行朝錄是否都是宗羲所撰？它應包括幾卷幾篇？各篇寫作年代是否一致？關於這些，前人著錄不一，各本收錄情況有出入，今人分歧也很大。有人甚至認爲行朝錄裏只有四明山寨記是黃宗羲下筆的，其他都很可疑。因此，很有必要對行朝錄作出較全面的考辨。

黃宗羲是否編撰了行朝錄呢？我認爲是毋庸置疑的。一有行朝錄自序和行朝錄文字中提供的黃宗羲生平事蹟和「左副都御史某」或「左副都御史黃宗羲」的署名可證，二有其子黃百家所撰梨洲府君行略中著錄「行朝錄三卷」的文字可證。從自康熙到近代的許多著名學者如邵廷采、溫睿臨、全祖望、楊鳳苞、錢林、江藩、黃炳垕、柳亞子、謝國楨等，對此都是深信不疑的。爲了澄清在這個問題的某些混亂，現擬從五個方面加以考證，以求教於方家：

## 一　行朝錄與明史案關係考

黃宗義自抗清鬥爭失敗以後，矢志不仕新朝而銳意著述。其費時最長，用力最勤，成果最多者，在於編選明人文集，總結明代歷史和學術的成敗得失，今存明文案、明文海和明儒學案便是證明。從黃宗義自撰的明文案序及黃百家所撰明文授讀序可知。宗義選編明文，始於康熙七年戊申（一六六八年），至十四年乙卯（一六七五年）編成明文案二百七卷；後又發掘徐氏傳是樓藏書，增益明文案，至康熙三十二年癸酉（一六九三年）八十四歲時，最後編定明文海四百八十卷（或四百八十二卷）。同時，他還指示黃百家編了明文海的節選本明文授讀六十二卷。

明文案、明文海的編選，不僅保存了有明一代的文苑英華，而且也爲纂修明史準備了史料。黃宗義雖然屢辭清廷征召，不肯親身參與官修明史之舉，但對纂修明史仍然十分關心。他不僅支持萬斯同以布衣入史局，而且向修史諸人提了不少建議，致書答疑，又向明史館移交了部分家藏史料，還同意讓兒子百家參加了修史工作。更重要的是，黃宗義自己就抱有纂輯明史之志，並且付諸實施。這在時人書函、後人著作中均有明確記載。例如：宗義所存交游尺牘中，有李遜之與梨洲書，稱「頃忽辱二哥翩然枉顧，大慰渴思。因知吾老翁兄閉戶著述，從事國史，將成一代金石之業」（見南雷文定附錄）。可見黃宗義確是有修明史之志的。

又錢林文獻徵存錄黃宗義傳：「宗義雖不與修明史，然史官著作，常轉咨之。因起明史條例，年月依國史；官爵世系取家傳；參詳是非，兼用稗官雜說。是時史館初置，頗引召雅徒凡數十人。鄞縣萬斯同，稱一時南董，見宗義說，施行之。」又云：「又明史案二百四十二卷，條舉一代之事，供采摭，備參定也。」由此可以推知，黃宗羲的明史案尚屬草創性質，其所撰明史條例，很可能就是明史案的凡例，可惜原書今已亡佚，無法詳考。

那麼，行朝錄與明史案有無關係呢？從全祖望梨洲先生神道碑文分析，前者當屬後者之一部份。對此，清季學者鄧實已經指出。鄧實爲國粹叢書所刊黃梨洲行朝錄寫的後序說：「吾讀全祖望所爲梨洲先生神道碑文，謂梨洲『輯明史案二百四十四卷，有贛州失事一卷，紹武爭立記一卷，四明山寨記一卷，海外慟哭記一卷，日本乞師記一卷，舟山興廢一卷，沙定洲紀亂一卷，賜姓本末一卷』，與此編之目次頗有出入，此編多隆武紀年、魯紀年、永曆紀年三紀，而獨缺海外慟哭一紀，至其所分之卷亦不合。豈梨洲初輯明史案，慨然有國史之志，而先就其海東一隅，殘山賸水所目見耳聞者撰爲諸紀，既乃名之曰行朝錄歟？」我認爲，鄧實關於明史案與行朝錄關係的見解是言之成理的，全祖望正是用「有」字將明史案與行朝錄各篇聯系起來了。

## 二 行朝錄卷、篇數目及排列次序考

爲了弄清這一問題，茲就筆者所見，將前人著錄情況及各種抄本、刊本的目次分列如下：

**【一】清康熙至光緒間學者著錄：**

(a)黃百家梨洲府君行略（作於康熙後期）著錄「行朝錄三卷」，未錄篇名；

(b)溫睿臨南疆逸史凡例（約作於康熙後期）著錄有黃宗羲行朝錄，謂兼記弘光、永曆兩朝事，此外，又著錄了黃氏的魯紀年、四明山寨記、舟山興廢記、日本乞師記，但未提到行朝錄總卷數；

(c)乾、嘉時人楊鳳苞南疆逸史跋一稱：「行朝錄本隆武紀年、永曆紀年二書而合併者。舟山興廢記一名舟山紀聞。」又跋五稱：「曰贛州失事，曰紹武爭立，曰沙定洲紀亂，曰賜姓始末，俱黃宗羲。」

(d)全祖望梨洲先生神道碑文（作於乾隆年間）著錄：「輯明史案二百四十四卷，有贛州失事一卷，紹武爭立記一卷，四明山寨記一卷，海外慟哭記一卷，日本乞師記一卷，舟山興廢一卷，沙定洲紀亂一卷，賜姓本末一卷。」未列行朝錄書名，但鮚埼亭集外編卷二十九跋梨洲先生行朝錄稱：「行朝錄中桂藩紀年一卷，最多訛錯，蓋當時道遠，不免傳聞之殊也。」又再書行朝錄云：「太冲先生從亡海上，累官都察院左副都御史，其後晦跡南歸，雖庭誥中亦諱其事，世遂鮮有知之者。惟行朝錄己丑師次健跳，大學士沈宸荃……左副都御史某……從亡。按錄中凡書某，皆先生所自紀。」按此跋所引行朝錄之文出於魯紀年，知全氏所見行朝錄有魯紀年在內。

(e)江藩國朝漢學師承記黃宗羲傳（約作於嘉慶年間）著錄：「明史案二百四十四卷，弘光紀年一卷，隆武紀年一卷，永曆紀年一卷，魯紀年一卷，贛州失事記一卷，紹武事記一卷，四明山寨記一卷，海外痛哭記一卷，日本乞師記一卷，舟山興廢一卷，沙定洲紀亂一卷，賜姓本末一卷，」未出行朝錄書名。

(f)錢林文獻徵存錄黃宗羲傳（作於道光年間）著錄明史案二百四十二卷，「又贛州失事一卷，紹武爭立記一卷，四明山寨記一卷，海外慟哭記一卷，日本乞師記一卷，舟山興廢一卷，沙定洲紀亂一卷，賜姓本末一卷」，也無行朝錄書名。

(g)黃炳垕黃梨洲先生年譜（作於同治五年）於「順治六年己丑」條下稱「日本乞師記、贛州失事、紹武爭立記、舟山興廢、沙定洲紀亂、賜姓本末各一卷，皆此數年間所記。後合隆武紀年、魯監國紀年、永曆紀年爲行朝錄」。另在「順治三年丙戌」條下著錄「公有四明山寨記」。

(h)光緒三十一年乙巳年，杭州羣學社石印蔣麟振編黃梨洲遺書十種僅收錄賜姓始末一卷。但蔣序稱梨洲乞師日本，並作乞師記、慟哭記。蔣氏例言又稱「書已付印，旋購得贛州失事記、紹武爭立記、舟山興廢、沙定洲紀亂、宏光紀年、龍（隆）武紀年、永曆紀年、魯紀年諸書各一卷，礙難增入，容俟續印」。雖無行朝錄之名，但已有其實。

他如徐鼒小腆紀年附考、李元度國朝先正事略黃宗羲傳都有著錄，未超出上述各家。

**【二】　各種刻本、印本情況：**

(a)光緒十九年（一八九三年）越中徐友蘭鑄學齋編刻紹興先正遺書四集本所收行朝錄十二篇，不分卷，其目次爲：一隆武紀年、二紹武之立、三魯王監國上、四魯王監國下、五永曆紀年、六章貢失事、七舟山興廢、八日本乞師、九四明山寨、十沙氏亂滇、十一賜姓始末、十二江右紀變附。此書前十一篇均題「餘姚黃宗羲」，第十二篇則題「太倉陸世儀道威述」。

(b)道光年間古槐山房集印陳湖逸士編荊駝逸史五十種活字本。按荊駝逸史活字本有二種，初由北京琉璃廠半松居集印五十三種，也是道光間印本，無行朝錄，後由古槐山房重印時補入行朝錄六卷十四篇，其目次爲：卷一隆武紀年、贛州失事、紹武之立；卷二魯紀年上、魯紀年下、舟山興廢、日本乞師、四明山寨；卷三永曆紀年；卷四沙定洲之亂附滇考、賜姓始末附明季遂志錄（此錄有目無文）；卷五江右紀變、張元箸先生事略；卷六附鄭成功傳。

此書各卷首篇均題名「餘姚黃宗羲編撰」，但卷五江右紀變下則另題「太倉陸世儀道威述」。

(c)光緒三十二年首版、三十四年（一九〇八年）再版上海國學保存會鄧實校編國粹叢書第三集石印本，所收行朝錄六卷十四篇，目次、題名均與荊駝逸史本同，其內容除個別文字業經鄧實校改外，也與荊本一致，二本顯然同出一源，故不再詳列目錄。此本書末附有全祖望跋行朝錄二篇及鄧實後序一篇。

(d)宣統二年（一九一〇年）上海時中書局排印薛鳳昌編梨洲遺著彙刊本及民國四年（一九一五）、民國八年（一九一九）增刊本，三本所收行朝錄十卷，其目次自隆武紀年至沙定洲之亂十篇與國粹叢書本同。又收入滇考、賜姓始末、鄭成功傳、張元箸先生事略各一卷，均題名「餘姚黃宗羲太沖撰」而不列入行朝錄之內。但從文字看，顯然是以國粹叢書本爲藍本排印的。

## 【三】　清代九種手鈔本情況：

行朝錄原稿雖然早已亡佚，但傳鈔本頗多。現將筆者在北京、上海、杭州等地圖書館所見九種手鈔本情況概述如下：

(a)北京圖書館善本室藏楊氏稽瑞樓鈔本一册，三卷十一篇。目次爲：卷一，隆武紀年、贛州失事、紹武之立；卷二，魯紀年上、魯紀年下、舟山興廢、日本乞師、四明山寨；卷三，永曆紀年、沙定洲之亂、賜姓始末。鈔本目錄前有行朝錄自序，末署「左副都御史某書」。書中凡涉及黃宗羲名諱處皆稱「某」，與全祖望所說「錄中凡書某，皆先生所自紀」相符，說明此本所據祖本年代較早，也較可靠。鈔本首尾都有「稽瑞樓」白文藏書印。書末有一鈔者跋云：「壬子春錄此，爲校一過。夏五月，復假得友一藏本重勘寫焉，仍未淨盡也。」下有「稽瑞樓」章，說明跋文當係稽瑞樓主人題寫。查丁氏藏書志，稽瑞樓主人即楊文蓀，字秀實，號芸士；清海寧人，生於乾隆四十七年壬寅，卒於咸豐二年壬子，平生喜好聚藏，所選國朝古文匯鈔，世稱精審。

據上可知，這一鈔本年代，當在咸豐二年，所據祖本自然更早。

(b)北圖善本室藏同治八年戴氏長留閣抄本一册，十一卷（篇）附陸世儀撰江右紀變一卷（篇），其篇名、目次均與紹興先正遺書刻本相同。

(c)北圖善本室藏清鈔本二册，十卷（篇）。卷後附錄江右誌變、建昌殉節二篇。正文十篇與(a)項三卷本同，但魯王監國一篇不分上、下。卷首有自敍，署「左副都御史餘姚黃宗羲梨洲氏書」。其上册有「柯逢時印」、「桃花源裏人家」，下册有「桃花源裏人家」、「靈溪精舍藏書之印」等朱文藏書印。

(d)北圖善本室藏清鈔本一册，十二卷（篇），各篇名前均冠以行朝錄之名。下題「國朝黃宗羲撰」，所收篇目與戴氏鈔本大體相同，唯增三藩偶記一篇而缺紹武之立一篇。其建昌殉節置於魯王監國之前而不作附錄收編。

按建昌殉節，在行朝錄各鈔本、刻本中，僅見於戴氏長留閣抄本和這一鈔本。二者內容相同，記清兵南下時，撫州臨川人楊鼎銓起兵抗清，堅守建昌府，兵敗被逮殉節一事，與陸世儀江右紀變所記相同，故戴氏本作爲附錄列於江右紀變後，顯非黃宗羲之作。關於三藩偶記，其內容與北圖所藏晚清鈔本明季野史彙編（廿九種）之吳耿尙孔四王合傳多相符合，但此本簡略。該篇首頁有鈔者眉批一條，稱「此蓋多取之巫峽逸人所撰五藩禱乘」，亦可證明該篇本非梨洲遺著，當係鈔者混編在行朝錄書末的。

(e)北圖善本室藏清鈔本一册，題「行朝錄十一卷，明黃宗羲撰；末一卷，明陸世儀撰」。從紙質、諱字看，當屬晚清鈔本，其目次與戴氏長留閣本相同。

(f)上海圖書館藏清鈔本三册十一卷，附一卷，篇名目次與紹興先正遺書刻本全同。審其紙質、文字，應屬清末民初鈔本。

(g)浙江圖書館善本室藏吳興劉氏嘉業堂原藏校鈔本四册，三卷十一篇，附一卷四篇。各册首頁都有「吳興劉氏嘉業堂藏書記」篆文長方朱印，從其紙質及文字避乾隆而不避道光帝諱看，當屬乾嘉時代抄本。此本實即黃宗羲行朝錄與楊士聰、陸世儀著作彙編本。前三册收文十一篇，分三卷，有行朝錄自序，署「左副都御史黃宗羲梨洲氏書」，各篇均題「餘姚黃宗羲編撰」，無總目。三卷目次爲：卷一，隆武紀年、贛州失事、紹武之立；卷二，魯紀年上、魯紀年下、舟山興廢、日本乞師、四明山寨；卷三，永曆紀年、沙定洲之亂、賜姓始末，與北圖所藏稽瑞樓抄本相同。第四册爲附錄，一卷四篇，目次爲：甲申核眞略，（題「濟甯楊士聰鳧岫氏著」）（光按：該篇「總論」混夾在第三册沙定洲之亂後，當係藏家裝訂之誤）、南行日記、賀宿見聞、江右紀變（題「太倉陸世儀道威述」）。

(h)浙圖善本室藏戴氏倍萬樓舊藏抄本四册，十一卷（篇），卷末附陸世儀江右紀變一篇。其篇名目次等與紹興先正遺書刻本全同。內有「倍萬樓藏本」、「戴芝農收藏書畫印」、「吳興劉氏嘉業堂藏書記」等藏書印章，抄寫年代當在道光時代或略晚。

(i)浙圖善本室藏大興傅氏長恩閣校抄本一册，十一卷（篇），附江右紀變一卷（篇）。內有「節子辛酉以後所得書」、「大興傅氏」、「傅氏鈔本」、「華延年室收藏校記印」、「長恩閣藏書」、「節子題識」等藏書印記。書末有傅節子題跋一條，云：「同治丙寅春日，與荊駝逸史互勘一過，校正若千字，據增研北居士跋一篇，復據鮚埼亭集增跋二篇，因記。節子題識。」故此本篇名目次與荊駝逸史刻本同。

綜觀上述十家著錄、四種刻本、九種抄本情況，可對行朝錄原本篇名、篇數和目次作出如下判斷：

第一，凡與黃宗羲生活年代相近（如黃百家、温睿臨）或籍貫相近或有密切師承、血緣關係（如全祖望、楊鳳苞、錢林、黃炳垕），因而熟悉梨洲生平事蹟、著述情況的人們中，對行朝錄及其篇名的記載都比較清楚，雖然轉述次序不一，但範圍限於隆武紀年、贛州失事、紹武爭立、魯紀年、舟山興廢、日本乞師、四明山寨、永曆紀年、沙定洲之亂、賜姓始末這十篇。他們並未將江右紀變、建昌殉節、三藩偶記、張玄箸先生事略、鄭成功傳、滇考誤作梨洲遺著，也未提到它們是行朝錄的附錄。這說明他們見到的行朝錄原本不過十篇，且無附錄。

第二，從北圖所藏楊氏稽瑞樓行朝錄三卷鈔本只有十一篇（分魯紀年為上、下二篇）並無附錄的事實，可以印證上述判斷可以成立。浙圖所藏嘉業堂舊藏抄本四卷，與稽瑞樓鈔本一樣，都是年代較早的本子，雖有附卷，但附錄諸篇都有原作者的題名，而作爲行朝錄正文的仍是十一篇。

第三，行朝錄原本並無附錄，在傳鈔過程中，不同的鈔者附入了記載南明史實的其他人的著作作爲附錄本不足怪。但到後來，特別是清末民初之時，有人不明眞相，或出於反清需要，遂將附錄誤作正文，於是造成了行朝錄卷篇及作者歸屬的混淆，把別人的著作當作梨洲遺著加以刊印了。

# 三　行朝錄十一篇分類考

前已證明，行朝錄原本篇數，如果分魯紀年爲上、下二篇的話，應是三卷十一篇。但這十一篇是否全是黃宗羲原作呢？

我認爲，今本十一篇應當分爲三類：第一類是黃宗羲曾親身參與其間的有關魯王監國歷史的記載，如魯紀年上、下篇、舟山興廢、日本乞師、四明山寨，史料眞實可信；第二類是依據傳聞或零散邸報編撰而成的，如永曆紀年、紹武之立、賜姓始末，史料不盡確實，間有訛誤；第三類是依據別人著作改編而成的，如隆武紀年、贛州失事、沙定洲之亂，就史料價値而言還是眞實可信的。以下依此分類，逐篇考述：

## 【一】　魯紀年

此書又名魯王監國、魯王監國紀年，記載魯王朱以海監國時期浙東軍民抗淸史實。今本大多分爲上、下二篇，上篇始於崇禎十七年二月魯王以海嗣位，止於監國元年六月浙河兵潰；下篇自浙河兵潰至監國八年三月魯王在金門自去其號並及己亥年魯王遣官祭陳士京止。二篇文末都有史臣評語，且上篇記監國元年五月事有「嘉績以其兵盡付某，某與王正中合師三千人」文字，下篇記監國四年「上次健跳」事有「左副都御史某」文字（有的本子已改「某」為「宗羲」）。

全祖望再書行朝錄，稱「錄中凡書某，皆先生所自記」，可證此書確爲黃宗義親撰。

【二】舟山興廢

謝國楨增訂晚明史籍考對舟山興廢的按語云：「是書記舟山形勢，黃斌卿奪荊本徹之兵，進據舟山，張名振又與斌卿部將王朝先合謀逐殺斌卿，迎魯王入駐舟山。太冲著是編時，曾親聞其事，故於當時情況述之甚詳。………然於魯王駐軍舟山，庚寅至辛卯八月間事，則略而不詳，殊不可解。」

按此篇記事雖有詳略，但不失爲宗義親撰之作。篇末史臣評語云：「當閩浙立國之時，誠能悉發舟師，一屯於舟山，一屯於崇明，相爲首尾，窺視長江；斷其南北之援，即需之歲月亦可使疲於奔命矣。………逮夫閩浙既亡，窮島孤軍，亦何能爲！以此形勝之地，僅以田橫島結局，悲夫！」可知宗義寫作此篇，旨在總結明亡教訓，而非斤斤於史事詳略。且庚寅，辛卯二歲，宗義一則有乞師日本之行，二則有回甬救弟之舉，三則有回鄉隱居柳下並至常熟、崇德讀書訪友之事，多數時間不在舟山，故其中有所不詳之處不足爲怪。

【三】日本乞師。一名日本乞師記

關於黃宗義有無乞師日本之行以及日本乞師記是否梨洲之作，自梁啓超質疑之後，學者分歧頗大。我認爲黃宗義確是參與了乞師日本之舉，並寫了日本乞師記的，證據有五：

第一，黃宗羲晚年所作悲歎身世的避地賦云：

帆俄傾而千里兮，浪百仞而萬重。縱一瀉之所如兮，何天地之不通。越長崎與薩師瑪兮，乃□□夫□□。方銷兵而忘戰兮，粉飾乎隆平。招商人書舶兮，七錄韡於東京。金石古奇器兮，比戶能辨其真贋。華堂隔以綾幔兮，月夜而箏琴笙管之齊鳴。余既惡其侈汰兮，日者亦言帝殺夫青龍。返余旆而西行兮，胡為乎泥中！

這裏已很清楚地敍述了作者曾東渡日本，抵達長崎、薩師瑪島等地區，並描述了當地風俗人情及作者感受。

避地賦對日本的描寫及感慨與日本乞師記的記載是很符合的。記云：「日本三十六島，每島各有王統之。其所謂東京者，乃國主也。………撒斯瑪王（即薩摩）於諸島爲最強。」「長崎多官妓，皆居大宅，無壁落，以綾幔分爲私室。每月夜，每室懸琉璃燈，諸妓各賽琵琶。」又云：「日本自寬永享國三十餘年，母后承之。其子復辟，改元義明，承平久矣。其人多好詩書法帖、名畫、古奇器、二十一史、十三經………故老不見兵革之事，本國多忘武備，豈能渡海爲人復仇乎！」這些形象具體的記載，既說明宗羲確曾親歷日本，也說明日本乞師記實乃梨洲遺著。

第二，全祖望梨洲先生神道碑文載：己丑年，「監國由健跳至翁洲，復召公副馮公京第乞師日本，抵長崎，不得請。公爲賦式微之章以感將士（是馮公第二次乞師事）。」該文附記云：「公有日本乞師記，但載馮侍郎奉使始末，而於己無豫。諸家亦未有言公曾東行者。乃避地賦則有『歷長崎與薩師瑪兮……胡爲乎泥中』語。則是公嘗偕馮公以行而後諱之，顧略見其事於賦。」全氏對宗羲事蹟了解較確，這一看法應當可信。

第三，明季遺民翁洲老民所撰海東逸史馮京第傳載馮京第第二次乞師日本事云：「己丑秋，擢兵部右侍郎。是冬，仍命京第及副都御史黃宗羲同澄波將軍阮美往日本乞師，終以不得要領而還。」又黃宗羲傳亦載此事：「己丑冬，監國「命澄波將軍阮美使日本，以兵部右侍郎馮京第及宗羲監其軍以行。至長崎島，不得要領而還。」清人孫德祖海東逸史敍稱，該書「凡所敍述，大都親身見之，文尤雅馴，其微者或不經見於他紀……而其著者亦足以參訂南雷，鮚埼之書，洵可貴也」，可見該史料的可靠性。

第四，清人李聿求所著魯之春秋馮京第傳亦記載了京第兩次乞師日本之事，傳曰：「馮京第，字躋仲……戊子，勸黃斌卿遣使至日本乞師……斌卿於是使其弟孝卿偕京第往長崎島，其王不許登陸。……己丑，監國命京第再乞師於日本，以左副都御史黃宗羲副之，至長崎不得請而還。」此書雖作於道光年間，但其史料博采衆書，信而有證。馮、黃乞師之事，也當非無知妄言。

第五，日本乞師記所載乞師之學，共有四次：一爲乙酉年冬，周鶴芝「遣人至撒斯瑪」借兵；二爲丁亥年三月，周鶴芝「遣其義子林皐隨安昌王恭梘至日本乞師，不得要領而還」；三爲戊子年，黃斌卿遣其弟偕馮京第至日本長崎乞師，不得請而還；四爲己丑年冬，魯王以澄波將軍阮美爲使乞師日本，由普陀至高麗，再至長崎，事敗而返。篇中對己丑乞師始末，記載頗詳，但只說阮美爲使，而不及馮、黃，符合全祖望所謂「公嘗偕馮公以行而後諱之」之說，但以海東逸史所記阮美爲使，馮、黃監其軍的事實爲證，則宗羲乞師日本之行是確然不可抹殺的。

實際上，梁啓超用以否定宗羲乞師日本的理由是不可能成立的。他在黃梨洲朱舜水乞師日本辨（見飲冰室文集四集卷六十七）中說：「躋仲奉命在丁亥，其時魯王在閩，梨洲在浙。」這是對馮京第戊子年乞師時間的誤解。梁氏又以梨洲於己丑年八月陳情乞歸，不可能「輕於去就」，僅隔一、二月又「起而奉使」，而否定己丑乞師之說。這純屬推測之論，焉知宗羲當時不以國事爲重而必以母病爲辭抗拒君命呢？

也有學者認爲，舟山興廢與日本乞師，內容多與馮京第浮海記相同，從而否定二篇爲梨洲遺著。這種否定也不能成立。因爲黃馮二人是共患難的摯友，又曾偕同奉使日本，他們記載同一事件自然會有共同之處，不能因此就肯定其中一人著作是贗品。

## 【四】　四明山寨。一名四明山寨記

此篇主要記載魯王監國時期，魯臣王翊、王江及作者本人率部結寨於四明山中堅持抗清之本末。篇中凡稱「某」、「左副都御史某」者，皆作者自稱，證明此篇係宗羲親撰之作。

【五】永歷紀年

此篇又名桂藩紀年，記事多有誤謬，誠如全祖望跋行朝錄所說：「行朝錄中桂藩紀年一卷最多訛錯，蓋當時道遠，不免傳聞之殊也。」柳亞子南明史料書目提要云：「黃氏爲魯監國舊臣，未仕永曆王朝，未歷桂、粵、黔、滇之境，故此書爲間接史料。唯恩怨無多，故記載反較永曆實錄爲平允。至於考核之疏，當然不免。」謝國楨增訂晚明史籍考云：「是書記永曆朝史事，提綱挈領，能得其要。然詳於入黔以前，而略於都滇以後，則以道途遼闊，憑諸傳聞，故未能得詳也。」諸說頗允當。

【六】紹武之立

此篇一名紹武爭立記，全篇不過千字，末有史臣評語。大抵依據傳聞所撰。

【七】賜姓始末

此篇又名賜姓本末、朱成功始末。它屬於行朝錄之一，不僅有全祖望、楊鳳苞、錢林、黃炳垕等人著錄可以證明，而且有現存行朝錄各種鈔本、刻本均列此篇可證。有人將它與鄭成功傳混爲一談，並謂其非梨洲遺著是不恰當的。

【八】 隆武紀年

柳亞子南明史料書目提要稱：「關於紹宗（即隆武帝）一朝史蹟，傳本最少。黃氏此書雖不甚詳備，要足爲紀年體之一種，足供參考。」

【九】 贛州失事

此篇一名贛州失事記，或稱章貢失事。各本正文末都有小注，稱「此篇全用范康生記」。按范康生曾參與贛州城守之役，並撰有倣指南錄一卷。說明宗羲此篇是據范書改編的。

又李慈銘越縵堂日記云：「隆武紀年、贛州失事兩篇，多與錢飲光所知錄同。梨洲嘗稱所知錄爲可信，故是書多取之。」有人據此否定二篇爲梨洲遺著，未免欠當。概言之，宗羲於南明諸朝史蹟，不能一一親歷，故修史時采用他人著作加以改編未嘗不可。若據此斷定行朝錄非梨洲遺著，則難免泥古之譏。其實，據錢澄之所知錄凡例所記，所知錄「本諸劉容生之日記或得諸傳聞」，若如上論，則連所知錄也不可信了。

【十】 沙定洲之亂

此篇又名沙定洲紀亂或沙氏亂滇。

謝國楨增訂晚明史籍考行朝錄按語認爲，沙氏亂滇出諸馮甦滇考，後人不審，乃彙入行朝錄。國外也有學者贊同此說。但謝氏之說不確。黃宗羲行朝錄原本就有沙定洲之亂，從全祖望、楊鳳苞、錢林等人的著錄可以證明。今查馮甦滇考，其第三十七篇題名普吾沙亂滇，確有許多內容與黃氏沙定洲之亂相同。但二書記事各有詳略，敍事立場不同，評論滇亂的觀點也異。例如馮著對萬氏前夫阿迷土司普明聲（一作名聲）事蹟記載甚詳而黃著甚略；黃著將平叛之功主要歸於張獻忠起義軍餘部孫可望、李定國、劉文秀等，並贊「孫李諸軍入城，秋毫不犯」。而馮著却將平叛之功主要歸於明朝守將沐天波、楊畏知等，並着力攻擊孫可望等平叛入城以後，不僅屠城，而且「法禁苛切，百姓失業流離，視昔較甚焉」。再者，沙定洲之亂篇末有史臣評語，與行朝錄諸篇體例一致，而滇考則無此內容。所以不能因爲二書內容有同而判定作者同是一人。愚見以爲，沙定洲之亂是黃宗羲依據滇考或其他記載滇亂的文書和傳聞改編而成，仍屬行朝錄原本之一篇。

## 四　滇考、鄭成功傳、張玄箸先生事略非梨洲遺著考

現存行朝錄的所有鈔本，沒有一種把這三篇當作附錄或正文，紹興先正遺書的行朝錄刻本和黃梨洲遺書十種石印本，也未收此三篇。清代各家有關梨洲遺著的著錄也無人提及這三篇。說明三篇本非梨洲遺著是明白無誤的。

然而，宣統二年（一九一〇年）由上海時中書局排印薛鳳昌編輯的梨洲遺著彙刊却將這三

篇當作黃宗羲撰著刊行。此後，黃嗣艾的南雷學案和洪煥椿編著浙江文獻叢考有關梨洲遺著目錄又將三篇列入，於是造成一些誤解。究其原因，一因審擇不精、考辨未詳，二因誤解了荊駝逸史和國粹叢書二本所收行朝錄附錄之故。

梨洲遺著彙刊所刊行朝錄及滇考、鄭成功傳、張玄箸先生事略，雖未講明出處，但從文字看，實據國粹叢書本，並參校荊駝逸史本編印的，只要弄清原刻本情況，就可知三篇眞僞。

查荊駝逸史原刊於道光年間，其行朝錄六卷，有目無書。至古槐山房集印荊駝逸史五十種時才補入所缺之書。而所補行朝錄總目，與實際補入書之篇名題寫略有不同。總目：「卷四，沙定洲之亂（附滇考），賜姓始末（附明季遂志錄）；卷五，江右紀變，張元箸先生事略；卷六，鄭成功傳。」而補書篇題則爲：「行朝錄卷四，餘姚黃宗羲編撰：沙定洲之亂，附滇考；賜姓始末。行朝錄卷五，餘姚黃宗羲編撰：江右紀變，太倉陸世儀道威述；張元箸先生事略。行朝錄卷六，餘姚黃宗羲編撰：附鄭成功傳。」由總目與實際存篇及篇題對比可知：第一，滇考是明確以附錄形式編入行朝錄的，明其本非梨洲所撰。第二，總目卷四稱「附明季遂志錄」而在書中卷四未收此附錄，但總目卷六之鄭成功傳在實存書篇題前則冠以「附」字，則知鄭成功傳也非梨洲所撰，而是以附錄形式編入行朝錄的，它應當是明季遂志錄的一部分。第三，總目及實存書篇題雖未明言張元箸先生事略是附錄，但它編在江右紀變和鄭成功傳兩篇附錄之間，也應是附篇。國粹叢書三集所載行朝錄，其總目與實存書篇題與荊駝逸史本完全相同。但梨洲遺著彙刊編印者，在刊印滇考等三篇時，將它們作爲行朝錄以外的專著另刊，並且去掉了「附」

字，這樣就貽誤了後人。

然而，即使不把三篇當作梨洲遺著而僅僅作爲行朝錄的附錄也是錯誤的，因爲行朝錄原本並沒有附錄，這在前文已作考證。現在再作幾點補證。

關於滇考，今存荊駝逸史、國粹叢書、梨洲遺著彙刊諸本內容相同（個別文字寫法不一），與浙江圖書館善本室藏康熙庚申（一六八〇年）刻馮甦所撰滇考普吾沙亂滇相比較，內容全同，惟前者有數處漏刻或誤刻一、二個字，總計不過二十餘字差異。這證明滇考決非梨洲遺著而是馮甦所撰。再者，行朝錄中既然已有據馮甦滇考一類著作改編的沙定洲之亂，觀點雖然不同而史實大體一致，所以不可能也沒有必要再收馮甦滇考之一篇作行朝錄附錄了。

關於張玄箸先生事略，也決非梨洲遺著。因爲黃宗羲曾於丁已年（康熙十七年）撰兵部左侍郎蒼水張公墓誌銘，所載張煌言事蹟甚爲詳確。但張元箸先生事略却簡而有誤，尤其敍述煌言被執，就義情景出入很大。如墓誌銘載張煌言在甲辰年七月十七日被執於懸嶴島，遇害於九月七日，但事略却講他被執於杭州西湖之畔，就義於甲辰中秋日。同爲梨洲著作，不可能於記事矛盾如此。故可斷言事略既非梨洲所撰，也非梨洲編入行朝錄的。

關於鄭成功傳，前人已考定其非梨洲遺著。如謝國楨增訂晚明史籍考卷九行朝錄按語云：「至鄭成功傳，與梨洲文體既不相類，而於勝清頗多誇張之辭。梨洲卒於康熙三十四年，而此傳則記至施琅之克臺灣、克塽歸降，至康熙三十九年爲鄭氏立祠，距梨洲之歿已五年，則此傳更爲僞作之證益明矣。楨意此篇即爲明季遂志錄中之島上附傳。」又同卷著錄白麓藏書鄭成功傳二卷，清閩海鄭亦鄒居仲撰，有日本內閣文庫藏明季遂志錄島上附傳本、浪華木氏校蒹葭堂刻本，按語云：「日本浪華木、孔恭世肅校是書，封面題國姓爺鄭成功傳，梨洲遺書本之鄭成功傳，即此書也。」又如人民日報一九六四年十月二日載張宗治鄭成功傳不是黃宗羲寫的一文，從此傳敘事立場站在清朝一邊，所記事實與賜姓始末矛盾等方面論證它非梨洲遺著，並稱所見蒹葭堂版國姓爺鄭成功傳「和梨洲遺著彙刊的鄭成功傳文字完全一樣」，從而斷定此傳作者是鄭亦鄒而非黃宗羲。

## 五　行朝錄成書年代考

行朝錄的成書時間，看來有個過程，並非一時之作。

據黃宗羲行朝錄自序云：「向在海外得交諸君子，頗欲有所論著。旋念始末未備，以俟他日搜尋零落，爲輯其成。荏苒三十載，義熙以後之人各言其世，而某之所憶亦忘失大半。鄧光薦塡海錄不出，世惟太史氏之言是信。此聊爾談，其可也夫！」據此可以推知，書中部分篇章，當草成於作者奔波海上之時，即順治初年。但當時並未定稿，而抗清事敗三十年以後（約在康熙二十二年前後），始重新整理史料，纂輯成書。

至該書各篇具體寫作時間，也難一一確考。黃炳垕所撰黃梨洲先生年譜將四明山寨記、日本乞師記、贛州失事、紹武爭立記、舟山興廢、沙定洲紀亂、賜姓始末七篇的著作年代定在順治三至六年間，對其餘幾篇則未明言著作時間，諸家也無考證。而黃炳垕所斷幾篇也未必可靠，略辨於下：

魯紀年記事止於己亥六月（順治十六年），篇末史臣評語悲歎亡國之痛，則成書應更晚些，當在康熙年間。

舟山興廢記事，止于丁酉（順治十四年）清廷推行海禁之事，史臣評語又有「逮夫閩浙既亡」等語，也是總結亡國之痛的，當與魯紀年作於同時。

日本乞師記丁亥至己丑（順治四至六年）乞師之事，則其初稿當成於順治六年以後。

四明山寨記事止於甲寅（康熙十三年），則其成稿應在此後。

隆武紀年、贛州失事、紹武之立、沙定洲之亂，記事都止於順治初年，永曆紀年記事則止於壬寅（康熙元年）。這幾篇所記史蹟，都非宗羲親歷，大體是據錢澄之所知錄及馮甦滇考加上傳聞編輯而成。考所知錄當作於康熙初年，滇考則成於康熙四年，則以上數篇，皆當作於行朝錄修定之時，即康熙二十二年前後。

賜姓始末記事，止於鄭克塽降清（康熙二十二年），其成書之年，當與行朝錄全書相同。

綜上所述，行朝錄中大多數篇章，寫於康熙年間。順治初年所作的，大概也只是個初稿，後來又經重編改定。

# 十五　海外慟哭記考

海外慟哭記一卷，在清代僅有鈔本流傳。

今中國科學院圖書館藏有清嘉慶間鈔本海外慟哭記一卷，不著撰人姓名，惟書序自稱爲「藏」。與黃宗羲行朝錄、陸世儀江右紀變、周同谷霜猿集三種抄本合編一書，稱明末小史四種，未著編者姓名，也無序跋、按語。這是迄今所知年代最早的海外慟哭記抄本。

海外慟哭記的刻印本有三種：

1.民國二年（一九一三年）上海國粹學報社刊順德鄧實編古學彙刊第二編鉛印本；

2.民國三年（一九一四年）杭州西冷印社活字排印山陰吳隱編遯盦叢編甲集之四。此本有編者吳隱所撰跋二則。吳爲清末民初人，其跋考定海外慟哭記中自稱「藏」之名即梨洲先生之變名，證據確鑿可信。已故浙江圖書館館員夏定域先生曾云：「藏即古寫義字，見越絕書」，則現存海外慟哭記一卷爲梨洲遺著，更無疑義了。

3.民國四年上海時中書局增刊宣統二年薛鳳昌編梨洲遺著彙刊時，補入了海外慟哭記一卷，末附吳隱跋，則其所據之本，也即遯盦叢編，此本糾正了西冷印社活字本的若干錯字，至民國八年又重印一次。

海外慟哭記的寫作年代，早於魯紀年。證據之一，是前者稱清兵爲「虜」、清帥爲「虜酋」、清帝爲「虜主」，充滿了仇恨情緒，而後者只稱「北人」、「北師」、「北帥」，較爲平允。證據之二，是魯紀年篇末史臣評語是在復國無望情形下總結亡國之痛，希望「有天下者，以茲亡國之慘，圖之殿壁，可以得師矣」，而海外慟哭記自序中則有「故次一時流離愁苦之事，爲海上慟哭記，以待上之收京反國，即創業起居注之因也」，對魯王復國事業猶存希望，顯然作於魯王敗而未死之時。證據之三，是魯紀年記事，止於己亥（順治十六年）六月，距魯王自去監國號已有八年，而海外慟哭記僅止於監國六年九月舟山城陷之時，其自序稱「舟山以後，虆所未詳。行朝之臣，必有同志者」，可知此記當在宗羲由舟山歸家以後所記。

從海外慟哭記與魯紀年的寫作年代，我們不但可以窺知二書之關係，而且可以推知此記與行朝錄的關係。

按行朝錄自序稱：「向在海外，得交諸君子，頗欲有所論著，旋念始末未備，以俟他日搜尋零落，爲輯其成。」今行朝錄之魯紀年二篇，始末已備，而海外慟哭記則有始無末，其體例雖屬編年性質，但多數段落是在年月大事記下附以人物傳記，而這些人物，也都是流落海上所交行朝之臣。以後「痛定思痛」，才依據此記，加上其他史料及記憶所及，編定魯紀年。而限於體例，記中有關人物傳記許多內容，並未採入魯紀年中，而此記也就有它獨立存在之必要。正因如此，邵廷采、黃百家、全祖望、楊鳳苞、錢林等人在著錄中都是或將行朝錄與海外慟哭記同時並稱，或將此記與行朝錄各篇同時並稱，而記就不是錄中的一篇了。

# 十六 西臺慟哭記註與冬青樹引註合考

西臺慟哭記註一卷，冬青樹引註一卷，是黃宗羲對宋朝遺民謝翺所撰西臺慟哭記及冬青樹引的註釋性著作。

元世祖至元二十七年，浦城人謝翺（字皐羽）偕友人登浙江桐廬嚴子陵釣臺之西臺，設祭痛悼故宋丞相文天祥，並作西臺痛哭記以紀此事。稍前幾年謝翺曾作冬青樹引（或稱冬青引）詩一首，記作者與友人潛葬被人盜掘的宋陵高、孝二宗骸骨之事。明初浦陽人張丁（字孟兼）曾爲記、引作註。黃宗羲初讀記、引，喜其文字，曾信筆作註，後見張丁註誤謬不少，乃重作西臺慟哭記註、冬青樹引註，以正其誤。康熙庚申年黃宗羲手定南雷文案十一卷，將此二篇收入第十卷，篇首各有題辭。

西臺慟哭記註和冬青樹引註及其題辭作於何時？謝國楨在黃梨洲學譜中認爲作於「梨洲年二十九歲時，均爲梨洲少作。」這一看法對西臺慟哭記註來說可以成立，但對冬青樹引註及兩篇題辭來說則不能無疑。

西臺慟哭記註題辭云：

崇禎戊寅歲，讀西臺慟哭記，其中多忌諱隱語，信筆註釋，猶未見張孟兼註也。已而見之，所云甲乙若丙之人，都無確據，因為辨證。豈知是後七年而所遇之境地一如皋羽乎！則此註不可不謂之讖也。（引自四部叢刊景印康熙刻本南雷文案卷十）。

據此可知，黃宗羲曾兩次為西臺慟哭記作註，但時間都應在明亡前七年，即崇禎十一年戊寅歲，當時宗羲年僅二十九歲。文中所謂「是後七年而所遇之境地一如皋羽」，則指甲申、乙酉之際明朝滅亡、清兵南下之事，又可肯定題辭寫作之年已在明亡之後了，可能是康熙十九年庚申歲宗羲選編南雷文案時補題的。

但冬青樹引註題辭與上述題辭的年代又有差異。今存康熙四十一年壬午平湖陸大業所刻謝翺晞髮集附卷收錄冬青樹引重註一卷，其撰人姓名雖用墨釘隱去，但篇首序及注文內容與各本冬青樹引註完全一樣，惟此本序文多一落款。其序云：

余曾註謝皐羽西臺慟哭記，以未得見張孟兼註為恨，曹叔則出其註示之，則頗疏誕。余之註若未可驟廢也。其註冬青引亦然。水閣雨餘，因憶舊聞，為之重註，非欲以蓋前人也。余與孟兼所遇之時不同，孟兼之去皐羽遠；而余之去皐羽近，皐羽之言，余固易知也。癸卯中夏藍水漁人識。

這裏的「藍水漁人」，應是黃宗羲的別名。因爲當癸卯歲（康熙二年），宗羲曾居住在藍水之畔，作於癸卯年的明夷待訪錄自序就有「今年自藍水返於故居，整理殘帙」的文字。據此可知，黃宗羲的冬青樹引註題辭作於康熙二年。文中言「水閣雨餘，因憶舊聞，爲之重註」，則又說明宗羲重註冬青樹引之年乃在居住藍水之時，其距戊寅歲初註西臺慟哭記之年相差了二十六年。

西臺慟哭記註與冬青樹引註的版本，主要有：四部叢刊據康熙庚申年原刻南雷文案影印本；康熙年間西爽堂刊黃梨洲先生集刻本；道光十三年沈氏世楷堂刊楊復吉編昭代叢書刻本；光緒三十一年杭州羣學社印蔣麟振編黃梨洲遺書十種石印本（僅載冬青引註）；光緒三十二年上海國學保存會刊國粹叢書所收謝皐羽晞髮集本（僅載西臺慟哭記註）；宣統二年、民國四年、八年上海時中書局鉛印薛鳳昌編梨洲遺著彙刊本。

關於西臺慟哭記註和冬青樹引註的初作年代及其所辨內容，又見於黃宗羲晚年所撰謝皐羽年譜游錄註序一文，刊於吾悔集、南雷文定、南雷文約諸書。但此序所謂戊寅歲註西臺慟哭記、冬青引，是指初註之年，而非重註之年。

# 十七 金石要例考

金石要例一篇（或稱一卷）是討論碑板、墓誌銘文體例的文章，無關乎政治忌諱。但南雷文案諸集未收此文，而首見於南雷文定三集卷三，可能梨洲編輯文案時尚無此文。若然，則金石要例應作於宗羲晚年，時當康熙二十一年以後至三十一年以前。南雷文定三集，也刻於這段時期。乾隆二十年，雅雨堂主人盧見曾將此文附以論文管見，刻入金石三例（一稱金石全例）。至乾隆中期編纂四庫全書時，又將它編入集部詩文評類。

此書現存的版本，有各種南雷文定刊印本，中國科學院圖書館藏乾隆二十年盧氏雅雨堂刻金石三例本，四庫全書本，道光十三年沈氏世楷堂刊楊復吉編昭代叢書本，光緒年間會稽章氏刊式訓堂叢書本，光緒年間佚名氏編清朝名人著述彙編鉛印本，宣統二年時中書局鉛印梨洲遺著彙刊本等等，又有浙江圖書館善本室藏大興傅氏長恩閣叢鈔校鈔本一種，編在金石例彙函中。各本均附論文管見。

# 十八　歷代甲子考考

歷代甲子考一篇（或稱一卷），是黃宗羲推算史書所謂「黃帝元年」以降所歷甲子總數的史學著作。此書前半部分，與編入南雷文案、文定、文約之答朱康流（朝瑛）論歷代甲子書內容完全一致，後半部分排列自黃帝元年至明天啓四年所歷七十三甲子表，則爲答朱氏書所無。四庫全書總目著錄：「歷代甲子考一卷，編修程晉芳家藏本，國朝黃宗羲撰。」其提要稱：「魯隱公以上甲子，漢志與史記不同，黃道周主史記，宗羲以其與尚書不合，嘗與朱朝瑛反復辨論，謂當從班氏以武王克商爲己卯歲，歷引尚書及竹書紀年以證之。此篇即答朝瑛之書，已載於南雷文定中。曹溶收入學海類編，改題此名，實非其舊也。」此論或有所據。今考清代諸家有關梨洲著錄，唯錢林文獻徵存錄及黃嗣艾南雷學案有歷代甲子考一卷，邵廷采、黃百家、全祖望等都未言及，宗義其他著作也未提到這一書名。曹溶生當宗義同時，二人曾有文字交往（見南雷文定附錄交游尺牘）。他可能將答朱康流論歷代甲子書補上歷代甲子表，敷衍成篇。然而今存歷代甲子考已有康熙時代刻本，則也可能本爲梨洲遺著而黃百家等未加著錄。今無更多確證，姑存其疑。

歷代甲子考的版本，現有康熙三十四年霞擧堂刊王晫、張潮所編檀几叢書本，道光十一年六安晁氏刊曹溶編學海類編木活字排印本，民國九年上海涵芬樓據晁氏本影印本，民國二十五年叢書集成初編鉛印本，梨洲遺著彙刊鉛印本等等。

# 十九　四明山志考

在黃宗羲以前，無人爲四明山寫山志。明崇禎十五年壬午，宗羲偕弟宗炎、宗會遍遊此山，尋覓古蹟，考稽事實，乃博採前人記載，訂僞存眞，充實新聞，輯成四明山志初稿。三十一年後，即清康熙十二年癸丑，宗羲修改定稿，成四明山志九卷，次年又作自序，末署「甲寅歲花朝茭湖魚澄洞主黃宗羲書。」自序稱：「壬午歲，余作四明山志，亡友陸文虎欲刻之而未果。藏於牛篋，鼠齧塵封。癸丑歲盡，逢太夫人壽日，應酬輟業，偶展此卷，而文虎評校之朱墨，如初脫手。然其間凡例不齊，詞不雅馴，重爲改竄，始得成書。猶幸向者之未刻也。念亡友作土中人且三十年矣，相知云亡，誰定吾文？閣筆爲之三歎。」這清楚地說明了四明山志改定於癸丑年。

關於此書刊刻情況，今四明叢書所載張壽鏞四明山志序云：「當崇禎壬午之歲，黃梨洲先生與晦木、澤望昆弟偕遊其地，閱月，成四明山志。陸文虎欲刻之，未果而亡。越三十一年，癸丑，重爲改竄，署其次第………凡九卷。」「始刊者黃仲簡也。」「原刻於文括中附有黃百藥、黃百家文字，而列在忠端之先，雖以類相從，究嫌僭越。且斯志既題先生輯訂之者，豈容罔爲參錯！今改定作附錄，以符體例。」以上表明，四明山志成稿之時並未刊刻，而是在宗羲死後由其族姪黃仲簡（名炳）首先刊刻的。張氏四明叢書本則據初刻本作了若干調整後重刻。至於初刻之年，以朱彝尊、靳治荊、宋定業、黃宗羲四篇四明山志序的落款，可知始於康熙辛巳，而成於癸未，即康熙四十年至四十二年間。

此書現有四種刻本：一是康熙四十二年癸未黃氏抑抑堂初刻九卷二册本，篇首僅有朱彝尊序，內容也較別本爲少，似乎是個未完本；二是康熙四十二年癸未黃氏抑抑堂刻九卷四册本，板式同前，內容則較多些，扉頁書名下有「抑抑堂梓」四字，各册都有「四明張氏約園藏書印」長方朱印和「張壽鏞印」正方印，說明此本曾由張壽鏞收藏，即四明叢書本據以刊刻的底本。此本目錄前有朱彝尊序（作於癸未年）、宋定業序（作於辛巳年）、靳治荊序（作於壬午年）、黃宗羲序（作於辛巳年）和黃宗羲自序（作於甲寅年）。九卷的校者均爲黃炳、黃百家二人，一、七兩卷署「甬上後學李暾訂」，另外七卷署「古吳後學周靖訂」，這是一個完本；三是康熙間李氏補板本，實際是據上述四册本補二册本而已；四是張氏約園刻本，即四明叢書本。李氏補版本，現僅見於寧波市天一閣，而另外三本，則北京圖書館和浙江圖書館都有收藏。

除四明山志九卷外，一些資料還著錄有四明山古蹟記五卷。如乾隆三十九年浙江巡撫主持下編刻的浙江採集遺書總錄，在著錄了四明山志九卷後稱：「四明山古蹟記五卷，寫本。右即前書稿本，中多塗乙處，但互有詳略。」這一著錄表明，黃宗羲四明山志定稿之前，寫了四明山古蹟記五卷，可能就是崇禎壬午年寫的初稿本。浙江採集遺書總錄一書的總校官，是宗羲玄孫黃璋等三人。所云見此書稿本一事應當是可靠的。後來編寫的四庫全書總目存目類「提要」，也在四明山志後著錄：「四明山古蹟記五卷，浙江巡撫採進本。不著撰人名氏，亦無序、跋。詳書中所載，即黃宗羲所撰四明山志稿本也。」但原稿本現已散佚，無從詳考。

# 二十 匡廬遊錄考

匡廬遊錄又名匡廬行脚錄、匡廬紀遊，一卷。是黃宗羲遊歷廬山的日記，完成於順治十七年十月旅遊歸途之中。刻本書末附有匡廬行脚詩一卷四十篇，當係遊記之附錄。

此書在宗羲生前未曾刊刻。乾隆四十二年乙酉，知不足齋主人鮑廷博從梨洲諸孫南陔先生家藏書中過錄，乾隆五十三年戊申，震澤楊復吉據鮑氏鈔本編入昭代叢書廣編，道光十三年癸巳，沈氏世楷堂刊入昭代叢書己集，此書遂得行世。此本附錄詩後有鮑廷博題跋一則，又楊復吉跋一則。

此書其他版本，有光緒十七年江蘇清河王錫祺輯刊小方壺齋輿地叢鈔第四帙排印本，宣統二年上海時中書局鉛印梨洲遺著彙刊本。其附錄匡廬行脚詩又收入一九五九年中華書局出版聞旭初編黃梨洲詩集標點本。

# 廿一 今水經考

今水經一卷，是由黃宗羲撰寫的一部值得重視的歷史地理著作。據黃宗羲今水經序，今水經之作旨在糾正酈道元水經注及後世諸家對於中國境內南、北水脈源流關係及其走向的錯誤記載。四庫全書總目提要著錄今水經一卷，指出該書「其所說諸水，用今道不用故道，用今地名不用古地名，創例本皆有法。」但也有「排纂未善」之處。特別是「其書作於明末，西嘉峪，東山海，北喜峰、古北、居庸皆不能逾越一步。宗羲生於餘姚，又未親歷北方，故河源尚剽元史之說，而灤河之類亦沿明一統志之舊，松花、黑龍、鴨綠、混同諸江，尤傳聞彷彿，不可盡據。」應當說，這一批評是中肯的。但它說今水經「作於明末」，則未必然，一是從現存梨洲遺著中找不到任何根據，再則從當時人如邵廷采、黃百家等人著錄中也沒有人談到這一點。此說大概是從今水經所載地名、水名沿襲明代舊稱推測出來的。黃宗羲自居為明朝遺民，他在入清後的各種著作中大都不用新朝年號或建制名稱，因此不能據此肯定此書作於明末。

關於此書的寫作年代，黃炳垕的黃梨洲先生年譜又提出「壬申」說，該譜「康熙三十一年壬申」條目下稱：「公平日讀水經注，參考各省通志，多不相合，乃不襲前作，條貫諸水。是年書成，遂序之。」這段話源出於乾隆二十六年初刻、民國年間由四明林氏編入黎照廬叢書的南雷文定五集之今水經序，但原序並沒有署明寫作年代，是不能斷定它成書於壬申年的。

那末，今水經及宗羲自序究竟作於甚麼年代？考現存今水經的刻本，最早的是乾隆四十一年知不足齋叢書本，爲以後各本所據。此本卷末有宗羲玄孫黃璋題跋一則，內稱今水經和匡廬遊錄係黃梨洲「續鈔堂故物」，因此完全可信。其篇首今水經序，與南雷文定五集有兩處重要區別，一是文定本所稱「參考之以各省通志，多不相合」，而此本則云「參考之以諸圖志，多不相合」；二是文定本序末沒有年代、署名，而知不足齋叢書本序末則署「甲辰除夕雙瀑院長黃宗羲書」十二字。由此我們可確定：今水經及作者自序，其寫作年代應當在康熙三年甲辰（一六六四年）。但今水經序看來寫了兩次，一次是「甲辰除夕」，當時黃宗羲擔任雙瀑院長，一次是晚年呻吟病榻之時，對原序略作修改，於是便有了收入南雷文定五集的今水經序（改本）這可能就是對今水經寫作年代發生分歧的原因所在。

除了上述刊印本之外，今北京圖書館善本室還藏有兩種清鈔本，篇末有孔繼函題跋；一是咸豐七年翁同書家鈔本，內有翁氏批注及題跋。兩種鈔本都已晚於知不足齋叢書刻本，內容也無大異。

# 廿二　梨洲曆算著作合考

黃宗羲對於中國和西方的曆學（天文學）、算學（數學）都有相當深刻的了解與研究。其敘陳言揚句股述文說：

句股之學，其精為容圓、測圓、割圓，皆周公、商高之遺術，六藝之一也。自後學者不講，方伎家遂私之。………珠失深淵，罔象得之。於是西洋改容圓為矩度，測圓為八線，割圓為三角，吾中土人讓之為獨絕，闢之為違天，皆不知二五之為十者也。（吾悔集卷二）

又說：

余昔屏窮壑，雙瀑當窗，夜半猿啼倀嘯，布算簌簌，自歎真為癡絕。及至學成，屠龍之伎不但無所用，且無可與語者，漫不加理。今因言揚，遂當復完前書。

全祖望梨洲先生神道碑文也說：

曆學則公少有神悟，及在海島，古松流水，布算歘歘，嘗言「句股之術，乃周公、商高之遺，而後人失之，使西人得以竊其傳」。有授時曆故一卷，大統曆推法一卷，授時曆假如一卷，西曆、回曆假如各一卷，外尚有氣運算法、勾股圖說、開方命算、測圜要義諸書共若干卷。行略謂尚有玄珠密語，其實非公所作。其後，梅徵君文鼎本周髀言曆，世驚以為不傳之秘，而不知公實開之。（鮚埼亭集卷十一）

雖然黃宗羲的「中學西竊」說難以成立，但上述記載證明他當時已經致力於會通中外學術了。

關於黃宗羲的曆算著作，黃百家梨洲府君行略、邵廷采黃文孝先生傳、黃炳垕黃梨洲先生年譜、阮元疇人傳、梁啓超中國近三百年學術史、黃嗣艾南雷學案、謝國楨黃梨洲學譜、洪煥椿浙江文獻叢考等書均有著錄，基本情況同梨洲先生神道碑文一致。但各家著錄互有增減，有的同書異名，有的則未辨眞僞，記載錯誤。爲節省篇幅，本文不予一一列擧。現將經過筆者查考辨析者，結合所見實物，綜合記載並略作考證如下：

## 【一】曆學假如二卷　二種，今存

此書合西曆假如（卽西洋曆法假如）和授時假如（卽授時曆法假如）兩種爲一書，各一卷。現北京圖書館藏有康熙二十二年癸亥（公元一六八三年）姜希轍序西爽堂刻本。姜序云：

余友黃梨洲先生，所謂通天地人之儒也。精於性命之學，與余裁量諸儒宗旨，徹其堂奧。所著學案、文案，海內鈔傳。嘗入萬山之中，茇舍獨處，古松流水，布算簌簌，網絡天地。其發明曆學十餘種，間以示余。余取其假如刻之。梨洲亦頗吝惜。余曰：「聖人之學，如日行天，人人可見；凡藏頭露尾、私相受授者，皆曲學耳！夫以儒者所不知及知而不以示人者，使人人可以知之，豈非千古一快哉！」梨洲曰：「諾。」康熙癸亥上元，同門弟姜希轍定菴氏拜撰。

由姜氏序文可知：黃宗羲的曆算著作初稿共有十多種，大多是他避居「萬山之中」（指浙東之四明山和化安山）那段時期即清順治初年撰寫的，曆學假如即其一。並證明曆學假如初刻之年即康熙二十二年。

在本書西曆假如和授時假如卷首，均題名「姚江黃宗羲姜希轍學」，故前人著錄時或以爲此書係二人合著。但從姜序稱「其發明曆學十餘種，間以示余，余取其假如刻之」一語可以肯定，本書是黃宗羲撰、姜希轍刻的。由於黃、姜二人同學於劉宗周，此書在付梓前也可能經姜氏整理，故有上述題名吧！

**【二】授時曆故一卷** 原本已佚，今存四卷刻本

元代著名的天文學家和數學家郭守敬（公元一二三一至一三一六年）於至元十七年（一二八

〇年）修成授時曆，在中國天文學史上具有重要地位。守敬著有授時曆草、推步、曆議擬稿等書，後皆失傳。黃宗羲對授時曆法作了深入研究，尋其原委，發其幽旨，並比較明代頒行的大統曆之優劣短長，撰寫了多種註解授時曆、大統曆的專著。其授時曆法假如和授時曆故都是註解授時曆的書。二書宗旨相同，而內容各異。

關於授時曆故的寫作時間，據南雷雜著稿王御史傳（此文收入南雷文案時改名王仲撝墓表）稱：「丁亥，（王仲撝正中）訪某山中。某時註授時曆，仲撝受之而去。」則其書當作於清順治四年丁亥（一六四七年）。今存授時曆故四卷刻本之卷二「歲差」條下夾註亦稱「黃先生算曆，歲在丁亥」，與上引說法相符。

但同書（即四卷刻本）卷一「積年」條正文稱：「辛巳歲（即元至元十八年。）距今作曆故之歲丙辰，積三百九十六年。」按元至元十八年辛巳即公元一二八一年，下推三百九十六年，歲在丙辰，即清康熙十五年，公元一六七六年。據此，則授時曆故當作於康熙十五年丙辰。

我認爲，之所以在梨洲著作中存在丁亥、丙辰兩種說法，是因爲所指著作不同，丁亥歲所註授時曆，係指寫作授時曆法假如之年，而丙辰歲則是作授時曆故之歲。

關於授時曆故的卷數，亦存在著錄與實物的矛盾。黃百家梨洲府君行略、邵廷采黃文孝先生傳僅錄其名而未言卷數，全祖望梨洲先生神道碑文著錄「授時曆故一卷」，而今存劉氏嘉業堂叢書刻本授時曆故實物四卷。關於四卷本來源，藏家劉承幹所撰授時曆故跋說：

授時曆故四卷，黃宗羲梨洲撰。……此本傳自武進李氏，余從曹君直侍讀借鈔得之。茲更詳加校正付梓。俾言曆者有所考證，庶幾告朔餼羊之意也夫！癸亥除夕吳興劉承幹跋。

（光注：癸亥除夕爲公元一九二四年二月四日。武進李氏指李兆洛，嘉慶、道光間人。）

該刻本卷首又有李兆洛弟子宋景昌序，云：

全謝山為（梨洲）先生碑，云此書一卷，今乃四卷。據歲差條下注云：「黃先生算曆，歲在丁亥。」則此書已經後人更定，非先生原本可知。

按：宋序寫於道光十六年丙申歲（一八三六年），上距曆故成書之年（丙辰）有一百六十年，下距劉氏刊刻曆故之年有八十七年。我認爲宋序所云「此書已經後人更定，非先生原本」是有道理的，據此可以解釋全氏著錄一卷與實存四卷的矛盾。因此，現存劉氏嘉業堂刻本授時曆故四卷，祇能看作是黃氏原一卷本的增補本。但究竟增補了哪些內容，因無原本可考，現已無從區分了。

## 【三】回回曆假如一卷 今佚

此書又稱回回曆法假如或回曆假如。黃百家、邵廷采、全祖望、阮元、黃炳垕等家均有著錄。謝國楨曰「未見」。洪煥椿浙江文獻叢考謂有「姜希轍刊本」。然今未見其書。清海塩人吳修曾輯昭代名人尺牘小傳，著錄宗羲有交食法圖解一種，或即此書之別名？然亦未見傳本。

**【四】新推交食法一卷**　原本已佚，現存日月經緯二卷非梨洲原著

關於新推交食法，在黃百家、邵廷釆、全祖望、黃炳垕的著作中，都未提及。但在阮元疇人傳以及黃嗣艾南雷學案、謝國楨黃梨洲學譜、洪煥椿浙江文獻叢考中均有著錄。後世著錄姑且不論，然阮元生當乾隆、嘉慶、道光三代，且又累任浙江學政、浙江巡撫等職，熟悉浙江學人著述，其所著黃宗羲傳著錄新推交食法一卷應當可信。

新推交食法原本已佚，也無刻本。今餘姚梨洲文獻館收藏着原由宗羲九世孫黃鴻卿藏稿本一種，封面由黃鴻卿題名爲「新推交食法」，又題「梨洲公遺墨，九世孫鴻卿藏」字樣。然審其內文，決非梨洲公遺墨可知。詢問黃氏後裔及創建梨洲文獻館之老人，稱此書係鴻卿弟兄分家時作爲上代遺產分配的，故其家人珍藏至今，則此書爲清代著作無疑。考其正文，全書出自一人手筆，且字跡清奇古雅，功力深厚，非宿學之士不能爲此。內文首頁無書名，僅題「推庚辰歷元後二十四節氣日率」下署「黃宗羲學」，與曆學假如之署名方式相近。書稿中有草稿多頁，且有多處眉批、旁注（其字迹與正文相同）。例如第三十頁批注云：「以上細數，俱依細算更定爲宜，唯朔實時日遵原本可也。」第三十七頁「今以雍正乙巳歲爲歷元，作一百恒年表備

列于左」一句，旁注曰：「原本二百年，已往者悉刪之。」又第五十六頁「歷元後一百恒年四行根數表」頁末注曰：「原本爲二百恒年，因月離行度較繁，推算頗耗心力。今起雍正乙巳歲至甲申年止，作一百恒年表備列于左。」按：稿中所謂「原本」，自然是本書作者所據以修訂之原稿，雍正乙巳歲即雍正三年（公元一七二五年），則「原本」成書時代應當更早，結合本書首頁之署名「黃宗羲學」分析，則「原本」作者很有可能與黃宗羲同時或稍晚。

但本書正文不僅有「雍正乙巳」的紀年，而且有「乾隆二十五年庚辰」的紀年（見第七十九、八十五頁草稿及第八十九頁謄清稿），則刪改「原本」的本書作者應當是乾隆或更晚時代的學者了。

在本書最末一頁，有一篇尚未完稿的跋，文云：

余于丁丑年失恃，情緒無聊，不復治舉子業。偶至書肆，見明季西儒所譔歷書，喜不自勝。携之歸，晝夜披閱，將卒業焉。但其卷帙繁，圖解多，微妙間亦有不可為訓者。因而疑者闕之，冗者刪之，訛者正之，集為日月經緯二卷。條理分明，證之時憲，雖不能無毫釐之差（原稿至此，當係未完稿）。

這篇跋文向我們提供了四條線索：第一，作者之母親於丁丑年（據書中紀年及諱字，當卽乾隆二十二年丁丑歲）亡故；第二，作者是一位中學後至成書時未再升遷的學子；第三，作者據以刪改的「原本」實際上是從書肆購得的明、清之際在華的「西儒」（卽西方傳教士）所撰著的曆書；第四，本書應定名日月經緯，分爲二卷，而非新推交食法。

根據跋文和本書內容，我們現在可以斷定：梨洲九世孫黃鴻卿在封面所題的「梨洲公遺墨」和「新推交食法」之書名是錯誤的。之所以誤題，蓋因其未見梨洲眞蹟爲何物，也未審書中內容，而只見內文首頁有「黃宗羲學」數字，且又風聞梨洲有新推交食法一書，於是張冠李戴，妄題封面。

此書及其原本雖可肯定非梨洲遺著，但其內文首頁題署及跋尾手蹟，却可肯定同出一人手筆，書稿又係草稿本而非謄鈔本，故不存在鈔者作僞的可能。而稿本作者也不至于故意給人以錯覺而托名黃宗羲著。我推測，之所以在首頁題名「黃宗羲學」而在文中出現雍正、乾隆年號，跋尾又稱「見明季西儒所譔歷書」云云，大概是由于「原本」就有「黃宗羲學」的題署吧！倘若如此，則本稿作者所依據的「原本」，應當是經過黃宗羲批校或整理過的曆學著作。因此，我們祇將此書作爲梨洲曆算著作的「附錄」編入黃宗羲全集第九册，以供讀者進一步研究考證。至於本書之整理者，因未找出「丁丑年失恃」的人，祇能存疑待考。

**【五】春秋日食曆一卷** 今佚

黃百家、邵廷采、全祖望、阮元等均著錄此目。梨洲先生神道碑文云：「春秋日食曆一卷，辨衞樸所言之謬。」（按：所辨內容詳見阮元疇人傳。）然今未見此書傳本。

【六】　**大統曆推法一卷**　今佚

目見梨洲府君行略、黃梨洲年譜等書。未見傳本。

【七】　**大統曆法辨四卷**　今佚

目見阮元疇人傳卷三十六、黃嗣艾南雷學案。未見傳本。

【八】　**時憲書法解一卷**　今佚

目見疇人傳、南雷學案。未見傳本。

【九】　**監國魯元年丙戌大統曆一卷**　今佚

黃宗羲南雷雜著稿王御史傳曰：「行朝初建，進某所著監國魯元年大統曆。」全祖望鮚埼亭集外編卷二十九殘明東江丙戌曆書跋云：「乙酉秋九月，職方主事權知餘姚縣事王正中表曰：『……有黃宗羲者，精革象之學，任推算之能，爰成大明監國魯元年丙戌大統曆一卷。謹繕寫隨表上進以聞。』……予從野史得此表，而家藏故有丙戌曆書一卷，因附錄之於後。」

江藩國朝漢學師承記卷八黃宗羲傳云：「是年（按指清順治二年乙酉），作監國魯元年大統曆，頒之浙東。」

據上記載可知，黃宗羲所著監國魯元年丙戌大統曆成書於清順治二年乙酉歲（公元一六四五年），刊刻頒行於次年（為魯王監國元年丙戌歲）。今雖多次查訪，仍未找到原書，不知浙東藏書家有無藏本？

**【十】監國魯五年庚寅大統曆一卷**　未見

謝國楨黃梨洲學譜·著述考「魯監國大統曆」條下按語稱：「今新會陳援庵先生垣藏有魯監國五年大統曆，係由日本得來。」

又洪煥椿浙江文獻叢考引羅振玉松翁近稿本書跋云：「明魯監國大統曆一卷，江陵田君得之東京。此曆為吾鄉黃梨洲先生所撰。……此曆為監國五年庚寅曆，乃己丑年十月馮京第、阮美乞師日本時所頒。」

據上記載，則庚寅曆作於清順治六年己丑歲（一六四九年），頒行於次年庚寅歲（一六五〇年）。其原刊本現存日本東京（當由內閣文庫藏，筆者未見）。今陳垣先生已故，詢其家人，答稱「未能查到」，竟不知失落何處？尚待繼續尋訪。

**【十一】氣運算法一卷**

**【十二】句股圖說一卷**

【十三】開方命算一卷

【十四】測圜要義一卷

以上四種算學著作均見梨洲府君行略、梨洲先生神道碑文、黃梨洲先生年譜、南雷學案等書著錄，今皆未見傳本。

【十五】圜解一卷

【十六】割圜八線解一卷

以上二種見疇人傳著錄，割圜八線解又見南雷學案、黃梨洲學譜著錄。今皆未見傳本。

除上引十七種（其中曆學假如含二種）外，黃百家所著行略曾列玄珠密語一種，然全祖望梨洲先生神道碑文注云：「行略尚有元珠密語，其實非公所作。」祖望所言當有確實證據，故後人著錄大多不列此書，唯洪煥椿浙江文獻叢考又錄入黃宗羲著述目，未作考證，似因未辨全氏注解所致之誤。

明代自萬曆時代起，許多西方傳教士紛紛來到中國，他們除了爲後來的殖民擴張投石問路之外，也帶來了當時西方的科學文化知識。于是，在中國士大夫階級中出現了鑽研西學特別是西方曆算學的趨勢，並導致了崇禎時期的新舊曆法之爭。黃宗羲當時是個關心國家命運和渴求新知的熱血青年。他也受到了那股西學新思潮的影响。而潛心鑽研中西曆算學，並取得了重要的成果。其成就雖比不上清代曆算大師王錫闡（一六二八—一六八二年）、梅文鼎（一六三二—一七二一年），但無疑可列入清代曆算學先驅之列。正如全祖望所說：「其後，梅徵君文鼎本周髀言曆，世驚以爲不傳之秘，而不知公實開之。」（梨洲先生神道碑文）祖望並認爲「黃氏最精曆學，會通中西」（殘明東江丙戌曆書跋），其評價可謂高矣。近代梁啓超也說：「他（黃梨洲）又最喜曆算之學，著有授時曆故……測圓要義等書，皆在梅定九文鼎之前，多所發明。」（中國近三百年學術史之五）。

黃宗羲在曆算學方面的成就，爲其弟子陳訏、兒子黃百家及七世孫黃炳垕等人繼承和發揚光大，成爲清代浙東學派和黃氏家學的寶貴遺產。

陳訏（一六五〇—一七三二年），字言揚，號宋齋，浙江海寧人。康熙間由貢生任職淳安縣教諭。平生善治算學，是黃宗羲弟子。著有句股述、句股引蒙等書。其族侄陳世仁鑽研垛積術（卽級數求和術），名聲更過乃叔。黃宗羲在叙陳言揚句股述中說：「海昌陳言揚因余一言發藥，退而述爲句股書，空中之數，空中之理，一一顯出，眞心細於髮，析秋毫而數虛塵者也。」（吾悔集卷二）

黃百家（一六四三—一七〇九年），字主一，號耒史，又號不失，爲宗羲季子。康熙間由大學士徐元文推薦聘入史館，與修明史。著有明史曆志二卷（其稿本現存中國科學院圖書館善本室）

句股矩測解原（現有四庫全書本）等曆算著作。爲善傳梨洲家學者。

黃炳垕（一八一五—一八九三年），字蔚亭，爲宗羲七世孫。同治九年舉人。光緒初，寧波創辦辨志精舍，分六齋課士，炳垕應聘主持天文算學齋凡十餘年。其曆算學著作有廖史曆準、曆學南針、測地志要、五緯捷算、交食捷算、方平儀象等二十餘卷。尤以五緯捷算、交食捷算二書著稱於世。其門人胡秉成爲二書序曰：「先生心力所注，尤在捷算二書……交食則用圖算，而每歲每月之度分悉備；五緯俱有捷表，而各節各氣之實行胥詳。法取其簡，數極其精，誠足補（梨洲）假如所未備耳！」可以說，在曆算學方面，黃炳垕的成就是超過了黃宗羲的。這當然與時代的科學技術水平分不開。

# 廿三 南雷文集考

黃宗羲不僅撰寫了不少專著，而且還寫作了大量詩、文。據我粗略的估計，梨洲一生所寫文不少於五百篇，所作詩亦不少於千篇。但現在所能搜集到的祇有三百三十餘篇文和三百四十餘篇詩。這些詩文，是梨洲老人一生心血的結晶，是作者理想、情操和志趣的表達，也在很大程度上反映了明末清初社會歷史的變化。後人若想研究黃宗羲本人的思想和生平，或者試圖徹底探究明末清初的政治史和思想文化史，就必須認眞研讀黃氏的詩文。

宗羲在世時，曾多次親自删定選編自己的詩文，結集刊印；宗羲身後，其門人後學直至當代學人，又多次編印了各種南雷詩文集或梨洲詩文集，總計有二十餘種集子行世。盡管如此，仍然有一些散佚的詩文未能入集。近年來，我在編輯黃宗羲全集第十、十一册即南雷詩文集上、下册時，在多位師友幫助下，多方搜求佚文佚詩，從而使新編南雷詩文集較之以往的南雷集、黃梨洲文集、黃梨洲詩集更齊全、更充實。爲使讀者對各種南雷文集、詩集的結集刊行以及各種詩文集刻本、鈔本或稿本的情況有比較全面詳細的瞭解，特作南雷文集考、南雷詩集考、南雷詩文合集考、南雷集外詩文考四篇，以供研究參考。本篇爲南雷文集考，玆分述之。

【一】始學庵集　已佚

全祖望鮚埼亭集外編卷二十五南雷黃子大全集序云：

南雷先生之集，累雕而未盡，其稱南雷文案者凡四種，而壬辰、癸巳以前所輯曰始學庵集，不預焉。

按：癸巳爲清順治十年，監國魯王八年，正是魯王取消「監國」年號，浙東抗清鬥爭徹底失敗之年。宗羲時年四十四歲，他將舊作編爲始學庵集，含有棄政從學的紀念意義。但後來自編南雷文案、文定時未提此集，也未收其文，蓋因有所忌諱。但全氏旣稱其名，應當見到原稿或鈔本，可惜全氏編輯的南雷黃子大全集未能刊刻，也無傳本，今已無從考知其內容了。

【二】庚戌集　已佚

庚戌即清康熙九年，公元一六七〇年，黃宗羲六十周歲。此集今無傳本，但南雷文案卷一存一作者自序，題名庚戌集自序，稱：「庚戌冬盡，雨雪餘十日而不止，四野凶荒，景象慘澹，聊取平日之文自娛，因爲選定。以序事議論者編於甲，考索者編於乙，古今詩編於丙。昔元、白編次其集於穆宗朝，題曰長慶集；郝伯常集其文於甲子，題曰甲子集；今余編次於庚戌，遂題曰庚戌集。又余生於庚戌，其干支爲再遇也。」據此，知庚戌集爲詩文合集，分甲、乙、丙三編。考今存南雷文案、文定、文約及南雷雜著稿，存有多篇清順治十年以後至康熙九年（庚戌）以前之作，可知庚戌集的部分詩文（也許是大部分）已收入今本南雷詩文集中。如留仙馮公神道碑銘作於順治十一年，已收入南雷文案卷五及文定、文約；松槃姜公墓誌銘作於順治十四年，存於南雷雜著稿中；高旦中墓誌銘作於康熙九年庚戌，已收入文案卷七；而南雷詩曆卷一、卷二，則大部分是康熙九年庚戌以前之作。因此可以說，庚戌集雖佚猶存。

## 【三】南雷文案十卷，外卷一卷

此書卷首載門人鄭梁所撰南雷文案序、萬斯大所撰梨洲先生世譜。鄭序曰：「戊午，梁謀刻先生之文……越二年始有應者……先生手選其所作十之二三，曰南雷文案，授萬子斯大爲之校讐。」按戊午爲康熙十七年，序作於庚申歲即康熙十九年。又萬斯大所撰吾悔集序（載吾悔集卷首）曰：「己未冬，吾師梨洲先生以及門之請，出南雷文案授斯大，斯大敬受，手較付梓。踰月，先生有太夫人之變。」按己未爲康熙十八年，黃母姚太夫人卒於十九年庚申正月。據以上二文，可知南雷文案係由宗羲手選，門人萬斯大、鄭梁等校刻，選文時間當在康熙十七、十八年間，刻成時間當在康熙十九年（公元一六八〇年），宗羲七十一歲時。

此書現存刻本、印本有十一卷本和四卷本兩個系統。十一卷本主要有：康熙十九年原刻本和康熙間原刻補鈔本，民國年間上海涵芬樓據無錫孫氏小綠天藏康熙間原刻抽改本影印的四部叢刊南雷集本；四卷本主要有：康熙年間西爽堂編刻黃梨洲先生集本，光緒三十一年杭州羣學社石印蔣鱗振編黃梨洲遺書十種本，宣統二年上海時中書局排印薛鳳昌編梨洲遺著彙刊本。另有分類重編本，即一九五九年中華書局鉛印陳乃乾編黃梨洲文集本。

然而，即便是原刻本，情況也不相同。黃梨洲文集附錄陳乃乾撰黃梨洲文集舊本考稱：

> 此書每篇另葉起，刻成之後，屢經抽改。如卷五第十一至十九葉，原為馮中丞及張司馬兩墓誌，後印本抽去，遂將第二十葉之中縫改刻為十一至二十；卷九抽去申自然、錢忠介兩傳，外卷抽去陳伯美壽序，中縫均同樣改刻；卷八陳乾初墓誌銘初刻僅二葉，後改撰長文，占六葉，因改刻之故，將黃復仲墓表及節婦陳母墓誌銘兩篇抽去，以抵補葉數。此皆抽改痕跡之顯著者也。四部叢刊影印本為後印本，各卷均已抽改。別見一較早印本，則申自然傳、黃復仲墓表、節婦陳母墓誌銘三篇猶在，其他則已抽去，固知抽改不止一次也。

陳氏所說「四部叢刊影印本爲後印本」、「抽改不止一次」的看法是符合事實的，但所述抽改情況仍有重要遺漏，而且陳氏舊本考和校輯例言均未說明所用底本情況，也未說明所見「較早印本」是何種刻本。我們從陳氏考證及其黃梨洲文集的校勘記可以推定，他只見到南雷文案的康熙刻印本而沒有見到康熙原刻本的補鈔本，因此其考證難免疏漏。今就筆者所見原刻補鈔本與四部叢刊影印本作一比較性的考證：

現藏復旦大學圖書館的南雷文案康熙間原刻補鈔本，可說是該書現存的最早刻本。其編排次序、版本、字型、每頁行數及字數均與四部叢刊影印本一樣，所不同者主要有兩點：

第一、各卷卷首題名略有不同。四部叢刊影印本各卷首頁均題「姚江黃宗羲著」，未題校刻者姓名；而補鈔本則只題校刻者姓名而未題著者姓名，其卷一首頁首行下方有「朱人遠先生點定」手寫字，次行下方則刻有「門人子姪較刻」，卷二至九首頁書名下均刻「門人子姪較刻」數字，卷十署名「門人朱爾邁、楊中坦較刻」，外卷署名「後學卓長齡較刻」。據此可知，南雷文案初刻本是由宗羲門人子姪集體校刻的。而朱人遠即朱爾邁的字，生卒年是崇禎五年至康熙三十二年（公元一六三二—一六九三年），生平事迹見南雷文定四集卷三朱人遠墓誌銘。該補鈔本既由朱人遠親自點定，則其補定時間也當在康熙年間了。

第二，目錄及內文情況略異。文案卷五馮中丞墓誌銘、張司馬墓誌銘，影印本有目無文；補鈔本則有目有文；其內文分別題名「御史中丞馮公墓誌銘」、「兵部左侍郎蒼水張公墓誌銘」，均係補鈔入原刻本空白之頁，而且不避「玄」字諱，顯然是康熙時代鈔補的，其手寫字與卷一題寫的「朱人遠先生點定」數字筆蹟完全一樣，很可能鈔補者也是宗羲門人或子姪。值得重視的是，這篇御史中丞馮公墓誌銘（馮公卽馮京第）不見載於其他南雷文集刻印本；陳乃乾也未見此文，所以未收入黃梨洲文集中。而考其內容，實有許多觸犯清廷忌諱，不便刊布之處。由影印本和諸刻本有目無文而補鈔本補鈔此文的事實，我們可以推測：黃宗羲在編選南雷文案之初，是收入馮京第、張煌言墓誌銘的，但在刊刻時將它們抽去，而其門人子姪又據原稿鈔入原刻本空頁處。其後宗羲及其門人編刻南雷文定時，將張煌言墓誌銘作了修改後收入文定，而馮京第墓誌銘則棄置不錄了。所以馮銘實際成了佚文，幸有這個補鈔本在，而能使之重見天日。

此外，卷八陳乾初墓誌銘，補鈔本所收之文，與今存南雷雜著稿眞蹟內容大同小異，而影印本所收之文則是黃宗羲重新改撰之作，與原稿本大異，而與南雷文定後集大同小異；陳乾初銘下之黃復仲墓表、陳潮生節母墓誌銘兩篇，影印本有目無文，補鈔本則目、文俱刻；同卷末篇卓母錢孺人墓誌銘，影印本目、文俱闕，補鈔本則闕目存文。卷九申自然傳，影印本目、文俱闕，補鈔本則目、文俱刻；錢忠介公傳，影印本有目無文，補鈔本則目、文俱存（正文係鈔補，字蹟與卷五馮、張二銘同出一人之手）。卷十庭誥，補鈔本置於續師說下，影印本則移置辯野史下。補鈔本外卷末篇是先妣姚太夫人事略（目錄未刻），而影印本外卷未收此篇，而將它收在吾悔集卷一首篇。以上差異說明：補鈔本是在原刻本空頁處據黃氏原稿補鈔之本，而影印本則是對原刻本作了抽改調整後重印之本。

## 【四】吾悔集四卷

又名南雷續文案，卷首有黃宗羲吾悔集題辭、萬斯大吾悔集序。卷一首頁題「男百藥較」，卷二題「男正誼較」，卷三題「男百家校」，卷四題「孫男千頃千卷千子千門較」。

此書題名由來，宗羲題辭及萬斯大序均有交待，乃因黃母姚太夫人逝世，宗羲痛悔不能盡己之情奉養母親，故將喪後所作詩文命名爲吾悔集。本集收文三十五篇、詩九篇。考其母卒於康熙十八年正月，而本集刻成於康熙二十一年冬十月，萬序又稱先生「於練後次第書之」，「練」即「小祥」，小祥爲喪後周年祭禮，據此可知吾悔集詩文當作於康熙十九、二十年間。

現存吾悔集刻印本，主要有康熙原刻本、西爽堂刻本四部叢刊影印本、黃梨洲文集鉛印本。

**【五】撰杖集四卷**　今存一卷

又名南雷文案三刻。卷首題「學人楊中默編次」，無序、跋、題辭之類。共收文十九篇，其中論明史理學傳書有目無文。版本同吾悔集。

據黃百家梨洲府君行略、全祖望梨洲先生神道碑文著錄，此集有四卷，然今存刻本均爲一卷，當係刊刻時刪略。

**【六】蜀山集四卷**　今佚

宗義南雷文定凡例稱：「鄙作已刻者有南雷文案、吾悔集、撰杖集、蜀山集，皆門人分刻。」未言卷數。黃百家梨洲府君行略云：「南雷文案十一卷，吾悔集四卷，撰杖集四卷，蜀山集四卷，復增刪爲南雷文定共若干卷。」全祖望梨洲先生神道碑文亦著錄「蜀山集四卷」。今未見傳本，難考其詳。

## 【七】南雷文定前集十一卷、後集四卷、附錄一卷

宗羲南雷文定凡例稱已刻南雷文案等四種「皆門人分刻，一時脫稿，未經持擇，今耄又及之，東岱不奢，鉤除其不必存者三分之一……名曰文定」，並稱「於舊本間有改削」、「手爲點定」，可見此書係宗羲親自選編、改定之集，其選文時間，當在康熙二十六、七年間，而刊刻之年，則在康熙二十七年戊辰（公元一六八八年）宗羲七十九歲時。

本書前集卷首有鄭梁南雷文案序、靳治荊序、黃宗羲南雷文定凡例四則。次載目錄，按文體分類編目：卷一收書序十四篇、壽序一篇，卷二收記六篇，卷三、卷四共收書函十五篇，卷五至卷八收墓誌銘、碑表二十九篇，卷九、卷十收傳、狀十一篇，卷十一收雜文六篇、賦三篇。前集十一卷合計八十五篇。後集四卷共收文四十二篇，亦按序、記、書、銘、傳、雜文、賦的次序編目。附錄一卷則收交遊尺牘二十六篇，均係友人致宗羲書函。

今存刻印本有：康熙戊辰（二十七年）靳治荊初刻本，今浙江餘姚梨洲文獻館、中國科學院圖書館、北京圖書館、南京圖書館均有藏本。刻本各卷首頁均題「遼陽靳治荊較訂」。按靳治荊字熊封，其先遼陽人，隸漢軍鑲黃旗，故稱遼陽，後隨父入關居安徽武密，曾任新安縣令，故又稱「武密靳治荊」，康熙二十七年，從宗羲次子正誼（號直方公）處得文定前集、後集鈔本，爲之校刻，康熙三十年，曾邀宗羲遊黃山。宗羲所作靳熊封遊黃山詩文序則稱其爲「新安靳熊封使君」。

除靳治荊初刻本外，另有幾種與三集、四集合刻或重刻的版本，主要有：光緒間慈溪馮祖憲耕餘樓刻本（與三、四集合刻，共二十二卷），咸豐五年南海伍崇曜編集粵雅堂叢書南雷集重刻本（與文定三集三卷、南雷詩曆四卷合刻，連附錄共二十三卷，由譚瑩覆校，版本尚精，但有若干缺葉、缺字，書末附有伍氏南雷文定跋），黃梨洲遺書十種本、梨洲遺著彙刊本、四部備要本（以上三種均據伍氏重刻本刻印或排印）、叢書集成初編本、黃梨洲文集本。

## 【八】　南雷文定三集三卷附錄一卷

此書爲康熙間山陽戴氏校刊。正文前二卷收錄序、記、書、碑傳、雜文三十五篇，卷三收金石要例，並附論文管見，附錄收交遊尺牘一卷二十一篇。原刻本卷首題「山陽門人戴曾、戴晟較訂」，無序、跋，審其諱字，知其爲康熙時代刊刻。原刻本現藏北京師範大學圖書館。其他刻印本主要有：馮祖憲耕餘樓刻本、伍崇曜粵雅堂叢書本、黃梨洲遺書十種本、梨洲遺著彙刊本、叢書集成初編本、國學基本叢書本、四部備要本、黃梨洲文集本。

## 【九】　南雷文定四集四卷附錄一卷

此書爲康熙間山陽楊開沅校刻。前三卷收書序、壽序、記、傳、賦、碑銘等五十一篇，卷四收專著破邪論一種，附錄收交遊尺牘一卷二十一篇。原刻本卷首題「山陽門人楊開沅較訂」，有崑山徐秉義序一篇，係康熙間景姚山房刻本，北京圖書館、北京大學圖書館、中國科學院圖書館均有藏本。

陳乃乾黃梨洲文集舊本考云：「（文定）三集、四集與前兩集非同時所刻，選擇排比似不及前兩集之謹嚴，刻行歲月不詳，惟刻成在先生生前，則可確知。」陳氏的結論雖然不錯，但他沒有提供具體證據。現特提供三條補充意見：

第一、從徐秉義南雷文定序內容分析：序稱宗義「今行年八十，乃取（文案）四集手自決擇，總爲一書，命之曰南雷文定」云云，既然徐氏撰序時仍稱「今行年八十」，可知四集選定之時不會晚於康熙二十七年宗義七十九歲之時。

第二、宗義之孫黃千人所撰南雷文定五集識言云：「四集則崑山徐果亭（卽徐秉義）少宰序其端，山陽楊禹江（卽楊開沅）師所授梓也。迨篤老支牀，復合先後所刻，手加芟改，爲文約四卷。」這又說明文定四集之刻，在宗義「篤老支牀」之前。

第三、全祖望南雷黃子大全集序云：「南雷先生之集，……其稱南雷文定者又四種，而壬申以後曰病榻集，亦不預焉。」壬申爲康熙三十一年，宗義八十三歲時，之所以此後之作「不預」文定四種，是因爲前四集已經刻成，無法編入了。

根據以上三條證據，我們不僅可以斷定文定四集刻成於宗義生前，且可斷定它刻成於宗義八十歲即康熙二十八年前後。

本書現存刻本，除景姚山房原刻本外，尚有慈溪馮祖憲耕餘樓刻本。民國八年（一九一九年）上海掃葉山房增補梨洲遺著彙刊排印本、黃梨洲文集本。

## 【十】 南雷文定五集三卷附錄一卷

此書又名病榻集、病榻隨筆，正文三卷，收錄宗羲晚年（八十三至八十六歲，康熙三十一至三十四年）所作文二十一篇，（其中明儒學案序等五篇係舊刻本的改本。）附錄卷收錄萬言文孝梨洲先生私謚議、張希良黃忠端公暨文孝公入省郡鄉賢祠看語、黃百家先遺獻梨洲府君行略各一篇。卷首有沈廷芳序、黃千人識言。各卷首頁均題「仁和門下後學沈廷芳參訂，休寧後學程志隆較刊」，末葉則題校字人姓名，主校者是黃千人、戴有光、戴有本、黃璋。

據黃千人識言、沈廷芳序可知，宗羲晚年所作文未及編定，而由其子（千人之父）黃百家編第爲南雷文定五集，乾隆辛巳（二十六年，公元一七六一年）春，千人與沈廷芳重校遺稿，在邑令程志隆支持下始得刊行，刻成於同年秋。

今存刻印本僅有兩種：一是乾隆二十六年沈廷芳、程志隆校訂之原刻本（北京中國教育科學研究所有藏本）；一是民國二十四年（一九三五年）四明林集虛據原刻本翻印之黎照廬叢書本。二種刻印本缺字、誤字較多，尤以附卷行略爲甚，黃梨洲文集本收入了正文二十一篇而未收附錄。

## 【十一】 南雷文約四卷

此書刻成於南雷文定五集之前。初由黃宗羲編定選目，由鄭性、鄭大節父子校訂刊刻。今存刻本僅兩種：一是乾隆七年慈溪鄭氏二老閣校刊原刻本（浙江圖書館、寧波市圖書館、餘姚梨洲文獻館及北京、上海、天津、南京等地十多家圖書館均有藏本），二是宣統二年上海時中書局初刊、民國四年、八年增刊之梨洲遺著彙刊本。二老閣原刻本題名「黃梨洲先生南雷文約」，卷首有鄭性序、附黃梨洲先生遺先子書（先子指鄭性父鄭梁，字禹梅，號寒村）一篇（光按：陳乃乾黃梨洲文集舊本考謂二老閣本「無序跋」是錯誤的，蓋因未見原刻本而只見後人重印本所致。）。次爲目錄。全書分四卷，前二卷五十篇均爲墓誌銘和碑表文，卷三收傳、狀、雜文、賦等二十八篇（其中從祀等七篇原爲破邪論子篇），卷四收序、記、書函五十二篇。四卷共計一百三十篇。各卷首頁均題「後學鄭性訂、鄭大節校」，版式與二老閣其他梨洲遺著刻本如明夷待訪錄、思舊錄、南雷詩曆等完全一致。所收文章，皆從南雷文定前四集中選出，其中有數篇字句與文定刻本互異，乃據梨洲遺稿校刻之故。

關於此書編刊過程和刻成年代，鄭性序、宗羲與鄭梁書以及文定五集之黃千人識言本已交待清楚，茲摘錄如下，以正誤解：

黃梨洲先生遺先子書云：「弟所刻文定，原不欲泛濫，而不能自主，刻者爲正，意欲盡刪之，但留數十篇，名曰梨洲文約，尚有待耳。中亦稍改，顧書宣曾見之於果亭所。」這個果亭，即崑山徐秉義。既云有人曾見之於徐秉義處，可知梨洲文約之目錄或刪改方案已經有了。

鄭性南雷文約序云：梨洲先生之文，「其初有南雷文案之刻，其繼有吾悔集、撰杖集之刻，有南雷文定之刻，有文定三集、四集之刻，其五集未刻而先生歿矣。其已刻者，先生謂俱刻者爲正，非盡可傳，因自删之，存四卷目，曰文約。康熙癸巳（五十二年），先生家火，遺書僅存五分之一。丁酉（五十六年），悉歸余，文約之底本在焉。蹉跎二十餘年，今刻之。嗚呼，當先子之學於先生也，性甫三齡耳，今七十有八矣。」由此可知：⑴宗羲生前，已編定南雷文約四卷目錄，但未及删定；⑵文約目錄之底本於康熙五十六年轉歸鄭性所有；⑶鄭性於七十八歲時據存目校刊原書，刻成南雷文約四卷。按鄭性生於康熙四年乙巳十一月，卒於乾隆八年癸亥七月，年七十九。卒前一年七十八歲，爲乾隆七年壬戌，此即文約刻成之年。

黃千人南雷文定五集識言亦述梨洲文定四集刻成後，「迨篤老支牀，復合先後所刻，手加芟改，爲文約四卷，慈水鄭子南谿續鋟行世。」按千人係宗羲嫡孫，生於康熙三十三年，卒於乾隆三十六年，而鄭性則爲梨洲全部遺稿的所有者，即便是全祖望，也是從鄭性處窺知梨洲遺稿存佚情形的。他們的記載應當可信。

## 【十二】 南雷雜著　稿本，不分卷

此書是黃宗羲部分南雷詩文手稿，共存文四十篇，詩二首，殘稿二葉。其中余若水周唯一兩先生墓誌銘稿首頁有作者手書「南雷雜著」書題，故名。原稿未編總目，不分卷，由藏家分訂三册，現藏上海市圖書館古籍部。（手稿中）二十七篇文已先後刊入南雷文案、文定和文約，次葉子吉韻一詩則改名次葉訒庵太史韻刊入南雷詩曆，但刻印本與原稿本文字差異頗多，當係作者或校刊者删改所致。清末學者葉槐生曾見原稿，謄錄其未刊文爲南雷集外文一卷，桐城蕭穆又據葉氏鈔本編爲南雷餘集，於宣統三年刊入風雨樓叢書。但原稿中與徐乾學書（原稿無題，此題由筆者考定）和寒食上巳吊唐烈婦詩未被刊刻。一九八四年，筆者從上圖獲得原稿縮微膠卷，遂將其放大成像片，剪輯分類，編爲黃宗羲南雷雜著稿眞蹟一册，並附釋文，交付出版，現有浙江古籍出版社一九八七年影印本。

## 【十三】南雷餘集一卷

此書原名南雷集外文，係光緒間仁和貢士葉槐生據梨洲手稿謄錄之本。光緒十五年，桐城蕭穆任職於上海廣方言館，又從葉氏鈔本復鈔一本，並撰跋一篇記之。蕭跋云：「右文十八篇，五言詩一篇，乃餘姚黃梨洲徵君所著也。………前年有寧波一舊家，藏徵君手稿凡數寸，欲售於上海道署，索價三百金，未貸其値而返。先是敬業書院院長、仁和葉槐生貢士細將稿本瀏覽一過，凡文定、文約所未有者另鈔出一本，題曰南雷集外文，藏之書樓。今晤槐老談及，出示鈔册。………今復鈔此集，他日當倣彭君之意（按：指彭尺木刻亭林餘集事。）刊爲南雷餘集，或仍槐老所題以配之。」宣統三年，順德鄧實據蕭氏鈔本刊入風雨樓叢書第二集（上海神州國光社排印），刊本將蕭跋附於目錄後。蕭氏鈔本現藏中國科學院圖書館善本室，所錄十九篇詩文除怪說一篇外，均見南雷雜著稿本，可見葉氏所見稿本即今上圖所藏南雷雜著稿。但葉、蕭看來只見南雷文定和文約，而未見南雷文案和詩曆，故仍將文案、詩曆已刻之節婦陳母沈孺人墓誌銘（見文案卷八）、陳乾初先生墓誌銘（同上）、蘇州三峯漢月藏禪師塔銘（見文案卷六）、女孫阿迎墓磚（同上）、次葉子吉韻（見詩曆卷二）五篇作爲未刊文收入南雷集外文。鄧氏刊行南雷餘集時校勘未精，只刪除女孫阿迎墓磚和次葉子吉韻二篇（存其篇名），而且文字頗多訛奪，不可視作善本。我們這次重編南雷詩文集時，僅錄其怪說入下册，其餘尚有十四篇文，則據南雷雜著稿校錄，作爲已刊南雷諸文集的佚文收入下册。

## 【十四】南雷文鈔一卷 康熙間鈔本

此本原由近代寧波著名藏書家馮貞羣（字孟顓）伏跗室收藏，馮氏逝世後，其書轉歸寧波天一閣保管。鈔本紙質陳舊，且不避康熙及其他清帝名諱，可以肯定是康熙年間鈔本。馮氏認爲當係梨洲弟子手鈔，大體可信。鈔本存文四十六篇，其中三十四篇已刊入南雷文案、文定、文約諸集。另有十二篇未刊文，各篇題目是：

復芹堂記；壽伯美陳公六十文；
董太夫人七十壽序；鄭平子先生六十壽序；
王君調先生七十壽序；家母求文節略；
送鄭禹梅北上序；鄉賢呈詞；
再辭修郡志書；輔潛庵傳；
陳賢母傳；深柳張公（翼）墓誌銘。

除上述十二篇外，馮貞羣又從張遐勳（字振寰）後裔張延章（字涵莊）處鈔得振寰張府君墓誌銘一篇（原文從張氏墓莊存碑鈔錄）補於文鈔卷末，故此本實存梨洲佚文十三篇。該本目錄由馮貞羣編定，首末有馮氏題辭、補跋各一則。馮氏題辭寫於「甲午二月」即公元一九五四年二月，其文云：「南雷文鈔四十六首，於宣統三年（一九一一年）秋九月得於王斗瞻茂才奎後人所，題下註『黃太沖先生筆』，且玄字不諱，蓋其門人所手寫者，中有文一十三首（光按：實為十二首，另一首陳伯美先生七十壽序已刊入文案外卷）出刻本之外。今於張延章處得其遠祖振寰墓誌銘，爲補卷末，以語有諷刺，故不入集。………」補跋則引全祖望續甬上耆舊詩張士培傳補充張士培父張遐勳事迹一則。細審鈔本紙質及諱字，可定爲康熙年間鈔本。原鈔者待考。

## 【十五】南雷文鈔三冊　鄭祏鈔本

此書未分卷次，由藏家分訂三冊。共收錄南雷文一百五十篇，其中一百三十二篇已刊於南雷文案、文定諸集，十八篇係當時未刻之文（目錄中註明「未刻」者，係據南雷雜著稿本及留書稿本或鈔本鈔錄者）。又有西臺慟哭記註、冬青引註、金石要例、論文管見四種，五言古詩次葉子吉韻一篇，南雷文定附錄書札二十一篇（即交遊尺牘）。目錄前有鄭梁撰南雷文案序、靳治荊撰南雷文定序、萬斯大撰梨洲先生世譜、黃宗羲撰南雷文定凡例四則，並目錄皆爲原鈔本所有。其第一册首頁則爲藏家徐時棟親筆題記，目錄中也有少數幾篇係徐氏朱筆補題，並有若干題註。題記云：「南雷文鈔凡文一百三十二篇，西臺記註、冬青引註、金石要例、論文管見四種，皆從文案、文定、文鈔中錄出；又未刻文十八篇（末一編未定，五古一首）；又附錄南雷同時人與南雷書札二十一篇，乃南雷刻文定時錄冠卷端以當序者（光按：此說不確，其書札本為南雷文定附錄。）：並爲慈溪鄭祜所手鈔。其南雷文約中諸作皆不鈔，蓋以文約刻於其家，二老閣有其書，故不鈔也。」據此，知此本係二老閣後人鄭祜手鈔。題記又云：「祜字芝青，父名午，故午字並缺中直。芝青既卒，去年子又歿，孫幼，無以爲生，於是其從子吉卿以手鈔遺書數種來城西草堂，爲收存之。」據此，可推知鄭祜生卒年代當比徐時棟稍早。考鄞縣通志文獻志人物類表第三，徐時棟字定宇，道光二十六年舉人，以輸餉授內閣中書，故居曰煙嶼樓，藏書六萬卷。同治七年，鄞縣志局開張，時棟主其事，凡十二年而卒，年六十，學者稱柳泉先生。據此，知徐時棟生卒年在道光元年至光緒六年（一八二一至一八八〇年），鄭祜生活年代則當在嘉慶至同治年間。審閱鈔本諱字，則避乾隆帝諱而不避道光帝諱，當屬嘉慶時代鈔本。徐氏題記末署「同治七年六月徐時棟記」，各册正文第一篇首頁均有「城西草堂」藏書印。並有「東方文化事業總委員會所藏圖書印」、「中國科學院圖書館藏」藏書印。第一册扉頁附有一張蓋有「鄞縣志局」硃印的收條，云：「鄞縣志局收到徐柳泉家南雷文定、文案鈔本一部，計三本，不計卷頁。同治七年四月十一日。自來書第五號。」說明該書是鄞縣志局成立時由徐時棟捐獻的，而徐氏題記則寫成於獻書以後。

徐氏題記所說「未刻文十八篇」是：蕺山同志考序，范熊巖先生文集序，胡子藏院本序，諸敬槐先生八十壽序，徐掖青六十壽序，諸碩庵七十壽序，與人書，松槃姜公墓誌銘，錢孝直墓誌銘，董天鑑墓誌銘，敕封吳孺人墓誌銘，陳齊莫傳，兩異人傳，怪說，祭馮韡卿文，文質論，封建論，次葉子吉韻。值得重視的是，其中與人書即宗羲寫給清廷內閣學士徐乾學的書函（原文無題，徐時棟補題作與人書，經筆者考定，應改題作與徐乾學書，考證見後。），此文原稿見南雷雜著稿（鈔本與稿本僅有五、六字差異），而文質論、封建論（該篇未鈔全）即長期以來被當作黃宗羲佚著的留書中的文質、封建二篇，對此，我已在本書明夷待訪錄與留書合考一節作了考證，這裡恕不贅述。這十八篇「未刻」文，除了與徐乾學書、文質論、封建論以外的十五篇，又見於葉槐生、蕭穆的南雷集外文鈔本，而除了怪說、文質論、封建論以外的十五篇，則都見於梨洲手稿南雷雜著稿本。由南雷文鈔鄭祏鈔本的存在，又確鑿地證實了我們近年重新發見的天一閣留書鈔本、中國科學院圖書館南雷集外文鈔本、上海圖書館南雷雜著稿本的絕對可靠性。

由鄭祏手鈔、徐時棟校讀的南雷文鈔三册，現由中國科學院圖書館善本室收藏。本來，三册原屬一書，即南雷文鈔。但由於鄞縣志局收書條中稱「南雷文定、文案鈔本一部，計三本」，遂使後來藏家編目時誤將第一册稱爲「南雷文鈔」，將第二、三册稱爲「南雷文案、文定」，從而析作二書，編出兩個書號。這一錯誤雖曾由鄧之誠先生校書時發現，並在書內夾一浮箋要求更正，但科圖迄今尚未改正，這或許是此書長期湮沒無聞的一個原因吧！

## 【十六】 黃梨洲文集

此書由陳乃乾編校，中華書局一九五九年一月鉛印出版。

該書依據南雷文案、吾悔集、撰杖集、南雷文定前集、後集、三集、四集、五集、南雷文約、南雷餘集之舊刻本所載南雷文，分類重編，並據梨洲先生手稿（卽南雷雜著稿）校正刻本之錯誤。全書共收梨洲文三百十四篇，編爲傳狀、碑誌、哀祭、賦、序、記、書、雜文、壽序等九類，書末附錄一篇，爲舊刻本之南雷文定附錄交遊尺牘二十六首，另附陳乃乾撰黃梨洲文集舊本考一篇。全書目錄前則冠以嵇文甫所撰序言及編者之校輯例言。

該書優點有三：一是對舊刻本文集收錄齊全，並補錄了若干梨洲專著之題辭（卽自序）及集外之文，堪稱較爲完備的一部南雷文集彙刊本。其所補之文是：子劉子行狀二卷，明夷待訪錄題辭，汰存錄題辭，匡廬遊錄題辭，詩曆題辭，葬制或問。二是校勘，斷句比較正確，便於讀者利用。三是所選底本較好。故此本自具風格，不可廢棄。

其缺點亦有三：一是校勘本採擇未廣，雖已校對南雷雜著稿本，但校勘未精，尚多疏漏；其校輯例言則未說明所用底本、校本之出處，不便查核。二是增刪體例未必恰當。如子劉子行狀二卷，舊刻本未收而文集本補收，而金石要例、破邪論、西臺慟哭記註、冬青樹引註，舊刻本原有，而文集本以其「均屬專著，與文集體例不類」而加以刪除。其實，子劉子行狀也可歸入專著而毋需補入文集的。三是編者所撰舊本考過於簡略，並且存在一些錯誤，如謂南雷文約鄭氏刻本「無序跋」，謂梨洲手稿（南雷雜著稿）「爲梨洲早年所寫」等，即係錯誤認識。

雖然，黃梨洲文集仍不失爲一個便於研究者使用的好本子。

# 廿四　南雷詩集考

宗羲一生所作詩不止千篇，但在彙編成集時多被刪汰，至今留存下來的主要是南雷詩曆，連同一些散存詩，總共三百四十餘篇。現就各種梨洲詩集的刻印本及鈔本存佚情況作一略考。

## 【一】舊詩集　今佚

宗羲少時出外交遊，在南京等地結識許多名士，寫了不少唱和詩，從其南雷詩曆所存復社詩友艾南英、羅萬藻、陳際泰等所撰詩序（題名舊詩序）看，宗羲在明末崇禎年間曾經自編詩集。詩集中寫得較出色的詩有老狐行、鐵琴、死戰馬、紅閨、麗事等，詩的基調是扶正祛邪，諷議朝政，可惜後來都亡佚了。

## 【二】窮島集　今佚

宗羲在順治六年己丑（一六四九年）四十歲時，追隨監國魯王在浙東海島堅持抗清鬥爭，任左僉都御史、左副都御史之職，但手無兵權，常與好友吳鍾巒講學註曆。後因清廷誅連抗清人士眷屬，宗羲乃陳情歸家。故將該年所作詩編爲窮島集。今無傳本，恐當時也未及刊行。黃炳垕撰黃梨洲先生年譜有著錄。

**【三】老柳集** 今佚

黃梨洲先生年譜云：順治七年庚寅冬，宗羲「自西園移居柳下，故次庚寅至乙未（順治十二年）之詩為老柳集，猶昔人之傷心於枯樹也。」炳垕註云：「宅前向有老柳，為大風拔去三株，僅存其一，故云。」此集今亦無傳本。

**【四】杏殤集** 今佚

順治十二年乙未冬，宗羲攜家避居於化安山丙舍，其愛子阿壽夭殤，宗羲悲痛欲絕，寫了很多詩悼念亡兒，遂將乙未、丙申兩年所寫詩彙編為杏殤集。此集亦無傳本。

**【五】金罍集** 今佚

順治十四年丁酉，宗羲曾設館於上虞縣虞氏家。上虞有山名金罍，宗羲常與當地遺民顏叙伯、陸苞甫、范裒生等往來遊覽，互相唱酬。次年戊戌，宗羲與弟宗會等又有紹興、杭州之遊。遂集丁酉、戊戌兩年所作詩名金罍集。此集亦無傳本。

**【六】露車集** 今佚

康熙元年壬寅（一六六二年），宗羲五十三歲，仍避居於化安山龍虎山堂，二月，山居遇火，五月，黃竹浦故居又遇火，九月徙居本縣藍溪市。生活很不安定，遂名該年所作詩集爲露車集。此集無傳本。

**【七】心斷集** 今佚

康熙二年癸卯，宗羲主要在語溪（今桐鄉縣）呂留良家設館教學。八月八日，弟宗會病逝，是日恰逢宗羲生日，宗羲貧病交加，肝腸寸斷，有病瘧詩二首記之。是年又逢老母七十壽辰，宗羲感慨萬千，悲從中來，有「霜雪消磨四十年，眼前無物不淒然」之嘆，遂取孟浩然詩「心斷脊鴒原」之句，命名該年所作詩集爲心斷集。此集無傳本。

**【八】吳艇集** 今佚

康熙三年甲辰，宗羲五十五歲，先後至江蘇常熟、蘇州、杭州等地訪問舊友，六月歸里。將該年所作詩編爲吳艇集。該集無傳本。

以上七種詩集，均見於黃梨洲先生年譜著錄。黃炳垕又在所著黃梨洲公事實詠詩中說：「金罍、心斷詠、吳艇、杏殤詩」，註云：「四種皆公詩集名，後刪合爲南雷詩曆。」今舊集原本雖佚，但南雷詩曆尚存。似可不必過於惋惜。

## 【九】南雷詩曆 今存鈔本一種，刻本多種

黃宗羲南雷詩曆題辭云：「余不學詩，然積數十年之久，亦近千篇，乃盡行汰去，存其十之一二。」則南雷詩曆只是作者的一部詩選而已。

但詩曆題辭或其他現存梨洲遺著都沒有明確交待編輯南雷詩曆的年代，我們只能從現存鈔本、刻本的實物及後人有關記載理其頭緒。

現存南雷詩曆刊印本、鈔寫本情況如下：

甲、三卷刻本。此本由宗羲同門友董瑒、陳之問及天嶽禪師批點，門人施敬校刻。卷一首存舊詩稿十六篇，未註寫作年月。考其內容，僅前二篇祭旱、蚤發東明禪院同芝兒為明亡以前之作，祭旱中有「亢屯逾十旬，插秧未過五」句，蚤發中有「斷虹方鬥日，春禽有剩弄」、「灰暖梯水田」、「世亂纔息心」句，可推知其寫作時間當在崇禎末年即順治元年的春夏之間。第三篇三月十九日聞杜鵑中有「昔人云是古帝魂，再拜不敢忘舊主。前年三月十九日，山岳崩頹哀下土」之句，可斷定作於順治二年。以下數篇，或訴亡國之痛，或記流離之苦，皆可肯定作於順治初年。從第十七篇贈周二存先生起均有紀年，並按寫作年代先後順序排列，該篇題下註云「以下丙戌至辛卯」（卽順治三年至八年），卷一末篇老母七十壽辰則作於癸卯即康熙二年。卷二收自甲辰（康熙三年）至庚申（康熙十九年）詩。卷三收自壬戌至乙丑（康熙二十一年至二十四年）詩，其首篇贈百歲翁陳庚卿題下註云「庚申後詩見吾悔集，以下壬戌」，知辛酉

（康熙二十年）詩因已刊入吾悔集，故不再收入南雷詩曆。據此，我們可以推知南雷詩曆三卷本的編刻年代，當在康熙乙丑二十四年至戊辰二十七年之間。

三卷本的刻本，現有康熙間西爽堂刻黃梨洲先生集本（與南雷文案、吾悔集、撰杖集、子劉子行狀、學箕初稿合刻）、民國間上海涵芬樓據無錫小綠天藏康熙原刻本影印之南雷集合刻本（即四部叢刊南雷集影印本）。另有清光緒間餘姚梁弄黃氏五桂樓刻本。

乙、四卷刻本及其重印本。此本卷一至三均同三卷刻本。卷四由宗羲門人戴曾、戴晟校刻（見續鈔堂刻本）。卷四所收詩自康熙乙丑二十四年起，至庚午二十九年止，則其編刻之年必在二十九年以後，可能是與二戴校刻南雷文定三集同時刻成的。孫殿起販書偶記續編卷十四著錄南雷詩曆四卷本爲「康熙戊辰（二十七年）續鈔堂刊」，蓋指此本所屬之南雷集始刻於戊辰，而刻成之年則在戊辰以後了。

現存四卷刻本有康熙年間續鈔堂原刻本，咸豐癸丑五年南海伍崇曜重刻南雷集本（即粵雅堂叢書本）。此後幾種石印、鉛印本，都是據伍氏重刻本排印的，它們是：光緒三十一年杭州羣學社石印黃梨洲遺書十種本、宣統二年上海時中書局排印梨洲遺著彙刊本、民國二十五年上海中華書局排印四部備要南雷文定本。

丙、五卷刻本，即乾隆年間由全祖望選定、鄭大節校刻的二老閣刻本。此本具有以下幾個特點：第一，所收詩的內容更鮮明地突出了黃宗羲的「遺民」氣節，刪去了原刻本中一些思想性不強，純屬個人感傷詩或遊記詩（較之四卷刻本刪去八十六篇）；第二，按年代分卷方面與刻本不同：全本卷一自順治二年乙酉至十六年己亥，卷二自十七年庚子至康熙八年己酉，卷三自九年庚戌至十八年己未，卷四自十九年庚申至二十二年癸亥，卷五自二十三年甲子至康熙三十三年止，而四卷本各卷分別是順治元年至康熙二年、三至十九年、二十一至二十四年、二十四至二十九年止；第三，全本卷四增補了至孫郎埠山庵等八題二十二首（寫於康熙十九、二十年，輯自吾悔集），卷五增補了晚年所寫吊劉龍洲墓等十七題二十一首（寫於康熙二十九至三十三年，當輯自宗羲手稿或門人子姪鈔本）。可見，這個五卷刻本是獨具一格，頗有價值的。

丁、黃梨洲詩集鉛印標點本。此本由今人聞旭初編輯、戚煥塤斷句，中華書局於一九五九年出版。它據舊刻本收錄南雷詩曆卷一至卷四，並增收補遺一卷，所補五十八篇輯自全祖望選編本、吾悔集和匡廬遊錄附卷。是迄今比較完備的一本梨洲詩集，但尚有校勘未精、輯佚未廣之病。

戊、萬言手鈔南雷詩曆不分卷本。此本原由寧波近代著名藏書家馮貞群（字孟顓）收藏，現藏寧波天一閣。長七寸四分、寬五寸，共四十七頁。封面題名「南雷詩曆」、「萬貞一寫本」，有「伏跗室藏」、「孟顓」藏書印，扉頁題「南雷詩曆」、「門人萬言受讀」，係萬言手蹟。鈔本不分卷，各篇按年代順序編排，所收詩自順治元年起至康熙十五年止，相當於三卷刻本的卷一全部和卷二的大部分（刻本卷二日觀圖以下三十餘首未鈔）。但鈔本比刻本多收次門士聞余生韻一首、憶舊事二首、閏五月廿六日夢壽兒二首、梅花一首（後三題刻本各存一首），共計六首。此外，我們還可依據鈔本校正刻本的若干誤字。此本幾近湮沒，近年始由寧波師範學院黃宗羲研究室的研究者重新查出並輯其佚詩，亦爲可喜之事。

現在再看黃宗羲以後有關南雷詩曆編刊年代的記載：黃百家梨洲府君行略、全祖望梨洲先生神道碑文都祇著錄「南雷詩曆四卷」，別無更詳記載，邵廷采黃文孝先生傳也僅存南雷詩曆之名。唯黃炳垕撰黃梨洲先生年譜康熙三年甲辰條云：「六月返里，甬上門士萬公擇斯選過謁，見公詩稿零落，許寫淨本。公因汰其三之二，取蘇文忠行記之意，曰南雷詩曆。」如果黃炳垕這一記載確實可靠的話，則南雷詩曆編成於康熙三年甲辰歲，宗羲時年五十五歲。查今存南雷詩曆三卷、四卷刻本，其第一卷末篇名老母七十壽辰，寫於甲辰前一年的癸卯年，全卷收詩九十一篇，如果按「汰其三之二」的說法計算，則宗羲原詩僅有二百七十餘篇，即便加上卷二甲辰年的詩十篇進行計算，宗羲原詩也不過三百餘篇，這與南雷詩曆題辭所謂「積數十年之久，亦近千篇」的說法矛盾。顯然，黃炳垕的繫年不可靠。

如果我們按詩曆題辭所說：「積數十年之久，亦近千篇，乃盡行汰去，存其十之一二」計算，近千篇的十之一爲近百篇，十之二則近二百篇，作者既云：「存其十之一二」，就不止十之一而應有十之二了。查今存南雷詩曆刻本，卷一存詩九十一篇，卷二存七十五篇，卷三存四十四篇，卷四存五十五篇，前三卷合計二百十篇，四卷合計二百六十五篇，似乎是三卷本比較符合宗羲「存其十之一二」的說法。考卷三所收詩截止於康熙二十四年乙丑春，而所收乙丑年詩僅題獅林壁一篇，其他都被編入卷四。由此我們可以推測，南雷詩曆三卷本是乙丑年編的。再考卷四，所收詩自乙丑年的眞娘墓至康熙二十九年庚午三月十七日寫的至廣化寺拜先忠端公神位止，則其編成年代應在二十九年以後了。

從以上刊本情況及宗羲本人與後人的記載分析，我以爲南雷詩曆是陸續編成，陸續刊刻的。其始編之年，當在康熙三年甲辰，僅成一卷，其後於康熙二十四年乙丑加以擴充，編定爲三卷，由宗羲撰寫了詩曆題辭，交門人施敬校刻，成三卷刻本，以後又在三卷刻本基礎上擴編爲四卷本，交門人戴晉、戴晟校刻，成四卷刻本。三卷本和四卷本都刻成於宗羲生前，故未收晚年所作詩，而梨洲詩稿則保存在二老閣主人鄭性手中。至乾隆年間，梨洲私淑弟子全祖望根據已刻詩文集和殘存詩稿重新選編南雷詩，遂成南雷詩曆五卷本，由鄭大節校刻。至于萬言鈔本，則是直接依據梨洲原稿選錄的，故與通行本所選篇數及截止年代上有所不同。這就是南雷詩曆編輯刊行的大體過程。

## 【十】黃梨洲詩集 中華書局鉛印本

此書由聞旭初編校、戚煥塤標點，中華書局一九五九年鉛印出版。並有中華書局香港分局一九七七年重印本。

該詩集收南雷詩曆四卷，計詩二百六十五篇四百二十七首；補遺一卷，補入全祖望選、鄭大節刻南雷詩曆五卷本詩十七篇二十一首，吾悔集詩九篇二十三首，匡廬遊錄附詩三十二篇三十五首。全書共收梨洲所作詩三百二十三篇，五百零六首，可謂集以往南雷詩曆諸刻本之大成。但也有若干遺漏者，如未收萬言手鈔本南雷詩曆未刊詩、四明山九題詩及散存于其他文集之集外詩。

# 廿五　南雷詩文合集考

自清康熙時代以降，黃宗羲的南雷文集、詩集屢被彙編刊印。現就幾種合集本情況作一考述：

## 【一】續鈔堂彙編南雷集

今存有關續鈔堂的記載資料很少，惟黃百家、全祖望偶而言及。百家學箕初稿卷一續鈔堂藏書目序祇言及梨洲輾轉流離而後徙置其書於續鈔堂的情況。而未言及刻書之事。祖望之梨洲先生神道碑文云梨洲「建續鈔堂於南雷，思承東發之緒」，亦未言刻書事。且以當時窮困之梨洲，恐亦無力自行刻書。但今存南雷集刻本卻有署「續鈔堂藏板」者，蓋因梨洲之門生舊友以續鈔堂名義刊行續鈔堂所彙編之梨洲著作之故也。

現存續鈔堂彙編之南雷集實際上有兩種不同內容的版本：

(1)　南雷文案、詩曆等合刊本。此本題名「南雷集」，各卷首頁下題「門人子姪較刻」，收錄南雷文案十一卷、吾悔集四卷、撰杖集一卷、子劉子行狀二卷、南雷詩曆三卷、附百家學箕初稿二卷，共二十三卷。據卷首所載鄭梁之南雷文案序的寫作時間（庚申）及南雷詩曆卷三末篇寫作時間分析，此集之刻，當始于康熙十九年庚申（一六八〇年），完成于康熙二十四年乙丑（一六八五年）或稍晚些時。今復旦大學圖書館藏有宗羲門人朱人遠（公元一六三二年—一六九三年）親手點定之原刻本。北京圖書館也藏有本集原刻本（分十二册裝訂）。又有民國年間上海涵芬樓據無錫孫氏小綠天藏原刊本影印的四部叢刊南雷集，分裝八册，其書名、版式、卷數與原刻本無異，但顯然是經抽改挖補過的重印本。

(2) 南雷文定、詩曆合刊本。此書總名亦題作南雷集，孫殿起販書偶記續編著錄此集云：「康熙戊辰續鈔堂刊。」按戊辰爲康熙二十七年（一六八八），但實際上均由梨洲門人刊刻，其刻定時間也晚於戊辰年。其所收錄者乃南雷文定前集十一卷、後集四卷（門人靳治荊校刻）、文定三集三卷附錄一卷（門人戴曾、戴晟校刻）、南雷詩曆四卷（先後由門人施敬、楊開沅、戴曾、戴晟校刻）。

### 【二】西爽堂刊黃梨洲先生集 康熙間刻本

該本僅見北京中國科學院圖書館善本室收藏一部。其扉頁有「西爽堂梓行」刻字和「西爽堂」藏書硃印，題名「黃梨洲先生文集」，附題是「南雷文案四卷，吾悔集四卷，撰杖集一卷，子劉子行狀二卷，詩曆三卷，附學箕初稿二卷」，其南雷詩曆各卷首頁，均有「續鈔堂藏板」刻字，說明該集是以續鈔堂原刻本爲底本重刻的。但所刻文案僅四卷，可能因所據底本是個殘本之故。審其版式、諱字，可斷定爲康熙年間刻本。但西爽堂主人待考。

## 【三】全祖望彙編南雷黃子大全集　未刊，今佚

此書係全祖望據梨洲詩文集手稿編輯。其編輯時間當在乾隆時代，成四十四卷而未及刊行，今稿本已佚，也未見傳鈔本。僅鮚埼亭集外編卷二十五尚存全氏撰南雷黃子大全集序一篇。序云：

> 南雷先生之集，累雕而未盡，其稱南雷文案者凡四種，而壬辰、癸巳（順治九、十年）以前所輯曰始學庵集不預焉；其稱南雷文定者又四種，而壬申（康熙三十一年）以後曰病榻集，亦不預焉。……予乃從南溪（鄭性）家盡取先生之草稿，一一證定。……補其亡，汰其僞，定為四十四卷。

按：祖望所謂「文案四種」，指南雷文案、吾悔集、撰杖集、蜀山集，而蜀山集今已亡佚；所謂「文定四種」，指南雷文定前集、後集、三集、四集；所謂病榻集，即祖望身後由沈廷芳、程志隆刊定的文定五集。這篇序文說明，直到乾隆時代，包括始學庵集、蜀山集在內的南雷詩文集遺稿依然存在，可惜以後亡佚了。所收四十四卷南雷詩文，當已去其重復，但比現存者多出十卷以上。

## 【四】粵雅堂刊南雷集

此書由南海伍崇曜據續鈔堂刊文定詩曆合刊本重刻，題名南雷集，刻成于咸豐三年（一八五三年），收入粵雅堂叢書。該集收錄南雷文定前集十一卷、後集四卷、三集三卷、詩曆四卷，附錄交遊尺牘一卷，共二十三卷。其書名卷數、篇目均與續鈔堂刊本同，惟附錄從三集卷末移至全書卷末，其間高斗樞、謝泰臻、毛雷龍等人墓誌銘及四明山九題考等皆有缺頁、缺行，其他缺字尚多，當因原本殘破所致。書末有伍氏重刻南雷集跋。跋文稱「偶得是集特重刻之」而未交代底本來源，未免遺憾。

## 【五】杭州羣學社刊黃梨洲遺書十種　光緒間石印本

此書由清末浙江諸暨人蔣麟振彙編而成，光緒三十一年乙巳（一九〇五年）杭州羣學社石印行世。題名黃梨洲遺書十種，其實僅有南雷文定前集、後集、三集、詩曆、文案、今水經、賜姓始末、明儒學案（八卷）、明夷待訪錄九種，外加梨洲年譜（即黃炳垕撰黃梨洲先生年譜）一種，合計十種。今人著作中竟有誤將梨洲年譜當作梨洲自著年譜著錄者，乃祇看目錄不審內容之故也。

該書第一至六册收南雷文定前集十一卷、後集四卷、三集三卷附錄一卷、詩曆四卷，均以粵雅堂叢書南雷集刻本爲底本校印；又收南雷文案四卷、外卷一卷，係據文案十卷外卷一卷刻本而删其已入文定而所餘者，但不包括吾悔集、撰杖集中未入文定之文。故此本雖可稱南雷詩文集之合刊本，但却非全本。

## 【六】梨洲遺著彙刊所收南雷詩文集　宣統二年，民國八年鉛印本

此書由清末民初吳江學者薛鳳昌彙編，有宣統二年（一九一〇）上海時中書局鉛印初版本及民國四年（一九一五）重印本，又有民國八年（一九一九）上海掃葉山房增補版本。初版本收「梨洲遺著」二十七種（其中滇考、鄭成功傳、張元箸先生事略並非梨洲遺著，參見上文行朝錄考）；增補本補入孟子師說、南雷文定四集、海外慟哭記三種，合計三十種。

該書（合初版重版）所收南雷詩文集是：南雷文約四卷；南雷文定前集十一卷、後集四卷、三集三卷附錄一卷、四集三卷；南雷文案四卷、外卷一卷、南雷詩曆四卷。其編排方法是以南雷文約爲主，其文定、文案中與文約重復者則存目去文。

此書所收南雷詩文，雖較以往合刊本爲多，且流行更廣，然而版本最差、錯誤最多。除眞僞混雜，將非梨洲著作編入本書乃致造成後來不少著錄者以訛傳訛的問題之外，還有如下缺點：一是校勘未精，甚至可以說未作校勘，以致闕文、漏字、誤字比比皆是；二是印刷質量粗劣、標點訛誤頗多；三是收錄未全，即便增補本也未採錄吾悔集、撰杖集、南雷文定五集之文，所採文案、文定諸集及附錄也都有整篇遺漏者。因文繁恕不細述。

此外，我們在近年新編了南雷詩文集上、下册，上册收已刻文集；下册收已刻詩集，並收近年新發現的留書、佚詩佚文及明文海明文授讀評語彙輯，作爲黃宗羲全集第十、十一册，將由浙江古籍出版社出版。因書未印出，茲不詳述。

# 廿六　南雷集外詩文考

自一九八四年至今，我在具體負責黃宗羲全集的編輯點校工作過程中，曾多次到北京、上海、南京、杭州、寧波、餘姚等地圖書館和藏書樓，尋訪梨洲遺著的各種稿本、鈔本和刻印本，在衆多師友同志的幫助下，搜集到一些現行各種南雷詩文集刻本、印本中未曾收入的梨洲詩文集稿本（如南雷雜著稿）和鈔本（如南雷文鈔）以及數十篇散佚詩文。我將這些未刊稿本、鈔本以及散佚詩文編入了黃宗羲全集第十一册（卽南雷詩文集下册）交付出版，並另行編定一册黃梨洲詩文補遺（將由臺灣聯經出版公司出版）。因所補之遺，逸出於已往詩文集刻本之外，故又稱之爲南雷集外詩文，其中包括上節南雷文集考之南雷文鈔伏跗室藏本中的十三篇未刊文，因上節已列目考述，故本節僅對南雷文鈔未刊文以外的十五篇佚文及二十七篇佚詩作一考述：

## 【一】 南雷集外文　十五篇

(1) 文信公集序；
(2) 道南先生集序；
(3) 穎州集序；

以上三篇均見於黃氏攟殘集康熙四十二年黃炳刻本。

按：黃氏攟殘集七卷，黃宗羲編輯，宗羲族侄黃炳刊刻。現有康熙四十二年抑抑堂刻本（與黃氏家錄、黃氏續錄合刊）。該集攟拾了黃氏宗族在明代的八位先人的散存詩文集。這八人是：一、文信公黃珣，字廷璽，明正統三年生，成化十七年進士，官至南京吏部尚書，正德九年卒，謚「文信」。二、開州公黃文煥，字吳南，黃珣孫，曾任開州學正。三、道南公黃韶，字九成，成化五年進士，官至江西按察司僉事。四、蟄庵公黃海，字伯川，更字德洪，爲宗羲七世祖。五、穎州公黃嘉愛，字懋仁，號鶴溪，明正德三年進士，歷官穎州、欽州太守。六、半山公黃嘉仁，爲嘉愛長兄。七、丁山公黃元釜，生當明弘治至嘉靖時期，爲王陽明弟子。八、景州公黃尙質，嘉靖四年舉人，官至景州太守，爲宗羲四世祖（以上諸人事迹參見黃氏家錄及竹橋黃氏宗譜）。

宗羲將上述先祖或族祖的詩文編爲文信公集（附開州詩文）、道南先生集、半山先生集、穎州集、丁山先生集、景州集、蟄庵集各一卷，並親自撰寫了文信公集序、道南先生集序、半山先生詩集序、穎州集序、景州集序，冠於卷一、二、三、四、六之首。其中半山先生詩集序和景州集序已收入南雷文案卷一及黃梨洲文集刊行，而文信公集序、道南先生集序、穎州集序三篇則未收入南雷諸集。

(4) 裘子横山文鈔序；

本篇原載裘璉横山文集刻本。裘璉（一六四四—一七二九年）字殷玉，號廢莪子，學者稱横山先生。浙江慈溪人。康熙五十四年進士，改翰林院庶吉士，告老歸里，以山水自娛。著有橫山文集、橫山詩集、復古堂集等多部著作。宗羲及門弟子。由落款知本序作於康熙二十九年。

(5)　范文園水鏡集序；

本篇原載海寧縣志稿卷十三。范文園名駥，係宗羲友人，南雷詩曆中曾多次提及。其生平事迹見乾隆刻本海寧縣志卷十一。

(6)　友硯堂記跋；

本篇原載臺灣商務印書館一九七七年影印一九二九年陽湖錢振鍠原刻本呂晚邨先生文集卷六。晚村先生呂留良（一六二九—一六八三年）字用晦，浙江崇德（今桐鄉縣）人。始與宗羲交友，請宗羲來家講學，並合編宋詩鈔，後絕交。清順治五年，二人初次訂交，宗羲即以珍藏之八角硯贈留良。在這前後，友人高斗魁、孫爽、黃宗炎、吳之振皆以古硯贈留良，留良遂名其書室爲「友硯堂」，並撰友硯堂記以記友情及古硯特質。宗羲乃作此跋贈留良。後來，大概由於雙方絕交，故南雷諸集未收此跋。跋文寫作時間，亦當在順治五、六年間。

(7)　藏書印文；見清朝野史大觀卷九，南雷諸集未收。

(8)　御史中丞馮公墓誌銘；

這是一篇反映浙東抗清鬥爭事迹的重要文章。僅見於上海復旦大學圖書館藏續鈔堂原刻、朱人遠手定，朱氏門人補錄的南雷文案卷五。考舊刻諸種南雷文案，皆存馮中丞墓誌銘之目而無其文。惟此本目文俱存，且知該篇係康熙間人鈔補（參見前節南雷文集考有關南雷文案考證）

按馮中丞即監國魯王部下抗清名將馮京第，與宗羲爲同患難的戰友，在四明山抗戰中爲清兵俘虜，不屈而死。這篇墓誌銘之所以不載於南雷諸集刻本，蓋因其中有許多觸犯清廷文字，當時不便刊布。後人又未注意朱人遠點定的鈔補本已補鈔該篇，故梨洲遺著彙刊、黃梨洲文集等近代印本也未收錄。但我們從南雷文案諸刻本有目無文和補鈔本補鈔其文的事實可以推測到，宗羲在編選南雷文案之初，是收入馮京第、張煌言（號蒼水）兩篇墓誌銘的，但在刊刻時又將其抽去，其門人後學又據原稿補鈔入原刻本空白頁，後來，宗羲及其門人編刻南雷文定時，將張蒼水墓誌銘加以刪改後收入文定，而馮中丞墓誌銘則棄置不錄了。所以馮銘實際成了佚文而不爲人知，幸有復旦之補鈔本在，才能使之重見天日。

(9) 與徐健庵（乾學）先生書

本篇原稿見上海圖書館藏黃宗羲南雷雜著稿眞蹟（現有浙江古籍出版社一九八七年影印吳光整理釋文本），又見中國科學院圖書館藏南雷文鈔鄭祏手鈔本。原稿無題，鈔本題爲「與人書」，本題由吳光考定，簡稱與徐乾學書。

該篇內容反映了黃宗羲晚年反清思想的淡化。這裏姑且不論其淡化原因與表現，而僅考證與書函有關的兩個問題：

第一，書函寫作時間問題。文中提及的事情有：「先忠端公祠廟，去冬告成」；「王顓庵公祖歲總科考」；「曹秋老健甚，相別一月，即爾奄忽」；「弟刻下築墓荒山」。據此可考定寫信時間。

據南雷文定所載重建先忠端公祠堂記和遷祠記，忠端公祠始建於崇禎五年，後毀於兵火。康熙二十四年冬至二十五年初，提督浙江學政王掞（號顓庵）視察浙東，倡議修復忠端公祠。祠落成於丙寅年（康熙二十五年，公元一六八六年）二月。南雷詩曆卷四丙寅年詩也有先忠端公祠堂落成王明府嵩伊命廣文沈令扆攝二月丁祭一篇五首可證實。

據清史列傳卷七十八曹溶傳，曹溶字秋岳，浙江嘉興人，康熙二十四年冬卒於家。梨洲信中所謂曹秋老即對曹溶的尊稱。曹溶之逝已在二十四年冬，則寫信時間應當是次年春了。

再據南雷詩曆五卷本（卽全祖望選、二老閣刻本）甲戌年（康熙三十三年）詩有示百家二首，有「築墓經今已八年」句，上推八年爲丙寅年（康熙二十五年）。同書丙寅年詩有剡中築墓雜言十一首，有「滿溪明月浸桃花」、「層層寒翠鎖山隍」之句，說明築墓時間在該年春天，與示百家詩所記時間正合。

綜上所述，信中所謂王顓庵「歲總科考」、「弟刻下築墓荒山」的時間都在康熙二十五年丙寅歲（公元一六八六年），則寫信的時間也就可定爲該年春天了。而信中所謂「祠廟去冬告成」，似與上述南雷詩曆卷四先忠端公祠堂落成一詩繫年相悖，我想，這是宗羲爲了求取碑銘而故意將祠堂落成時間說得早些之故（可參下引徐乾學文）。

第二，致函對象即收信人的問題。從信中口氣看，信是寫給一位新任「宰相」的內閣大臣的。在一般情況下，清廷「宰相」應是內閣大學士。考梨洲遺著、年譜及清史列傳，在梨洲生前當過大學士且與曹溶關係密切的只有徐元文。但元文升任文華殿大學士是在康熙二十八年，而此信寫於二十五年春。這時元文擔任內閣學士兼明史監修總裁官，然而却非新任，談不上「今聖主特召，入參密勿」，所以不可能是寫給元文的。我認爲，唯一夠條件的收信人是徐元文的兄長徐乾學（號健庵，南雷文定三集卷一傳是樓藏書記有「健庵先生」之稱）證據有四：

甲、清史列傳卷十徐乾學傳載：乾學於康熙二十一年充明史總裁官，二十三年遷侍講學士，「二十四年正月，召試翰詹諸臣於保和殿，乾學列上等第一。諭獎乾學……等五人學問優長，文章古雅，優加賞賚。乾學旋奉命直南書房，擢內閣學士，充大清會典、一統志副總裁，教習庶吉士」。這差不多當得上「聖主特召，入參密勿，古今儒者遭遇之隆，蓋未有兩」了。

乙、據黃梨洲文集附錄交遊尺牘（原載南雷文定三集附錄）之二十四，有徐乾學與黃宗羲書，稱「頃接手書……先生過爲奬許，殊不敢當。至以祠碑見委，斯事體大，又難勝任」，這與宗羲書函稿中「求閣下碑銘，以垂永久」的請求相符。

丙、今存徐乾學憺園集卷二十五有餘姚黃忠端公祠堂記文，稱「太倉王掞以左贊善督浙江學政，移檄『即公故居黃竹浦重建祠宇』，距公（指忠端公黃尊素）之歿六十年矣」，並稱「因公祠堂成，嗣君宗羲書來請記，特表而出之」。按黃尊素死於明天啓六年丙寅（一六二六年），下推六十年即康熙二十五年丙寅（一六八六年）。由此可以推定：宗羲此信確是寫給徐乾學以爲忠端祠落成求碑銘的，寫信之年在康熙二十五年丙寅歲。

丁、黃炳垕黃梨洲先生年譜「康熙二十二年癸亥」條載：梨洲於該年「至崑山，至徐司寇家，觀傳是樓藏書」；「二十四年乙丑」條載：梨洲「往崑山」、「八月返里」。這與本信所稱「去歲得侍函丈」的時間相符，更證明收信人是徐乾學。

綜上所考，可以斷定黃宗羲這篇書稿，是在康熙二十五年寫給清朝內閣學士徐乾學的信。由於信中反映了作者晚年反清思想的淡化，信中某些詞句近乎諂媚，故作者及其門人後學都沒有將它收入南雷文案、文定和文約諸集。後人或不知有此書函，或知有此稿而爲賢者諱，故不提及。現在我們大可不必爲古人諱，因此，我把它定名爲與徐乾學書，收入了黃宗羲全集第十一册之南雷文補遺（按：原稿先由筆者整理發表於浙江古籍出版社一九八七年版黃宗羲南雷雜著稿眞蹟影印釋文本，並在臺灣文星月刊一九八七年四月號發表。）。

⑽ 與鄭禹梅（梁）書一；

本篇刊載慈溪二老閣主人鄭性刻本南雷文約附錄，原題黃梨洲先生遺先子書。先子指鄭性之父鄭梁（一六三七—一七一三年），字禹梅，號寒村，浙江慈溪人，康熙二十七年進士，官至廣東高州知府，著有寒村詩文集等，爲梨洲高足弟子。宗羲曾爲其詩文集作序，並多次致書論學。鄭梁臨終，囑其子鄭性建二老閣，以紀念其父鄭溱、其師黃宗羲。本篇題係筆者重定。文中有「明文海選成」、「學案刻成」等語。按明文海成書和明儒學案刊成之年均在康熙三十二年宗羲八十四歲時，距其逝世前兩年，則此文寫作時間當在康熙三十二至三十三年之間。

⑾ 與鄭禹梅書二；

本篇刊於二老閣刻本寒村詩文集卷首。原書無題，本題係筆者所定。

⑿ 與鄭禹梅書三；

本篇出處同上，題目係筆者所定。

按上篇有「別後足疾愈甚，至今不能履地」語，本篇有「久病得愈，反出意外。刻下郡守延請鄉飲，弟力辭之」語，且二篇依次載於寒村詩文集卷首，其寫作時間當相距不遠。

考黃梨洲先生年譜康熙二十八年條載：「元夕，公會講於姚江書院，邑侯康公如璉賓來，紹守李公鐸以鄉飲大賓請……因作書辭之。」又南雷文定三集卷一與李郡侯辭鄉飲酒大賓書有「義秋間一病，去死無幾」語，同卷再與李郡侯書有「以八十之老人」語。據此可以推定，前書當寫於康熙二十八年秋，後書當寫於二十九年初。

⒀ 與鄭禹梅書四；

本篇錄自寧波天一閣所存黃宗羲手蹟復印件。文中有「痰嗽半月，幾於不起，今尚未可知也」語，且字蹟已顯晚年抖顫氣象，可能係梨洲末年（康熙三十三至三十四年）之作。原書無題，本題係筆者所定。

⒁ 與敉寧老姪書；

本篇原載民國年間海塩吳像輯印的昭代名人尺牘所收梨洲手蹟。原書無題，本題係筆者所定。「敉寧老姪」指梨洲同難友周茂蘭之子周靖。周茂蘭字子佩，其父周順昌與梨洲之父黃尊素同時遇害。周靖字敉寧，諸生。因係同難友人之子，故宗羲稱之爲「敉寧老姪」。據南雷文定後集卷三周子佩先生墓誌銘載：茂蘭死於康熙二十五年，宗羲「方欲爲之請次，而靖書來請銘」。本篇又有「承委作論議，或誌或表」語，則與上述「周靖請銘」爲同一事情。因此可知本篇當作於康熙二十五、六年間。

⒂ 與萬開遠（承動）書；

本篇見於萬承勳冰雪集卷一哭黃梨洲先生詩附註。註云寫於乙亥立秋，即康熙三十四年六月二十九日，距宗羲逝世前四天。萬承勳字開遠，號西郭，爲萬言之子、黃宗羲孫女婿。該文內容反映了宗羲臨終前的心情及其自我評價。原文無題，本題係筆者所定。

## 【二】 南雷集外詩 二十七篇，四十四首

⑴ 見於萬言手鈔本南雷詩曆者四篇六首，即：次門士聞余生朝；憶舊事二首；閏五月十六日夢壽兒二首；梅花。

按：萬言手鈔本南雷詩曆及其未刊詩之考證，見前節南雷詩集考·南雷詩曆戊，此不贅陳。

⑵ 見於黃氏續錄者八篇九首，即：寄仲簡姪；喜仲簡姪再至二首；哭相國徐立齋先生；答宋牧仲次韻；送內姪孫葉仲一至濟南；憶千歲會諸老；玉峯朱雪鴻移居；致姜定庵乞硯。

按：黃氏續錄五卷，由宗羲族侄黃炳編輯，康熙四十一年刊刻。該書卷四選錄了南雷詩二十餘篇，編者黃炳註云：「遺獻公詩曆，庚午以前已刻者多不勝錄，止錄庚午三月後未刻者。」可見續錄所收之南雷詩，皆康熙二十九年庚午三月以後之作。當時未刊入南雷詩曆。以後，全祖望編選、鄭大節刊刻的南雷詩曆五卷本，收錄了其中十餘篇，但尚有八篇九首未收。後刊的梨洲遺著彙刊及黃梨洲詩集亦未收錄。今據續錄輯出，編入補遺。還有必要指出的是，

續錄卷四收錄的南雷詩，除寄仲簡姪一篇外，又全部被彙入竹橋黃氏宗譜卷十三詩文集內，可資參校。

(3) 刊於四明山志者五篇十三首，即：石門山；化安寺；剡湖；四明山九題九首；書方干遊雪竇寺詩後。

黃宗羲四明山志九卷，初稿寫於明崇禎十五年，改定於清康熙十二年（參見拙著黃宗羲遺著考(二)四明山志考，載黃宗羲全集第二册附錄，浙江古籍出版社一九八六年版），該書卷一存宗羲所作鳳鳴洞、石門山、化安寺、剡湖四篇；卷四四明山九題考附詩九首，即石窗、過雲、雲南、雲北、鹿亭、樊榭、潺湲洞、青檽子、鞠侯九篇，總稱四明山九題詩；卷七詩括所錄方干（字雄飛，唐代文人）遊雪竇寺後宗羲附註中存詩一篇（原詩無題，本題為筆者所加）。以上十四首，僅鳳鳴洞一首刻入南雷詩曆卷一，餘皆爲詩曆、詩集所遺，今從四明山志刻本錄出，編入補遺。其中四明山九題詩，亦見於竹橋黃氏宗譜卷十三。

(4) 見於全祖望編續甬上耆舊詩卷三十八者五篇六首，即：過長林石几亭；宋石門畫輞川圖；懷高辰四二首；次韻答高旦中；聞萬公擇訃。

按：聞萬公擇訃原有二首，第一首已由全祖望編入南雷詩曆五卷本。本首另見於竹橋黃氏宗譜卷十三。以上五篇六首均爲詩曆、詩集所遺，今編入補遺。

(5) 見於黃宗羲手稿者二篇二首，即：寒食上已吊唐烈婦；奉祝西村道兄五十榮壽。前一篇手稿存上海圖書館所藏南雷雜著稿眞蹟中；後一篇手稿則係寧波市文管會收藏的黃宗羲題扇手蹟。

按：唐烈婦爲海寧諸生曹潁洙之女，同邑唐之坦之妻，之坦病逝，曹氏殉夫，情景頗爲慘烈，事見南雷雜著唐烈婦曹氏墓誌銘。宗羲不但作文記之，且作詩吊之，可見他對婦女殉節一事的態度。「西村道兄」之姓名事迹不詳，待考。

(6)　贈諸九徵二首，刊於清光緒二十五年刻餘姚縣志。

按：諸九徵名來聘，明清之際餘姚人。康熙十三年，宗羲曾因兵亂而率家避居其家，故與九徵父子交往甚深。詩中有「君是當年陳宅人」、「不妨長作泗門人」句，證明此詩當係避亂時所作。

(7)　卓烈婦四首並序，見清康熙間卓爾堪編刻之明遺民詩卷一。前有詩序一篇，稱述卓氏在清兵攻陷揚州前夕投水自殺的事迹。詩意悲壯，然不見於今存南雷詩文集各種本子，不知卓爾堪從何處輯得此詩？

(8)　題黃葉村莊詩集二首並序。見清吳之振黃葉村莊詩集（康熙刻本）卷首。詩序有「孟學友兄不得見者十一年矣。今年二月至語溪……勉附二絕」內容。

按：孟舉即吳之振。之振字孟舉，號橙子，浙江石門人，自號黃葉村農，名其詩集爲黃葉村莊詩集。考黃梨洲先生年譜，宗羲于康熙二年至五年間，大多時間是在語溪（即石門鎭）講學，館於呂氏梅花閣，與吳之振、吳自牧、呂留良共同編輯宋詩選。宗羲詩序所謂「今年二月至語溪」的時間，當指康熙二年。故知此詩亦作于該年。

※　※　※　※　※

如前所述，黃宗羲一生所作文不下五百篇，所寫詩不止千篇，但我們現在所搜集到的，也不過三百三十餘篇文和三百四十餘篇詩。雖然梨洲身後，其著作累遭水火戰亂，已經毀掉不少，今後也不可能完全復其舊觀，但還是可以期望有新發現的。但願後之學人，能不憚煩瑣地注意搜輯，以獲更大成績。

# 廿七 明文案考

明文案二百十七卷，是黃宗羲主編的明人文集選編。由於它未被刊刻，又未收入四庫全書，而僅有幾個鈔本傳世。故後世學者，見者極少，乃至博覽如孫殿起先生者也誤以爲其「因銷毀而散亡」（見孫殿起：清代禁書知見錄自序。）近年，又有人不作深辨而輕率爲文，聲稱天一閣收藏着明文案的「稿本」（見北京文獻季刊一九八七年第二期載駱兆平文：明文案明文海稿本述略。）因此，有必要對明文案的編輯流傳過程及鈔本情況作些考辨，以正視聽。

## 【一】 明文案成書與流傳過程考

黃宗羲明文案序上（載南雷文案卷一）述其編輯緣起云：

某自戊申以來，卽爲明文之選。中間作輟不一，然於諸家文集，蒐擇亦已過半。至乙卯七月，文案成，得二百七卷。……某嘗標其中十人爲甲案……前代古文之選，昭明文選、唐文粹、宋文鑑、元文類爲最著，……若以文案與四選並列，文章之盛，似謂過之。……試觀三百年來，集之行世藏家者不下千家，每家少者數卷，多者至於百卷，其間豈無一二情至之語？而埋沒於應酬訛雜之內，堆積几案，何人發視？卽視之而陳言一律，旋復棄去。向使滌其雷同，至情孤露，不異援溺人而出之也。有某茲選，彼千家之文集龐然無物，卽盡投之水火，不為過矣！

按：戊申即康熙七年（一六六八），乙卯為康熙十四年（一六七五），原序題下標明寫序時間為乙卯。說明宗羲之選編明文案，歷時七年，書成而後作序（分上下二篇）。其編文案之根本目的，在于從有明千家文集中，發掘「三百年人士之精神」，「滌其雷同」以使「至情孤露」。黃百家所撰明文授讀序亦云：「先夫子自戊申歲取家藏有明文集約五、六千本，擷其精華，至乙卯歲，成明文案二百十七卷。」除所云卷數有異外，有關文案成書起迄年代是與宗羲自序一致的。

關於明文案擴編為明文海的過程及其鈔傳情況，黃百家明文授讀序云：

庚申歲，蒙今上有遺獻之徵，旣以老病不能赴，又奉特旨：凡黃某所有著述有資明史者，著該地方官鈔錄來京，宣付史館。於是藩司毅可李公俾胥吏數十人繕寫，不孝入署校勘，而文案亦在其中。

丁卯歲，不孝入都門，故相國立齋先生監修明史，以史志數種見委。簡閱史館中書，此文案固在也。未幾，不孝以思親告歸，先生許以在家纂輯。己巳，書成。先生復招不孝入都，再至史館，已不見所謂文案，蓋有滑竊之而去者矣！不孝思此本頗為海內傳鈔，此間之有無略不置意中。

逮後，先夫子究以有明作者如林，歉於未盡，親至玉峯，搜假司寇健菴先生傳是樓明集，得文案以外所未有者，又如我家藏之數汗數牛而歸，綴以紅楮，第其甲乙，復還玉峯。宮詹果亭先生命諸佐史，繭指錄出，親正豕魚，以寄先夫子。於是復合文案而廣之，又有明文海之選，為卷凡四百八十，為本百有二十，而後明文始備。

崑山徐秉義（號果亭）所撰明文授讀序亦云：

姚江梨洲黃先生初有明文案之選，其所閱有明文集無慮千家，蒐羅廣矣，猶恐有遺也，詢謀於余兄弟伯氏（按指徐乾學，號健庵），細檢傳是樓所藏明集，復得文案所未備者三百餘家。先生驚喜過望，侵晨徹夜，拔粹摭尤。余亦手鈔目勘，遂為勷理，於是增益文案而成文海

由以上百家、秉義之序可知：(1) 明文案成書後，于康熙十九年（庚申歲）由浙藩李毅可（名士貞）奉旨派人繕寫一部，進呈明史館，此本至康熙二十六年（丁卯歲）依然存在；(2) 兩年後的己巳歲（康熙二十八年），明史館所存明文案寫本，已被某人偷走。但在當時，該書「頗爲

海內傳鈔」，鈔本自有多種。而稿本仍存黃家。(3) 己巳以後，宗羲又親至崑山徐乾學家，借鈔傳是樓所藏明人文集三百餘家，於是在明文案基礎上擴編而爲明文海四百八十卷（實爲四百八十二卷）。黃序所謂「復合文案而廣之」爲文海，徐序所謂「復得文案所未備者三百餘家……於是增益文案而成文海」，顯然是指以明文案原稿本與新得傳是樓鈔稿本合併爲一書，而成明文海稿本。這是明文案在康熙時代的流傳情況。

至乾隆中期建立四庫全書館，詔徵各省民間藏書，明文案、明文海亦在被徵之列。據浙江圖書館現藏之浙江採集遺書總錄⑪「辛集」著錄云：

明文案二百卷。仁和沈氏藏寫本。右國朝黃宗羲輯。自序云（略）。此書分體編次，凡閱明人集不下千餘種。始事于康熙戊申，卒業于乙卯。蓋梨洲初選本也。後益加蒐討，復得崑山徐氏所藏明集千種，因更有明文海之選：凡為卷四百八十，簡帙甚距，流傳頗罕，其稿未出，因不及錄。

⑪ 此書係浙江省向四庫全書館進呈的首批採集書目，分十集十卷，由浙江巡撫主持編寫，宗羲五世孫黃璋擔任總校勘，所進梨洲遺著有易學象數論、深衣考、今水經、四明山志、明儒學案、明文案等六種，爲乾隆三十九年王亶望刻本。

又據姚覲元編清代禁燬書目四種（民國二十年杭州抱經堂書局鉛印本）卷二所列軍機處奏准全燬書目云：「明文案，黃宗羲編。全燬。」而姚覲元編清代禁燬書目補遺所列軍機處第八次奏進禁書總目云：

> 明文案一部五十本。查明文案係黃宗羲編，所錄皆明人各體古文，中間多有干礙字面，應請銷燬。

由上可見，當乾隆中期開設四庫館而徵集民間藏書時，浙江省進呈了仁和（今杭州市）沈氏藏鈔本明文案二百卷，而被列爲「全燬」之書。所以，最後編定的四庫全書既未收明文案原書，也未存其書目。而祇收錄了經抽刪的明文海四百八十二卷，並存明文授讀張氏刻本之目。

但禁不勝禁。明文案的鈔本當時已有數種，並未全部上繳四庫館。故今臺灣中央圖書館、浙江圖書館、寧波天一閣仍有來自民間的清代鈔本。

## 【二】明文案現存鈔本考

據筆者所知，現在祇有中央圖書館、浙江圖書館和寧波天一閣藏有明文案的清代鈔本四種，其中僅有浙圖一種爲二百十七卷全本，其他三種都是殘鈔本。現著錄于下：

(1) 台灣國立中央圖書館藏鈔本二百十六卷，四十六册。按此本原藏北平圖書館，民國二十二年（一九三三年）隨館藏善本書南遷至上海租界倉庫。後因抗日戰爭爆發，上海淪陷，遂於一九四二年運往美國。一九五五年秋又由美運返臺灣，現存中央圖書館。該館編印之國立北平圖書館善本書目著錄云：「明文案二百十六卷。明黃宗羲編。舊鈔本，四十六册。」並註明了美國國會圖書館和日本東洋文庫拍攝的該書縮微膠捲編號。可惜筆者未能親見此書。但已故學者王重民先生曾見此書，其所著中國善本書提要（上海古籍出版社一九八三年出版）集部總集類著錄云：

明文案二百一十六卷，四十六册，北圖鈔本（十二行、二十四字）。清黃宗羲輯。考宗羲輯是書始於康熙七年，至十四年七月成書二百一十六卷（光按：此說有誤，應爲二百一十七卷。下文考證多誤，故從略。）……卷內錢謙益文皆抽燬……卷內有「李印士棻」、「芋仙」、「忠州李芋仙隨身書卷」等印記。自序兩篇。

光按：李士棻字芋仙，四川忠州人。其生卒年爲道光元年至光緒十一年（一八二一—一八八五）。據此可肯定，該本爲道光以前鈔本，很可能原本鈔成於康熙時代而後經人抽燬若干卷篇，故今存卷數、册數與別本不合。

(2) 浙江圖書館善本室藏吳興劉氏嘉業堂原藏清鈔本二百十七卷。按此書共有五十册，館藏目錄原分兩部著錄，後已由該館工作人員改正，並在中國古籍善本書目（油印徵求意見稿）作了正確著錄，而合爲一部。其鈔錄年代，似已在乾隆以後。

(3) 浙江圖書館善本室藏清鈔本七卷七册，存卷十七、十八、二十二、二十三、二十四、四十一、四十五，共存文四百餘篇。此本各册首頁均鈐有「浙江盧氏寶鳳樓藏書印」白文方印，用清初藍絲欄竹紙鈔寫，當係康熙或雍正年間鈔本。另有明文案存目一册，錄存卷三至四十八各卷篇目，與七卷殘本版式字迹不一，蓋係藏家所錄。館藏善本書目及中國古籍善本書目徵求意見稿均著錄七卷鈔本爲「稿本」，顯係誤斷。

(4) 寧波天一閣藏康熙間萬言原藏鈔本，存一百八十八卷，分裝四十三册。

此本第一册卷首無總目，無編者（黃宗羲）自序（其明文案序上、下兩篇見南雷文案卷一，又見文定、文約及明文授讀卷首）。各分册卷首則有卷篇目錄。所存之卷爲：卷一至十賦，卷十一至三十二奏疏；卷三十三至三十七碑、頌、議；卷四十二至四十六論；卷四十七至六十九書；卷七十至八十六傳；卷八十七至一百十墓文；卷一百十一至一百十四哀文；卷一百十九至一百三十一記，卷一百三十六至一百四十四記；卷一百四十五至一百四十七序，卷一百五十一至一百九十六序，卷一百九十七至二百三古文。所缺者爲卷三十八至四十一（第七册）、卷一百十五至一百十八（第二十六册）、卷一百三十二至一百三十五（第三十册）、卷一百四十八至一百五十（第三十四册）、卷二百四至二百七（第四十八册）。

鈔本各册除鈐天一閣文物保管所藏書印外，尚有八種藏書印記：屬於萬言之印三方，即「吾存寧可食吾肉，吾亡寧可發吾槨，子子孫孫永無鬻，熟此自可供饘粥」白文長文印一方、

「萬言」及「管邨」白文方印各一方；屬於葉元堦之印二方，即「赤堇山人」朱文方印和「慈水葉氏退一居珍藏」白文長方印各一方；屬於朱鼎煦之印三方，即「別宥齋」、「萬黃齋」朱文方印各一方、「蕭山朱鼎煦收藏書籍」朱文長方印一方。（按：萬言字貞一，號管邨，浙江鄞縣人，為梨洲高弟之一，康熙十四年貢士，十九年入明史館，二十七年出知五河，四十四年卒。「赤堇山人」卽葉元堦，字心水，嘉、道時浙江慈溪人，其藏書樓名「退一居」。朱鼎煦，字酇卿，浙江蕭山人，民國時期曾任律師，為浙江現代著名藏書家。其藏書樓名「別宥齋」，藏書達十餘萬卷，尤多明清間浙江文獻秘籍。卒後，其藏書全歸天一閣。）由上述藏書印記可知，天一閣所藏明文案，得之於朱氏別宥齋。朱氏藏本來自葉氏退一居，葉氏藏本則來自萬言藏書。故此本可稱爲萬言藏本。

那麼，萬言藏本究竟是明文案的稿本還是鈔本？從朱鼎煦、馬廉直至現在天一閣工作的駱兆平，在其所撰序跋或考證文章中都斷定爲稿本。玆將其主要論點、論據摘錄如後，並略作辨僞析疑：

馬廉（字隅卿，曾任北平大學教授）爲朱氏藏本所撰明文案稿本跋云：

吾友朱酇卿鼎煦於去年自慈溪購得葉氏先人赤堇山人舊書大宗，而明文案稿本在焉。全書分訂四十八册，內缺第七、第二十六、第三十、第三十四、第四十八共五册。聞葉氏今尚存二册，為竊後檢出者……。

光按：馬氏跋文不止於此。筆者於一九八四年十一月至天一閣借閱明文案時曾瀏覽一遍，但管理人員駱兆平居爲奇貨，不肯借鈔，今祇能據駱氏所撰明文案明文海稿本述略（載文獻一九八七年第二期）轉引，以下所錄朱鼎煦言論亦轉引自駱文，不另說明。此處所引馬廉跋文說明：朱氏藏本得自葉元堦之後人，其所稱存佚册數亦與天一閣藏本實物相符。所謂「聞葉氏今尚存二册，爲鬻後檢出者」乃指其中第三十四、四十八兩册，這兩册被檢出後也轉歸朱鼎煦。一九三六年十一月，當浙江省教育廳與浙江省圖書館主辦「浙江省文獻展覽會」時，朱氏將這兩册送交展覽。故浙江圖書館編印的文瀾學報第二卷第三、四期合刊（即浙江省文獻展覽會專號）在鄉賢遺書稿本補遺總集類著錄云：

> 明文案二〇七卷。陳列二册。稿本。明餘姚黃宗羲輯。蕭山朱氏別宥齋藏。此書選輯於康熙乙卯年以前，都二百七卷（四庫提要訛作二百卷）。後得崑山徐氏傳是樓藏明人文集，乃更擴之為明文海四百八十二卷，並以卷帙繁重未刊，惟文海著錄入四庫。此書國立北平圖書館有鈔本，首冠自序二篇。此為先生手稿本，有用藍格紙鈔，有用無格紙鈔，亦有刻本原書剪貼者。茲所送陳者為第三十四册序及第四十八册古文。間有朱筆圈點及眉批，聞均係梨洲手澤。第二十五卷首　有「我存寧可食我肉，我亡寧可發我槨，子子孫孫永無鬻，熟此自可供饘粥」白文長方印，及「萬言」、「管邨」白文、「赤堇山人」朱文等印。附馬隅卿手寫明文案目錄二册。

駱氏明文案明文海稿本述略云：

幸喜明文案和明文海的殘稿如今均珍藏在天一閣里。……明文案稿本現存一百八十八卷……共四十三册……今得此存稿，真乃文獻之大幸。……存稿每册首列卷目，目錄所編卷次與各卷首頁所記卷次不盡相同。毛裝，多用清初藍絲欄竹紙書寫……全書鈔者不一，由助手們代勞。書中第二十、二十二、二十九、三十七、三十九諸册有刻本裝入，如羅圭峰、歸熙甫、王遵岩之文往往拆用羅圭峯文集、歸先生文集、遵岩先生文集原刻本，總計插入一百四十一頁。此乃選輯時為省去謄錄校對工夫而採取的辦法，也是原稿本所特有的迹象。

從藏書印鑒中，我們還可以知道此稿的流傳端緒。每册開卷首頁鈐有三印，上為白文長方印：「吾存寧可食吾肉，吾亡寧可發吾椁（當作槨），子子孫孫永無鬻，熟此直（當作自）可供饘粥」，中偏下為白文方印「萬言字貞一」，下為朱文方印：「赤堇山人」。前二印為鄞縣萬氏藏書之印，貞一號管邨，少有文名，隨諸父斯大、斯同求學於黃宗羲，為宗羲所稱賞。……後一印為慈溪葉氏藏書之印，赤堇山人葉元堦，字心水，一字仲蘭，嘉、道時人，其藏書處稱退一居，故本書第六册至十二册又有「慈水葉氏退一居珍藏」白文長方印。一九三二年，葉氏書散，為蕭山朱氏『別宥齋』所得。……別宥齋藏書於一九七九年八月全部贈送給天一閣。

書上有朱筆批語，如卷三十黃道周：『崇禎十一年七月初五日召對』一文，眉批曰：『嗣昌敢于面謾如此，皇上卽可欺，兩傍諸臣不可欺也；兩傍諸臣可欺，天下後世必不可欺也。』『衣冠之盜卽嗣昌也，皇上豈知之哉。』前北京大學馬廉教授曾疑為此萬貞一手筆，以為批者率性之鯁直，已流露于字里行間，指斥嗣昌一端，亦與鄭志恰合。」後偶閱明文授讀，知黃宗羲對明文有過批語，更想到『是則此等批語皆為梨洲所自評者也。』（馬廉：明文案稿本跋）別宥齋主人以為批語手迹與黃宗羲致鄭禹門尺牘如出一手（朱鼎煦明文案目錄跋）。今細閱卷五十四王廷相與郭價夫學士論詩書一文，有眉批二十九字：『作詩之法非不詳備，然終是揣摩得之，不如宋景濂所謂五美者語語見血。』內容與明文海黃宗羲所批完全一樣，然而書法不及明文海樸茂，是否早年所書，抑或後人過錄？因少確證，不敢論定。

駱氏述略還有一些內容，如介紹內文塗抹圈點等，因他也認爲係謄錄者或藏書者所爲，故不必一一錄出。

由上錄文瀾學報明文案稿本題識、馬廉明文案稿本跋、朱鼎煦明文案目錄跋、駱兆平明文案明文海稿本述略可知，他們都是將先由萬言收藏，後轉歸葉元堦、朱鼎煦，現歸天一閣的明文案殘本判斷爲稿本的。其理由綜合起來主要是兩點：第一，「存稿」中有拆用明人文集刻本插入本書，以「省去謄錄校對工夫」，此乃「原稿本特有的迹象」；第二，書中朱筆批語似乎出於宗羲之手。其實，這兩點理由都是經不起推敲的，現分別批駁之：

第一，關於書中插入明人文集原刻本散頁問題，並不一定「爲原稿本所特有」。試想，明文案爲二百餘卷巨著，鈔錄頗費時間和精力，如果鈔錄者手頭亦藏有原稿所收文集之刻本，爲什麼不可以效法原書，拆散自存原刻本插入鈔本，以省謄鈔之力呢？況且，此鈔本係萬言家藏本，當黃宗羲編輯明文案時（康熙七年至十四年），也是萬氏父子萬斯大、斯同、萬言經常問學於宗羲的時期，他們不但了解宗羲編輯明文案的情況，而且深知明文案的史料價值，因此很自然地希望擁有一部明文案。但宗羲編成明文案後，還準備繼續搜集明文，他不可能將唯一的稿本交給萬氏，而祇能允許其謄錄副本，于是萬氏就據稿本鈔錄了一個副本。在鈔錄過程中，或由於卷帙繁重，或由於時間緊迫，萬氏很可能將家藏明人文集（萬氏家族是當時寧波富戶之一，藏書極富）原刻本拆散插入鈔本，以省時省力。於是便有了現在這個萬言藏鈔本。因此，拆用刻本插入鈔本的現象也是完全可能的，並不能視作唯有稿本特有的現象。

第二，關於原本朱筆批語是否出於梨洲之手的問題，文瀾學報的明文案稿本題識祇是說：「朱筆圈點及眉批，聞均係梨洲手澤」，並未作絕對肯定。當「聞」之於朱氏或馬氏。而馬氏本疑批語出于萬言手筆，後閱明文授讀，知宗羲對明文有批語，才以爲明文案「此等評語皆爲梨洲所自評」，但他並不能確證，之所以定爲稿本，實際上也是依從了朱鼎煦之說。而朱氏的「稿本」結論，據駱文所說祇是「以爲批語手迹與黃宗羲致鄭禹門尺牘如出一手」，仍非確證。而駱氏稿本述略閃爍其詞，以文案卷五十五王廷相文的眉批「內容」與明文海卷一百六十之黃宗羲批語「完全一樣」作爲「證據」，但接着又承認明文案的眉批「書法不及明文海樸茂，是否早年所書，抑或後人過錄，因少確證，不敢論定」，於是，駱氏實際上一條可資證明明文案爲稿本的證據也沒有。既然說「因少確證，不敢論定」，那麼又何以要寫「稿本述略」？又爲何要說「得此存稿，眞乃文獻之大幸」、處處聲稱天一閣藏本是「原稿本」呢？豈不是無的放矢！

實際上，駱氏祇是在故意歪曲事實，混淆視聽而已！事實是：

(1) 一九八四年十一月，當我們在寧波舉行首次「黃宗羲與浙東學派學術討論會」時，我已在大會報告中宣布搜集到了黃宗羲的兩種手稿：一是得自于上海圖書館的南雷雜著稿眞蹟，一是民國間海塩吳修影印的昭代明人尺牘所載黃宗羲與敉寧老姪書手稿眞蹟。會議期間，我陪馮契、沈善洪教授等到天一閣參觀明文海、明文案的「稿本」時，我將二書與眞蹟照片、影印件仔細對照，當場判定明文海殘卷是稿本，因爲其殘卷目錄及朱筆批語與南雷雜著稿眞蹟完全一樣。而判定明文案殘本決非稿本，因爲無論是目錄，眉批或內文都與南雷雜著稿、吳修影印眞蹟及明文海目錄及批語眞蹟相差很大，沒有一個字能證明出于黃宗羲手蹟，駱兆平當時在場，並未提出異議。事後，我又將我搜集的手蹟照片萬里尋兄記及與敉寧老姪書影印件贈送駱兆平（有方祖猷等在場），希望他能放棄明文案稿本說。不知駱氏爲什麼還要堅持謬說而作稿本述略。既然要堅持「稿本」說，爲什麼不敢拍一張明文案眉批的照片提供讀者鑑定呢？

(2) 天一閣除藏有明文海稿本殘卷外，還藏有一份黃宗羲致鄭禹梅書函的手蹟復印件，我在一九八五年五月到天一閣訪書時，該館邱館長曾向我出示。駱氏完全可將此手蹟及明文海稿本手蹟與明文案眉批對照以作鑒定，爲什麼還要說缺少確證呢？

(3) 一九八六年十月在寧波舉行「國際黃宗羲學術討論會」時，我在會上向大家展示了南雷雜著稿眞蹟影印件（此稿已由浙江古籍出版社于一九八七年五月影印出版），寧波師範學院中文系也拍攝了一部包括其手蹟照片的圖片集，駱兆平都是見到了的，其南雷雜著稿眞蹟，既有宗羲早年手稿，也有晚年手稿，爲什麼駱氏不去對照一下，而仍然在一九八七年四月出版的文章中大談明文案稿本述略呢？這種治學態度是否嚴肅？

(4) 再從今存明文授讀康熙三十八年刻本所載黃百家明文授讀序及明文授讀發凡看：其序云「此本（指明文案）頗爲海內傳鈔」，則梨洲高弟萬言完全可能鈔錄一本。又云：「逮後，先夫子究以有明作者如林，歉於未盡，親至玉峯搜假司寇健庵先生傳是樓明集，得文案以外所未有者，又如我家藏之數汗數牛而歸，綴以紅楮，第其甲乙，復還玉峯；宮詹果亭先生命諸佐史，繭指錄出，親正豕魚，以寄先夫子；於是復合文案而廣之，又有明文海之選，爲卷凡四百八十，爲本百有二十，而後明文始備。」這段話，正說明了明文案稿本的下落及明文海稿本的來歷。就是說，由黃宗羲編輯的明文海稿本，乃是合明文案原稿本和從傳是樓搜輯而由徐秉義請人代鈔之本爲一部書。則後世除有獨立的明文案鈔本和明文海稿本之外，焉得有獨立於明文海稿本之外的明文案稿本？既然明文案稿本已不再獨立，又那裏來的萬言家藏「稿本」？

百家序又云：「既而山陽戴子唯一、戴子西洮屢以書來，索刻授讀，不孝遲遲未應。……萬子貞一曰：『……合有明數千家之集而成文海，平情而談，舍夫子而外，孰有緣再能聚數千家之集於一家，而又得勤力鉅眼如夫子者而爲之遴拔乎？……子如不亟圖所以刻而傳之，脫有不虞，子之罪大矣！子其可無先刻授讀以爲刻文海地乎？』不孝瞿然曰：『是則然矣！獨是長淮隔此數千里，而是書爲先夫子手澤原本，別無副貳，可奈何？』有斯曰：『爾不敢以夫子之書輕遠出，我去子居若此其近，而我兄弟亦嘗及夫子之門，爲任刻之何如？』不孝拜手曰：『固所願也。』於是遂徹讀禮之功，另銓一目，並搜先夫子所書各集評語，掇載篇後，間附註以不孝私記，以爲讀書知人之助云。」以上引文說明：第一，萬言是深知明文案、明文海之價値的，他勸黃百家刻明文授讀時，明文海稿本在百家手里；第二，黃百家對明文海原稿極其珍視，輕易不敢出手；第三，明文海原稿僅此一本，別無副貳，也非在文海稿本外另有文案稿本；第四，明文授讀也非另有稿本，而由宗羲圈定篇目，由百家鈔出書目、由張錫琨、錫芹兄弟根據文海稿本及百家所定目錄刊刻成書的。正如百家明文授讀發凡所云：「明文授讀，先遺獻於文案、文海中更拔其尤，加硃圈於題上，以授不孝所讀者」。因此，我們可以肯定，明文案、明文海、明文授讀，雖爲三書，而其稿本則祇有一種，即合明文案稿本和傳是樓選鈔本而成的明文海。天一閣所藏的明文案，祇是萬氏鈔本而已，絕非什麼稿本。

## 【三】明文案卷數考

關於明文案的卷數，各家著錄不一，有謂二百七卷者，（黃宗羲明文案序上），有謂二百十七卷者（黃百家明文授讀序及先遺獻梨洲府君行略），也有謂二百卷者（四庫全書總目明文海提要），或謂二百十六卷者（王重民中國善本書提要），則原本究竟多少卷？不免使人存疑。

我認爲，黃宗羲所編明文案之原稿本應爲二百七卷，這可證之於本人著錄，亦可證之於萬言家藏鈔本：

宗羲明文案序上云：「某自戊申以來，即爲明文之選，中間作輟不一，然於諸家文集蒐擇亦已過半。至乙卯七月，文案成，得二百七卷。」按此序原稿今雖不存，但該序分別刊於南雷文案卷一、文定前集卷一、文約卷四和明文授讀卷首，而且現存各種原刻、重刻本都云「二百七卷」。文案、文定皆由宗羲手自删定，文約乃由梨洲弟子鄭性核對原稿而後刊刻者，而明文授讀則由黃百家編輯、張錫琨兄弟刊刻，其所刻宗羲自序不會有誤漏。而且該序寫作時間署明「乙卯」，即文案成書時作，因而不會有記憶之誤。這都證明明文案原稿確爲二百七卷。

再者，今天一閣所藏萬言藏鈔本所附馬廉跋文，云「全書分訂四十八册，內缺第七、第二十六、第三十、第三十四、第四十八共五册。聞葉氏今尙存二册，爲鬻後檢出者。」核對實物，此本實存四十三册，末册爲第四十七册，錄卷第二百一至二百三，計三卷。上述所缺五册每册所缺卷數三至四卷不等。按四十七册存二百三卷計，則每册平均四卷多，實際情況必是每册少則三卷，多則五卷。故該本終册第四十八册應爲存錄第二百四至二百七卷。按馬氏跋文又可由文瀾學報二卷三、四期合刊所載之明文案稿本題識得到確證，題識云：「明文案二〇七卷。陳列二册。……蕭山朱氏別有齋藏。……茲所送陳者爲第三十四册序及第四十八册古文。……附馬隅卿手寫明文案目錄二册。」按此題識係由當時主持文獻展覽會的浙江圖書館館長陳訓慈先生（字叔諒，慈溪人，平生頗注意浙東文獻及梨洲遺著之搜集，其對浙東史學研究成果早為海內外學者重視，今年近九十，仍畢力著述，與筆者為忘年交。）主編，所云三十四、四十八兩册即馬氏跋文所云原缺五册之二，而由葉氏鬻後檢出又歸朱氏並由朱氏提交文獻展覽會陳列者，今此兩册雖不知失落何處（據文瀾學報第三卷一期首頁浙江文獻展覽會專號展期出版啓事云「會後，原物久已發還」，則此兩册仍歸朱氏別宥齋。朱氏書既歸天一閣，此兩册亦當同歸，恐因朱氏藏書衆多，天一閣尚未檢出耳？），但陳叔諒先生當日不但見到它們，而且還見到其他四十三册，其題識雖誤判爲稿本，但所說明文案二百七卷等是符合事實的。由萬氏鈔本所存册數、卷數，可以推斷明文案原稿本確如宗羲自序所云是二百七卷，而分裝爲四十八册，而且原本是沒有總目錄的。

然而，黃百家明文授讀序却云梨洲自戊申至乙卯歲「成明文案二百一十七卷」，其梨洲府君行略亦云「明文案二百一十七卷」。考行略寫成於梨洲死後不久，即在康熙三十四、五年間，而明文授讀序寫成於康熙三十七年，距明文海編定之年（康熙三十二年）時間不久，不會出現記憶之誤。且百家親自參與了文案、文海、授讀之編輯整理，宗羲明文案序和百家明文授讀序又同時刊登於明文授讀卷首，却一曰二百七卷，一曰二百一十七卷，該作何解釋呢？我認爲唯一可能的情況是：宗羲所編原稿是二百七卷（分裝四十八册），後經百家增補爲二百十七卷（分裝五十册），這增補部分的內容當不包括宗羲從徐氏傳是樓明人文集選錄的部分，而是黃氏家藏明人文集中未經宗羲選輯的部分，大概增補了十卷，分裝兩册。故後之明文案鈔本遂有二百十七卷五十册之數。

此外，四庫總目明文海提要之所以著錄明文案二百卷，乃因浙江進呈之沈氏鈔本僅二百卷（見前引浙江採集遺書總錄），並非一個完本。而王重民中國善本書提要及台灣編印的國立北平圖書館善本書目著錄的明文案二百一十六卷、四十六册之數，蓋亦非完本，或者是著錄者沒有核對內文而致卷數記載有誤？筆者未見原書，不敢妄斷。

總之，我的結論是：明文案的原稿本卷數當爲二百七卷，其後經百家增補爲二百十七卷。明文案的稿本，已與傳是樓選錄本合併而爲明文海稿本，後世流傳的明文案都是鈔本而非稿本。

# 廿八 明文海考

黃宗羲於康熙十四年編成明文案二百零七卷以後，又繼續四出訪書、鈔書，搜集明人文集，終於在康熙三十二年（一六九三）八十四歲高齡時，在明文案基礎上擴編而成明文海四百八十二卷。書成以後，他曾對兒子百家說：「非此不足成一代之書。」（黃百家明文授讀序。）可見他對此書文獻價值的重視。

四庫全書總目集部總集類評論明文海之得失云：

明代文章，自何、李盛行，天下相率為沿襲剽竊之學。逮嘉、隆以後，其弊益甚。宗羲之意，在於掃除摹擬，空所依傍，以情至為宗。又欲使一代典章人物俱藉以考見大凡。故雖遊戲小說家言，亦為兼收並採，不免失之泛濫。然其蒐羅極富，所閱明人文集，幾至二千餘家。如桑悅北都、南都二賦，朱彝尊著日下舊聞，搜討未見，而宗羲得之以冠茲選。其他散失零落，賴此以傳者尚復不少。亦可謂一代文章之淵藪。考明人著作者，必當以是編為極備矣！

這段話對於宗羲選文宗旨及其得失之評論是大體恰當的，而對其搜討之廣，閱覽之博以及該書文獻價值的高度評價，也說明提要的作者慧眼獨具。根據現存明文海殘稿和幾種鈔本可以確認；此書是由黃宗羲親自編定目錄，由其門人子姪鈔錄剪輯的。宗羲在搜集資料和編選過程中，在明人文集原書及入選篇目上寫了許多評語和批註。這類評註的內容，或簡記明文作者之生平事迹，或評論其文章得失優劣，或評論其爲學功力之淺深，都是隨文批評，而由黃百家移錄至各篇末尾。移錄時，百家又從其他梨洲著作如思舊錄、明儒學案、南雷文定等書選錄了不少評語，並作補註。

由于卷帙浩繁，明文海一直未能刊印。其殘稿本原歸近代藏書家蕭山別宥齋主人朱鼎煦（字酇卿），現存寧波天一閣，存卷二十六，即卷十九至二十二、三十八至四十二、五十一至五十四、一百十四至一百十八、一百二十二至一百二十六、一百六十至一百六十二，凡六本；存文二百零三篇（其中賦七十、奏疏十六、辨三十八、頌八、贊十六、銘十七、箴四、戒四、書三十篇）。殘稿本各卷目錄均係宗羲親筆；篇內部分宗羲評語批註，用硃筆隨文寫在各頁眉批處或文末，也有一些百家追記的宗羲評語，冠以「先夫子曰」以與宗羲原評區別，並有「百家私記」、「私記」之類的補註，出自百家手筆。在卷五十一張孚敬正典禮疏內有一眉批云：「批語低兩字，雙行，後凡遇『百家私記』依此。」顯然，「先夫子曰」、「百家私記」一類宗羲評語和百家補註，是黃宗羲逝世後補記的，說明黃百家在明文海粗定後又作了比較系統的整理工作（浙圖藏鈔本中的「先夫子曰」評語和「百家私記」補註總條數大大超過宗羲原評的事實，也證明這一點），而「低兩字……依此」一類夾批，則是百家爲了請人謄清而作的指令。

除殘稿本外，現存明文海還有幾種鈔本，如浙江圖書館善本室藏舊鈔本（簡稱浙圖鈔本）、四庫全書寫本和北京圖書館藏涵芬樓原藏鈔本（簡稱北圖鈔本）。現對上述鈔本略作考述：

(1) 浙圖鈔本。此本無原藏家印鑑，無題跋。然紙質陳舊且不諱玄字，可以肯定是康熙時代鈔本。而且，據我分析，它就是明文海稿本的謄清本——續鈔堂鈔本。這從嘉慶二十二年餘姚諸如綬所編明文海目錄（原爲五桂樓藏本，現目錄原稿藏餘姚梨洲文獻館，鈔本藏浙江圖書館）及其序言可以證明。諸氏序曰：

吾鄉黃梨洲先生所選明文海，其門分二十有七，曰賦、曰奏、曰疏、曰詔表、曰議、曰論、曰說、曰辨、曰考、曰頌、曰贊、曰銘、曰箴、曰戒、曰解、曰原、曰述、曰讀、曰問答、曰文、曰書、曰序、曰記、曰傳、曰墓文、曰哀文、曰稗，爲卷四百八十有二。門之中又各分其類，故未免太雜，疑百家先生所間次者。然有明文章之盛，薈萃是編，足稱大觀焉。向無刊本，今黃氏續鈔堂所藏鈔本無總目，且首篇南都賦缺數葉，墓文缺四百六十一至六十四共四卷，末卷稗說缺數篇，其間間多魯魚亥豕之誤，必得補殘讐校，方成完璧。余友黃子石泉生平無他嗜好，惟於古今書籍視若性命，然所得既富，別作五桂樓藏之。歲丁丑，余自金陵歸至四明，一登其樓，見列大廚二十，分貯經、史、子、集，其不惜資而手鈔購得者已積數千百卷，並謂余：「欲得明文海一書，以備一代之文。」余謂卷帙浩繁，未能猝就。遂從黃氏錄其各門篇目，釐為四卷，貽我石泉，度之樓中，使因其目以求各家全集，亦觀海一勺之道云爾。嘉慶二十二年丁丑七月，蘭溪諸如綬識。

首先應當指出，諸氏序言所謂「其門分二十有七」的說法是不確的，且與其自鈔目錄不符。之所以出現這一誤記，是因爲序言分奏疏爲二門，而漏鈔了碑、諸體文二門。而在諸氏目錄中是分爲二十八門的，即賦、奏疏、詔表、碑、議、論、說、辨、考、頌、贊、銘、箴、戒、解、原、述、讀、問答、文、諸體文、書、序、記、傳、墓文、哀文、稗、與浙圖鈔本分門完全一致。

其次，諸氏序言中明確說明其目錄是從黃氏續鈔堂鈔本鈔錄並「釐爲四卷」的。他所說「首篇南都賦缺數葉，墓文缺四百六十至六十四共四卷，末卷稗說缺數篇」的情況，與浙圖藏鈔本所缺卷、篇、葉的情況也相符合。光按：浙圖鈔本首篇南都賦約缺五葉，墓文缺「忠義」類四卷十八篇，即：卷四百六十一，墓文三十三，忠義一：孫炎墓銘宋濂；王珪死事本末劉楚；崇德李君墓誌銘舒芬；孫沙卿墓表崔銑；詹君墓表張岳；卷四百六十二，墓文三十四，忠義二：楊椒山墓銘徐階；霍上蔡墓表高叔嗣；沈東墓銘張元汴；沈青霞墓誌銘王世貞；卷四百六十三，墓文三十五，忠義三：周蹟山墓誌銘王愼中；張毅齋墓誌銘王愼中；王東華墓誌銘羅洪先；何孟循墓誌銘羅洪先；陝西富平縣知縣定五王公墓誌銘張同德；徐太史行狀 陳子龍；卷四百六十四，墓文三十六，忠義四：黃忠端公神道碑銘 文震孟；贈太子少保都察院右副都御史浮丘左公行狀 倪元璐；黃子澄先生墓田疏文 宋懋澄。諸氏目錄末二卷篇目及缺文與浙圖鈔本末二卷存目、缺文相同，即缺文十一篇，其中卷四百八十一缺三篇，卷四百八十二缺八篇，詳見下文。

據上可知，今浙圖所藏鈔本即康熙間黃氏續鈔堂藏本。它是明文海的第一個鈔本，而且是存文最多、最齊全的本子。

(2)四庫全書寫本。此本原係兩淮塩政採進本，但已經四庫全書編者作了較多刪削（比續鈔堂本少一百七十三篇），某些忌諱文字也被刪改了。原書黃宗羲評註、黃百家補註幾乎全部刪除，只是偶而保存了一兩條（如卷四百八十張維樞靜觀軒瑣言篇末存「弇州史筆，多出自私心……豈可令之作史」一條）。此本現有文淵閣、文津閣、文瀾閣鈔本，無總目，無題跋，著錄四百八十二卷，實存四百八十卷。但其卷四百八十所錄張維樞靜觀軒瑣言二篇、祁承㸁書萬元彥數一篇，本屬第四百八十一卷（參考浙圖鈔本可知），但被鈔者併入上卷了。四庫全書明文海提要所論該書得失，雖然大體得當，但也有某些失察之處。例如：

甲、提要謂宗羲「嘗選明文案二百卷」，誤。據黃百家明文授讀序（張錫琨味芹堂刻本）、梨洲府君行略（載南雷文定五集附錄）著錄，明文案實爲二百十七卷。現有北京圖書館、浙江圖書館藏鈔本實物可證；

乙、提要謂：「考閻若璩潛邱劄記，辨此書體例，謂必非黃先生所編，乃其子主一所爲。

若璩嘗游宗羲之門，其說當爲可據。」但閻氏一生，實未嘗見到宗羲，其所謂「游宗羲之門」者，祇是其友人戴曾、戴晟兄弟向閻氏傳語，云梨洲許其列于門牆❶。既如此，則若璩之說不過是揣測，實不足爲據也。

丙、提要又謂：「四百八十一及八十二卷，內文十二篇有錄無書，無可核補，今亦並存之云。」這是未見原稿及續鈔堂本之故。今續鈔堂本末二卷存十五篇，其卷四百八十一前四篇尚存（四庫本將其鈔入於卷四百八十。）其餘十一篇有目無文。其十五篇篇目爲：

卷四百八十一稗三：靜觀軒瑣言 張維樞；萬元彥數 祁承業；崖雞 趙統（以上四篇有文）；柳經 蔣德璟；珠經 蔣德璟；漫錄 許自昌（以上三篇無文）；

卷四百八十二稗四：李福建 宋懋澄；陶眞人（闕名）；俠客（闕名）；分宜（闕名）；海忠介（闕名）；徐文貞（闕名）；隨筆 楊鏘；徐芳雜記（以上八篇皆無文）。

據上可知，明文海末二卷實缺文十一篇，提要謂缺十二篇，恐係誤記。而四庫本及以後諸鈔本第四百八十卷實際上已包括了第四百八十一卷的前四篇了。對此，前人往往根據四庫提要而生出誤解。

四庫本所收文章篇數及部分文章歸類、卷次、署名等，與續鈔堂本互有異同，其中不少地方可據以糾正舊本錯誤，因其繁瑣，茲不一一細述。

(3) 北京圖書館善本部藏原上海涵芬樓原藏清鈔本。此書著錄四百八十二卷、目錄三卷，實存四百八十卷（末二卷無文），目錄三卷。卷首有四庫全書總目明文海提要，且避乾隆帝名

「弘曆」諱。鈔寫格式同四庫本，每頁九行，行二十一字，白口，四周雙邊。文字精美，然非一人手筆。鈔寫年代當在乾隆時期。但該書比四庫本多出十四篇文章，而比續鈔堂本少收一百七十一篇，則其所據底本當另有來源，恐非四庫全書本。近年，中華書局以此本爲底本影印五册，並據浙圖藏鈔本及四庫全書文津閣本補齊該本所缺之文，又編目錄及人名索引一册配套出版，頗便讀者研究。但其底本並非最佳鈔本，特別是缺少黃宗羲評註及黃百家補註，且其補遺部分各篇卷次鈔錄不全，字迹亦多模糊不清，未免遺憾。

除上述稿本、鈔本、影印本以外，還有另外兩種鈔本，一是上海圖書館善本部藏清鈔本，著錄四百八十二卷，實存卷篇不詳；二是湖南省圖書館藏清顧沅藝海樓鈔本，著錄四百八十二卷，實存十四卷（卷一百三十三至三十七，一百六十至六十八）。因筆者未見原書，不敢妄論其優劣。

---

❶ 張穆編閻潛邱先生年譜「康熙三十四年乙亥六十歲」條引閻氏南雷黃氏哀詞序云：「康熙乙亥秋九月甲戌望，日方晡，叩門聲甚急，啓視，乃吾梨洲黃先生凶問也。不覺失聲。越明日乙亥，晨興，走哭於城南戴氏。蓋余聞先生名也久，而知先生愛慕我，肯爲我序所著書，許納我門牆，實自戴氏兄弟曾、晟始。……且召及門顧子諟、楊子開沅。會哭。俄而二子至，先生位向南。余號慟曰：『已矣！吾不獲親及先生之門矣。奈何！』……」。此足證閻若璩未曾面謁黃宗羲。

在明文海殘稿本及續鈔堂鈔本中，保存了許多條黃宗羲對明文、明人的評語和批註，它們不但有助於明史的研究，而且對研究黃宗羲本人的思想具有重要價值。這些評語，有的是宗羲親筆（見稿本），而大多是由黃百家過錄的宗羲原評，或是百家補記的宗羲評語。除去黃百家從宗羲思舊錄、明儒學案、南雷文定等通行著作中移錄者不計，尚有一百八十一條。筆者已據浙圖藏本一一輯出，編爲明文海評語彙輯一卷，編入黃宗羲全集第十一册（即南雷詩文集下册）之南雷文補遺部分。

# 廿九　明文授讀考

黃宗羲編定明文案、明文海以後，又從明文海中精選明文數百篇以授兒子百家攻讀，是即明文授讀，凡六十二卷。此書原本已佚，也未見鈔本傳世，僅有康熙三十八年（一六九九年）鄞縣張錫琨味芹堂刻本一種，北京圖書館、中國科學院圖書館、上海圖書館、寧波天一閣等均有藏本。

刻本卷首依次有徐秉義序、靳治荊序、黃百家序（以上三序寫於康熙三十七年戊寅歲）、黃宗羲明文案原序上、下二篇、張錫琨序（寫於康熙三十八年己卯歲），然後是明文授讀目錄、明文授讀發凡。

關於明文授讀編選緣起及其價值，徐秉義序曰：

黃梨洲先生……增益文案而成文海……顧其緗帙浩繁，為卷幾至五百，今嗣主一嘗私請於先生，更掄剔其最者，秘之枕中，是名授讀。蓋文海所以存一代之文，授讀所以為傳家之學。

黃百家序曰：

明文海之選，為卷凡四百八十，為本百有二十，而後明文始備。先夫子嘗謂不孝曰：「唐文苑英華百本，有明作者軼於有唐，非此不足存一代之書。顧讀本不須如許，我為擇其尤者若干篇，授汝讀之。」於是更有授讀一書。

又黃百家明文授讀發凡曰：

明文授讀，先遺獻於文案、文海中更拔其尤，加硃圈於題上，以授不孝所讀者。此係有明一代文章之精華。

由上可見，明文授讀一書，並非編成於宗羲之手，而是由宗羲從明文案、明文海中精選一部分文章，在原標題上加硃圈，然後由黃百家編輯成書的。

關於該書刊刻緣起，黃百家、張錫琨序中也作了明確交代：由於宗羲所編之明文案，爲其門人掩爲己有，改名行世，從而受到譴責。宗羲門人戴唯一（名曽）戴西洮（名晟）敦促百家刊刻授讀，百家始而未應，後在張錫琨、萬言勸說下終於同意交付張氏刻行。

關於該書體例及篇末評註，百家序稱其「搜先夫子所書各集評語掇載篇後，間附註以不孝私記，以爲讀書知人之助」。其發凡則記載更詳，曰：

> 選中篇數，序、記最多，其次則書與墓文……今遵文海例，如唐文粹於各體中條別門類，以便檢讀。但文海篇章大備，其分最細，此則稍區大略耳。
>
> 先遺獻遍閱有明文集，間有數行或數語偶記其爵里姓氏，及評其功力手筆者。今遇茲選所及，謹敢搜掇並載於篇，以為讀書知人之助。以非本篇原評，特加「先夫子曰」或「先夫子書某集」以別之。其有未經先遺獻所評及者，不孝或追憶先遺獻平日之緒論，或私有觸覈以補之，則附註「百家私記」於下。
>
> 先遺獻平日有嘗稱道其文而未見其集者，如歸元恭、顧寧人諸公不一二數，不孝耿耿在懷，多方購索，謹敢私登數篇，亦先意也。

由此可知：第一、明文授讀的編輯體例，大致遵從明文海之例分門別類，但有所調整；第二、各篇末所載宗羲評語，或輯自宗羲詳閱之明人文集原書，或採其平日之口頭講論，都是由百家搜集補錄的；第三、明文授讀中有少數入選文章，是由百家揣摩其父愛好而補選的。

需要說明的是，今刻本所載篇目及其分門別類，雖然大多遵照文海，但也略有增減；各門類文章排列次序，亦不盡與文海相同，如文海首列賦，次列奏疏，末卷爲稗，共計二十八門類，而授讀首列奏疏，次列表、論、議、原、考、辨、解、說、釋、頌、贊、箴、銘、疏、文、對、答、述、叢談、書、記、序、碑文、墓文、哀文、行狀、傳、賦、經，共計三十門類，省略了文海原有的戒、讀、問答、諸體文、稗等五門，增補了釋、疏、對、答、叢談、行狀、經等七門。

明文授讀收錄的黃宗義評語總數有二百三十餘條，比明文海評語要多，其中有一百七十五條爲明文海所無（其餘五十多條與文海重復）。筆者將這部分評語另輯爲明文授讀評語彙輯一卷，以補明文海評語彙輯之未備，現已編入黃宗羲全集第十一册（卽南雷詩文集下册）之南雷文補遺部分。它們對於研究明代政治史、文學史以及研究黃宗羲本人的思想都有着參考價值。

# 三十 梨洲編選前人詩文集合考

如前所述，黃宗羲自抗清鬪爭失敗後，即畢力於著述。他以明朝遺民自居，以保存有明一代文獻爲己任，搜集和鈔錄了數千家明人文集和詩集，從而編成了大型文選總集——明文案和明文海。並撰著了學案體明代學術史——明儒學案。他又以總結明亡歷史教訓爲己任，除寫作了留書、明夷待訪錄一類學術專著外，還寫作了弘光實錄、行朝錄等南明史著作，並且有志於修定明史，但壯志未酬，而祇編輯了史料彙編性質的明史案未定稿二百四十四卷（今已亡佚。參見本書第十四節之行朝錄與明史案關係考）。

在整理明代文獻的同時，黃宗羲又做了大量有關宋、元兩代政治史、學術文化史的文獻整理以及浙東鄉邦文獻的整理工作。例如，與石門（今桐鄉）吳之振、呂留良等合編宋詩鈔，與門生子姪黃百家、楊開沅、顧諟等合撰宋元學案，還編（或著）了宋元文案、續宋文鑑、元文鈔、姚江逸詩、黃氏攟殘集、東浙文統、剡源文鈔等等。現將黃宗羲主編或參與編輯的宋、元、明人詩文集（或詩文選）列目說明如次：

**【一】明文案二百十七卷；**

【二】明文海四百八十二卷；

【三】明文授讀六十二卷；

【四】明史案二百四十四卷 今佚；

按：以上四種，分見本書第二十七、二十八、二十九、十四節考證，此不贅述。

【五】宋詩鈔 九十四卷

按：此書現存各種刊印本，或題「清呂留良吳之振吳爾堯編」、或題「國朝吳之振編」，皆未列黃宗羲爲編者。然宗羲實曾參與編輯，證據有二：

(1)吳之振所撰宋詩鈔初集凡例曰：「癸卯之夏，余叔姪與晚村讀書水生草堂，此選刻之始也。時甬東高旦中過晚村，姚江黃太沖亦因旦中來會，聯牀分檠，蒐討勘訂，諸公之功居多焉。數年以來，太沖聚徒越中，旦中修文天上，晚村雖相晨夕，而林壑之志深，著書之興淺。余兩人補掇較讎，勉完殘稿，思前後意致之不同，書成，展卷不禁慨然。」按癸卯歲即康熙二年（一六六三年）。「余叔姪」指吳之振（字孟舉）及其姪吳爾堯（字自牧）。序文明言黃宗羲當宋詩鈔「選刻之始」是參與了「蒐討勘訂」的。

(2)　黃炳垕撰黃梨洲先生年譜「康熙二年癸卯」條曰：「四月至語溪，館於呂氏梅花閣，……吳孟舉之振暨猶子自牧讀書水生草堂，與公聯牀分檠，共選宋詩鈔。」這證明宗羲確實參與了宋詩鈔的編選。當然，全書成編，主要應歸功於吳之振。故四庫全書總目提要祇曰「吳之振編」。

宋詩鈔的卷數，四庫全書本（據內府藏本鈔寫）分爲一百六卷。提要謂吳之振「蒐羅遺集，共得百家。……甫刊一帙，即摹印行世。所傳之本，往往多寡不同。此本有錄無書者，尚有劉弇……朱淑眞十六家。蓋剞劂未竣，故竟無完帙也。」但宋詩鈔初集原刻本是祇分集不分卷次的，所收之集，列目百家，一百十集，闕十六家十六集，實存八十四家、九十四集，故一般刊印本分爲九十四卷。黃宗羲僅僅參與了該書初選工作，且非主編，故本書祇著錄九十四卷。

**【六】　宋元集略若干卷；**

**【七】　宋元文案若干卷；**

黃宗羲南雷雜著稿與徐乾學書曰：「宋元集略尚未鈔完，然亦不過旬日，即當送上也。……弟初意欲分敍、記各體，以類編纂。既而思之，以爲不可。蓋集中文字亦未必皆佳，祇據一集存其大概，使其人不至湮沒。若類編之，則惡文盈目，反足爲累。又未見之集極多，後來見之，又難於插上，不若一人自爲一集，不論多少，隨見隨選，故名之曰宋集略、元集略。先生以為然否？弟架上亦有百餘集，亦一概鈔出，以請正也。」

按：宗羲這段話說明：所謂宋元集略，實際上是宋、元人文集的選錄本，按一人一集編排，類似宋詩鈔體例。宗羲還計劃將此書分為宋集略、元集略二種，並送徐乾學過目。據筆者考定，與徐乾學書寫作之年在康熙二十五年（參見本書第二十六節之⑼），則其選編宋元集略之年也在此前後。

又黃百家梨洲府君行略曰：「其未成（書）者，宋元儒學案、宋元文案，已有稿本，未經編輯。遺命不孝百家成之。」據此，則所謂宋元文案似乎是與宋元學案類似，屬於編著性質。但據我推測，宋元文案很可能是根據宗羲所鈔之宋元集略，稍加編輯整理而尚未定稿的一部文選彙編，其性質與明文案相似，而其體例則與宋詩鈔相近。亦有可能黃百家所著錄之宋元文案，與上述宗羲所謂宋元集略即同一部書。惜其書已佚，無從證定。

**【八】續宋文鑑若干卷；**

**【九】元文鈔若干卷；**

全祖望梨洲先生神道碑文云：梨洲晚年「於明文案外又輯續宋文鑑、元文鈔，以補呂、蘇二家之闕，尚未成編而卒」。

錢林文獻徵存錄卷二黃宗羲傳云：「其宋文鑑、元文鈔未成。」

黃炳垕黃梨洲先生年譜「康熙三十二年」條云：「公又有續宋文鑑、元文鈔，未梓。」

按：黃宗羲僅稱宋元集略而未提及宋元文案，黃百家提及宋元文案而未提續宋文鑑、元文鈔；全祖望、錢林、江藩、黃炳垕等僅著錄後二種而未提及前二種。之所以出現諸家說法不一的情況，蓋因原書尚未編定，故未定名。其間的關係可能是這樣的：當宗羲據徐氏傳是樓以及本家所藏宋、元人文集選錄時，擬定名爲宋元集略，而分之爲宋集略、元集略。其後，他擬根據這些資料修補宋史、元史，而力不能及，遂據集略編文案，以彌補呂祖謙所編之宋文鑑、蘇天爵所編之元文類的闕遺，但最後也未能定稿。故黃百家合稱爲宋元文案，而全祖望等人分稱爲續宋文鑑、元文鈔。但我相信，從集略到文案、文鑑、文鈔，是經過了一番整理加工的，或許文鑑、文鈔是集略、文案的剪裁本。故本彙考仍著錄爲四種，而不是選其一種加以著錄。光按：洪煥椿著浙江文獻叢考。黃宗羲著述目在宋元文案、續宋文鑑、元文鈔之外，又增補宋文鑑、宋文略、元文略、續元文鈔之目，當係誤會前人著錄之故。

## 【十】 姚江逸詩十五卷

按：姚江逸詩十五卷，黃宗羲輯選，同邑鄔景從（號靜嶽）彙刻，稱南雷懷謝堂刻本。後又由同邑倪繼宗重訂補刻。書分八册。卷首有編者自序，寫於康熙十一年壬子（一六七二年），末署「證人書院堂長黃宗羲序」。序文述其編輯動機甚詳，已收入南雷文案卷一。書末有倪繼宗跋，寫於康熙五十七年戊戌（一七一八年），記載了該書刊行經過。該書屬於鄉邦文獻彙編，輯錄了自南齊迄明末的餘姚文人之詩，計一百三十五人，一千三百三十七首詩。乾隆間被徵集入四庫館，但四庫全書未收其書，而存其目。現錄其序、跋及四庫提要如次：

黃宗羲姚江逸詩序曰：

孟子曰：「詩亡然後春秋作。」是詩之與史，相為表裡者也。故元遺山中州集竊取此意，以史為綱，以詩為目，而一代之人物賴以不墜。錢牧齋倣之為明詩選，處士纖芥之長，單聯之工，亦必震而矜之；齊蓬戶於金閨，風雅袞鉞，蓋兼之矣！然天下之大，四海之衆，欲以一人之耳目，江湖臺閣，使無遺照，必不可得，是故不勝其逸者多也。

即以姚江而論：陳、隋而上，止存虞氏一家之詩；有唐一代，見之唐詩記事者，雖下邑偏方，皆有詩人點綴，而姚江獨缺；宋之詩人高菊磵、孫常州皆為眉目，其集皆不傳；元之鄭山輝、楊元度，其時諸老集中，多見其唱和姓名，今求一篇亦不可得。數百年以來，海內文集列屋兼輛，而姚江獨少；即有成刻者，問之子孫，間供茶鐺藥竈之用，亦有誦咏已落四方之口，邑中反無知之者。蓋科舉抄撮之學，陷溺人心，誰復以此不急之務，交相勸勉？由是言之，前此之逸者，寧有既乎！

余少時讀宋文憲浦陽人物記而好之，以為世人好言作史，而於鄉邑聞見尚且未備，誇誣之誚，容詎免諸！此後見諸家文集，凡關涉姚江者必為記別；其有盛名於前者，亦必就其後裔而求之。如是者數十年矣。以其久，故篋中之積，多有其子孫所不識者。然而兵塵遷徙，蹇蓬下擔，時有墜落。如柴廣敬金蘭錄、魏嘗齋文集之類，正不復少。及今不為流通，使之再逸，自此以往，皆余之罪也。歐陽子言文章言語之在人，無異草木榮華之飄風，鳥獸好音之過耳，不可為恃。雖然，此為作之者言之也。士生後世，憑虛而觀盛衰之故，彼富貴利達，蠅翔螢腐，沒於晷刻之間，復令其性情深淺無所附麗，文責誰歸？是為忍人！故余與靜嶽先生為此選也，名之「逸詩」，蓋有二義：前乎此者，是編為所逸之餘也；後乎此者，庶幾因是編而不逸也。

倪繼宗姚江逸詩跋曰：

梨洲黃先生選姚江逸詩若干卷，靜嶽鄔先生刻以行世，誠不朽盛事也。顧流傳未久，其原本即散失脫落，莫可究詰。余竊憂之！

歲庚辰，余為先君子購壽木，黃子主一以其尊人梨洲先生沙板見貽。蓋是板係先生門人范國雯太史官福州時所贈，緣先生在日，自鑿石穴於南雷山麓，遺令毋得具棺槨。主一遂奉是板藏之乃祖忠端祠有年，里中富人有重其值以請者，而主一堅辭弗與，至是乃舉以見貽，蓋主一與余交善，而梨洲先生與先君子有通家之好故也。余心德主一高誼，思所以報之而無自。適見忠端祠壁為霪雨所圮，不覺躍然曰：『得之矣！』爰為之鳩工庀材，經紀其事。間以其暇，主一攜余登祠樓，以眺四明諸峯，見有姚江逸詩舊刻佰拾餘板散佚其間，因欲與主一謀補刻之，而無其資，為之感慨者久之。數年後，於我師俞吾之先生所刊學要徵略中，檢得舊刻逸詩十餘板，但其字多模糊難辨。又數年後，於朱子若邪處得逸詩原本全集以歸，亟命次兒學山錄置案頭，間一翻閱，舉吾姚前哲所作之詩與其人其事，無不完美具備。覺向之苦於散失脫落、莫可究詰者，至此已無遺憾矣！獨恨余以貧故，糊口章安，主一亦以崑山徐氏之聘，北走燕都。及余倦遊旋里，而主一已客死數年矣。耿耿素心，誰為告語！

一日，偶與金子若水興言及此，若水卽以余意達之主一之猶子傳書。傳書能詩文，尤高於立品，平日師事若水，遂盡出其祠內舊刻畀余。余又為之拮据者數年，乃得補刻其全，以傳不朽。非敢自附於大雅之林，亦期無負於黃、鄭兩先生當日之遺意云爾！同里後學倪繼宗謹跋。時康熙戊戌重九後七日也。

四庫全書總目集部總集類存目四曰：

姚江逸詩十五卷浙江巡撫採進本。國朝黃宗羲編。宗羲有易學象數論，已著錄。是編皆錄餘姚一邑之詩，自南齊迄明，以時代為敍，其方外、閨秀、仙鬼則總彙於末卷，每人各為小傳，頗足以補史事之闕。然第十五卷韓應龍傳末云：「梨洲先生選逸詩，廣極搜輯，不解何故遺此？」則此卷為後人所續無疑，非宗羲之原書，不知何以混而一之？又劉妙容事，出於吳均續齊諧，記其人乃吳令劉惠明之女，沒後魂見，是鬼非神。題曰「神女」，已大謬。又王敬伯雖餘姚人，而女則不知何方之產，所遇之地，又在吳中，引而入之姚江，尤為無理。亦必非宗義之舊也。

光按：四庫提要所據之「浙江巡撫採進本」，可能是個謄清本而非懷謝堂原刻。倪繼宗補刻本，其中倪氏跋文蓋已被刪除。而提要所疑第十五卷韓應龍傳非宗義原本，固然有理，但不能以此否定全卷爲梨洲原編。愚見以爲，梨洲原本當有十五卷之數，但其搜羅仍不免有所遺漏，倪氏補刻時，即將卒於宗義以前之姚江邑人之詩補入，並加註說明。至於劉妙容、王敬伯妻之詩收入其書，或爲梨洲見解有偏，亦不能以此論定「非宗義之舊」也。

倪繼宗補刻姚江逸詩之外，還另編續姚江逸詩十二卷。該書倣姚江逸詩體例，輯錄自黃宗義至鄒侯周夫人之詩凡七十五家、一千二百餘首詩，乃清初八十年間餘姚人詩選，其卷首冠以馬豫序、裘璉序及倪氏自序。編成於康熙六十年辛丑，刻成於次年壬寅，(公元一七二三年)稱倪氏小雲林刻本。今中國科學院圖書館及浙江圖書館均藏有姚江逸詩和續姚江逸詩之康熙原刻本❶。

又按：謝國楨黃梨洲學譜。著述考在姚江逸詩之外，又著錄姚江詩略之目，誤也。考黃百家、

❶：孫殿起販書偶記和洪煥椿浙江文獻叢考均著錄姚江逸詩有「乾隆四十一年南雷懷謝堂刻本」，顯屬誤記。按懷謝堂本刻成於康熙年間，並非乾隆年間。

邵廷采、全祖望、黃炳垕、黃嗣艾諸家著錄，均以姚江逸詩（或作姚江遺詩）與姚江文略、姚江瑣事二目並列，未嘗另列姚江詩略之目。或者謝氏別有所見，那也是未審其爲同書而異名之故。

**【十一】姚江文略若干卷或云十卷**，今佚；

**【十二】姚江瑣事若干卷或云二卷**，今佚；

黃百家梨洲府君行略云：「讀書所至，關涉本邑者另分紀之，爲姚江文略、姚江逸詩、姚江瑣事。」

按：邵廷采、全祖望、錢林、江藩等著錄均同百家，未言卷數。不另錄。

黃炳垕黃梨洲先生年譜「康熙十一年壬子」條云：「選姚江逸詩。公平日於諸家文集，凡關涉本邑者必爲記別，是年始選定。（凡十五卷，已校梓。後又輯姚江文略、姚江瑣事，尚未梓。）」。對文略、瑣事亦未言卷數。但黃嗣艾編南雷學案卷一遺書目則著錄「姚江文略十卷，姚江瑣事二卷」，不知根據何在？或者嗣艾曾見二書原稿亦未可知。惜今原本已佚，又無刻本，無從考定其卷數。

**【十三】黃氏攟殘集七卷**

此書係由黃宗羲編輯的黃氏宗族八位先人（皆生於明代）的散存詩文彙集。書分七卷，合爲一冊。卷一文信公集、卷二道南先生集、卷三半山先生詩集、卷四穎州集、卷五丁山先生集、

卷六景州集、卷七蟄庵集，除卷五、卷七外，各卷均有宗羲所撰序文（詳見本書第二十六節南雪集外文考）

關於此書編纂年代，黃百家在宗羲所撰黃氏家錄刻本附記曰：「攟殘集及家錄，俱先遺獻公四十歲以前之作也。久塵破簏中，將爲蠹鼠齧盡。康熙癸未上元日，百家到雲間，仲簡兄慨然刻之，可勝感激！」則此書當編成於順治六年（一六四九年）以前。然黃炳垕黃梨洲先生年譜則將其繫於康熙二十九年庚午（一六九〇年）宗羲八十一歲時，亦大誤也。

此書編成後，久而未刻。至康熙四十二年癸未，始由百家交其族兄黃炳（字仲簡）刊刻。付刻之前，又由百家請崑山徐秉義、甬東仇兆鰲各寫序文一篇（刊于卷首）。黃炳即將此書與黃氏家錄及其與百家合輯之黃氏續錄五卷合刻之（三書共分五冊，計十三卷）。

徐秉義黃氏攟殘集序曰：

> 余於康熙庚申歲，曾至姚江訪黃梨洲先生於黃竹浦，見其所居，諸山前列，大江後繞，十餘里內，邨邨相望，皆黃氏也。因思以忠端公之節義，復繼以先生之理學文章，余得身至其里，殆更勝於過柴桑問浣花也。
>
> 黃氏自鶴山來居茲地為始祖，子姓繁衍，既饒甲科，亦代有聞人，惜其詩文著作皆零落散失，無有存者。先生攟搜於殘編斷簡，而得文信以下八人詩文，彙為一帙，名曰『攟殘』，志實也。嗣子主一積學善文，護視父書，不異目睛顱髓，是帙又為諸祖上精靈傳

否之所關，謀殺青事於族兄仲簡，慨然任之，並刻先生所著之黃氏家錄及己所集之黃氏續錄（光按：續錄分五卷，前三卷爲黃百家輯，後二卷爲黃炳輯。），而問序於余。余思子孫之於祖宗，貴有精氣以相接，而不僅在髮膚之受也。是故有祖父之學問文章，如為其子孫茫然不識為何物，則雖名為繼體，其於先人之精氣已兩相隔絕，吾謂縱有蒸嘗，可知其必不來格來歆矣。安賴有子孫哉！昔餘姚有老儒莫英公者，苦吟一世，臨沒，其子悉收其稿，納之棺中；又有應氏者，見先世之遺文塵鼠埋蠹，取於祭享時伴紙錢焚之：如此者實比比也！黃氏先世之文若詩既失矣，幸有梨洲先生收殘跡於冷灰，使得復現光於人眼，然不廣其傳，或不免有復失之慮。仲簡而知汲汲於此，不足多乎哉！且余聞仲簡幼貧失學，長事貿遷，闤闠中人也；徙於雲間者三世，追念本源，年逾七十，數至姚江，溯尋宗譜，欷歔故里，返祖父之木主於宗祠，捐資田以永其享，斯於一本之精氣，直貫於幽冥矣！康熙壬午年十月朔，崑山徐秉義書。

按：徐序之後，又有仇兆鰲序（寫於康熙四十一年壬午九月），因其內容空泛，茲不贅錄。

黃氏攟殘集刻本，僅見上述黃炳初刻本一種，北京中國科學院圖書館，浙江圖書館及餘姚梨洲文獻館均有收藏。

## 【十四】黃忠端公集六卷；

## 【十五】正氣錄一卷 未見；

按：黃忠端公集一名忠端公文集，黃尊素著，黃宗羲編註。書分六卷：卷一至三爲文略，卷四、五爲詩略，卷六說略。初編刻於明崇禎十一年戊寅（一六三八年），合刻一冊。其後，版燬於兵火。康熙年間，又由黃宗羲編輯補註，黃百家校定。康熙十五年丙辰，宗羲弟子許三禮出資重刻，次年刻成，稱康熙丁巳刻本。宗羲又據忠端公祠堂所存墓碑銘，另編爲正氣錄一卷，與忠端公集同時刻成行世。其後，崑山徐秉義於康熙三十六年丁丑（一六七九年）重刻。宗羲五世孫黃璋於乾隆三十三年戊子（一七六八年）又據宗羲補註本修訂重刻。宗羲七世孫黃炳垕於光緒十三年丁亥（一八八七年）又重刻收入黃氏家集，稱正氣堂刊本，一稱留書種閣刊本。炳垕並撰跋文一篇附于卷末，敍其編刊經過並節錄舊刻本之倪文正、楊維斗、許酉山、鄭寒村等人所作序。今略錄如下：

黃炳垕撰黃忠端公集跋曰：

先忠端公遺集六卷，遺獻文孝公編輯而校定者也。崇禎戊寅刊於金陵，古虞倪文正元璐、長洲楊維斗孝廉廷樞皆有序。鼎革後，板片無存。康熙丙辰，崑山徐果亭侍郎秉義、相州許酉山明府三禮重付梓人。明府及慈溪鄭寒村先生梁敍之，迄今二百十餘年。……炳嘗輯公年譜……然存其略，而究未及其詳也。於是節取公費，重鐫斯集。……

光緒丁亥斗指己午丙辰之月，仍孫炳垕謹識於留書種閣。

又黃炳垕撰黃梨洲先生年譜「崇禎十一年戊寅」條曰：

金陵刻忠端公集，楊維斗先生過訪，（梨洲）遂請（維斗）為序。

同書「康熙十五年丙辰」條曰：

（梨洲）集忠端公祠墓碑銘，為正氣錄，刻之。

又黃炳垕撰黃忠端公年譜卷首小傳曰：

（公）著有文集六卷，文略三卷、詩略二卷、說略一卷。崇禎戊寅，詩集先授梓於金陵，楊維斗先生有序。康熙丙辰，相州許酉山先生作序。全集之梓，鄭子禹梅亦有序。其板旋毀於杭城燕脂橋。丁丑，崑山徐果亭先生重梓。四書緘八卷，隆萬兩朝列卿記二卷，懷謝軒講義若干卷。今惟集六卷行世。

又按：關於正氣錄，在今科圖、浙圖和寧波天一閣所藏諸種黃忠端公集後均未見有附入。

但今傳徐秉義編培林堂書目（民國四年鉛印本）之「集部」著錄云：「黃尊素忠端公集六卷，附正氣錄一册。」說明它確實曾與黃忠端公集同時刊行。而當代學者謝國楨先生在增訂晚明史籍考卷二著錄「說略三卷」條下按云：「楨初僅見涵芬樓秘笈本說略，近又在北京圖書館見有清康熙十五年許三禮選刻本黃忠端公文略三卷、詩略二卷、說略一卷、正氣錄一卷。」按謝氏所見者當即黃炳垕所說許三禮刻本。該本是附有正氣錄的。可惜筆者數至北圖訪書，均未能見此刻本。不知正氣尚存否？因筆者尚未親見正氣錄，故本書仍效倣謝著黃梨洲學譜（一九五七年修訂本）著述考，將其列爲「未見」之書。

## 【十六】 剡源文鈔四卷

按：剡源先生戴表元（公元一二四四—一三一〇年），字帥初，一字曾伯，宋、元之際奉化人。宋咸淳年間登進士，曾任廸功郎、國子主薄、府學教授等職。入元，曾任信州教授。一生中仕途不達而名重一時，號稱「東南文章大家」。晚年優遊山水間，自號「剡源先生」，著作有剡源集三十卷，明初宋濂爲之序。明、清間有刻本數種流傳。

黃宗羲選編剡源文鈔四卷，四庫全書總目、簡目及文獻徵存錄、南雷學案等皆有著錄，並有刻本、鈔本流傳。然邵懿辰、繆荃孫等疑其即元選甲乙丙丁四卷本（見增訂四庫簡明目錄標註卷十七別集類著錄），然證據不足，未免有臆斷之嫌。今將前人有關黃選剡源文鈔四卷之著錄、考證羅列如次（括弧內之註語為筆者所加），並略作說明：

清初馬思贊撰剡源文鈔序（見四明叢書第一集）曰：

歲丙辰、丁巳（康熙十五、十六年），黃梨洲先生講學吾邑，先府君時與之往復議論：先生每極口載宋剡源文，府君購其集不可得，後從叔氏日觀齋見先生所寄選本，遂命思贊刻之家塾。閱歲書成，府君見背。年來多故，未暇整理。昨冬於竹垞先生（朱彝尊）借得全集，復發與修補欠葉，較讐訛字，其去取批抹悉依梨洲原選，不敢妄有增損。……

……康熙庚辰（三十九年）七月既望海寧馬思贊識於紅藥山房。

四庫全書總目集部別集類存目一曰：

剡源文鈔四卷 江蘇蔣曾瑩家藏本。國朝黃宗羲編。……其時，戴表元剡源集傳本尚稀，（宗羲）因選其記十六首、序三十六首、墓誌銘四首、題跋九首（共六十五首，與今存四明叢書本篇數符合。）。宗羲亦間有點定，其持擇頗精審，然不足以盡表元也。

又同書別集類十九剡源集三十卷提要曰：

王士禎（一六三四—一七一一年）居易錄稱海寧（馬思贊）刻剡源集四卷，乃黃宗羲所選錄，非完書也。

同書簡明目錄卷十七亦著錄曰：「剡源文集三十卷，元戴表元撰。……黃宗羲嘗刻其文四卷，刪削過當。」

乾隆、嘉慶年間，錢林所撰文獻徵存錄卷二黃宗羲傳著錄之梨洲遺著有「剡源文鈔四卷」。但稍後之邵懿辰著增訂四庫簡明目錄標註則曰：「黃宗羲選剡源文鈔四卷，入（四庫全書）存目，似亦據元本重刊。元刊亦有分甲乙丙丁四卷本也。……馬思贊刊本。」而同書繆荃孫「附錄」則進而註曰：「馬思贊即刊黃選，其實刻元選甲乙丙丁四卷本耳。」同條邵伯絅之「續錄」又補註曰：「元有分甲乙丙丁四卷本，文六十五篇。何義門（名焯）曾借於毛隱湖，有戊集一卷，後人附益，有張目可考。……何氏得嘉靖以前舊鈔，爲文祇六十五篇，以校板本，改正甚多。舊鈔五卷本。四部叢刊本。黃選有四明叢書本。」從上述邵懿辰著錄分析，他並未見到元刊四卷本，故稱黃選本「似亦據元本重刊」，而繆氏則去其「似」字，謂「馬思贊即刊黃選，其實刻元選」，並未列出證據。至邵伯絅註，前曰元本有文六十五篇，後又曰何氏舊鈔本（五卷本）「爲文祇六十五篇」，相互矛盾。其實，伯絅補註可能是據前人著錄轉鈔來的，其源蓋出於清初盧文弨抱經堂文集之剡源集跋（引文見下）有關何氏所得舊鈔本之考證，但盧氏所云何氏所得六十五篇，是指明嘉靖以前之五卷本（見靜嘉堂文庫分類目錄之著錄），非指元刊四卷本，故不能以此證明黃選本即元刊本也。

至民國以來學者著錄，除邵氏外，都是肯定剡源文鈔四卷係黃宗羲選編的，如：

莫伯驥撰五十萬卷樓藏書目錄初編卷十八著錄曰：

> 剡源集二十八卷 明初刻本。 元戴表元撰。……前人謂戴集始刻於明初，宋氏濂序之，凡二十八卷，卽此本也，惜宋序脫去。至隆、萬間，四明周儀得先生全集之目，銳意搜輯，勒成三十卷，文與此稍異，萬曆辛巳，後裔戴洵梓行於南雍，清四庫著錄卽此刻。至鈔本流傳，多從周本錄出。……戴集之存於今者，以上海郁氏宜稼堂叢書（今存）為最著。……盧氏抱經堂文集十四，有剡源集跋云：「余舊讀蘇伯修所輯元文類、劉欽謨所輯中州文表，略識元人所為文……繼得黃梨洲所錄剡源文鈔，則大好之。……三百年以來，唯梨洲遴選其文以傳之學者，而其全集殊不多見。……南濠朱君文游多蓄古書，余因求之，乃得明神廟時版本。其上有何義門先生評校，乃其弟子沈穎谷名岩所傳錄者。何氏得嘉靖以前舊錄，為文祇六十五篇，以校版本，改正甚多……靜嘉堂秘籍志三十九著錄此集為三十卷本，義門何氏康熙辛巳跋語云……。蓋盧氏則加以考訂，何氏則專論其文也。

至民國二十一年，四明張壽鏞編刊四明叢書，收錄了黃宗羲編選之剡源文鈔四卷。張氏所撰序曰：

梨洲先生手選（剡源集之）尤精者，曰剡源文鈔。慈溪鄭耐生氏手為寫錄（耐生名喬遷），著有藏密廬文稿。童柘叟收藏之以贈余，余藏之又八年矣。讀王漁洋居易錄，稱為海寧刻剡源集四卷者，卽馬氏思贊康熙庚辰本也，與鄭氏同出一源；光緒己丑大鄖山館本者，卽柘叟依所藏以刊者也。柘叟之贈余者先既梓行矣。余維先生東南文宗也……爰取柘叟贈我者悉仍其舊，補以潛溪序，重付梓焉。

由上引諸家著錄可以肯定，今存之剡源文鈔四卷本，確系黃宗羲手選編定的。

## 【十七】杲堂文鈔六卷

按：李鄴嗣（一六二二—一六八〇年），初名文胤，後以字行，別號杲堂，又號淼亭，學者稱杲堂先生。浙江鄞縣人。少具文才，長有文名。詩、古文皆工。鼎革之際，曾參與抗清，後以遺民自居，堅辭詞科之薦。與餘姚黃氏兄弟、鄞縣萬氏兄弟交往甚篤，與宗羲爲師友之交。嘗自言見梁公狄（名以樟）而後敢稍稍言詩，見黃梨洲而後敢稍稍論文。梁、黃二人皆甚推重其詩文。其著作有杲堂詩文鈔內集三十八卷、外集十三卷、甬上耆舊傳四十卷、漢語十卷等十七種，百餘卷。宗羲編選其外集文鈔六卷，並撰李杲堂文鈔序一篇收入南雷文案卷二；徐鳳垣則編選其外集詩鈔七卷。後人未審原委，以爲文鈔六卷、詩鈔七卷皆爲黃宗羲編定，其實誤也。略考如下：

孫殿起販書偶記續編云：「杲堂文鈔六卷、詩鈔七卷。清甬上李鄴嗣撰，姚江黃宗羲選。康熙間刊。」洪煥椿浙江文獻叢考黃宗羲著述目亦云：「杲堂文鈔六卷，詩鈔七卷，清甬上李鄴嗣撰，黃宗羲選編，有康熙刊本。」

按：孫、洪二家著錄均誤。有四庫全書存目及四明叢書刻本實物及有關著錄，考證可證：

四庫全書總目卷一百八十二集部別集類存目九曰：

杲堂文鈔六卷、詩鈔七卷。江蘇巡撫採進本。國朝李鄴嗣撰。……文鈔，餘姚黃宗義所定；詩鈔，其同里徐鳳垣所定也。

馮貞羣撰杲堂著述考曰：「杲堂詩鈔外集七卷、文鈔外集六卷。傳是樓書目、清四庫存目。清康熙間刻本。」按：四明叢書第一集（民國二十年張氏約園刻本）第四十五、四十六册收錄杲堂詩鈔七卷，但第四十五册扉頁題「杲堂詩文鈔」，卷首有張壽鏞序以及馮貞羣杲堂著述考，繼有林時對、徐鳳垣（均為鄴嗣同里友人）所撰杲堂詩鈔序，詩鈔各卷所題選（編）者有徐鳳垣、鄧漢儀、錢肅圖，但無黃宗羲。第四十七、四十八、四十九册收錄杲堂文鈔六卷，卷首載黃宗羲序，各卷首頁均題「甬上李鄴嗣撰，姚江黃宗羲選。」

據上可以證定：黃宗羲曾編選杲堂文鈔六卷，而未曾參與杲堂詩鈔之選。

## 【十八】子劉子學言二卷

康熙初年，黃宗羲在石門、甬上等處講學期間，曾撰子劉子行狀二卷（參見本書第九節子劉子行狀考）。大體與此同時，宗羲又與同門學友姜希轍、張履祥等編成子劉子學言二卷，由姜希轍刊刻。

黃梨洲先生年譜「康熙六年丁未」條曰：「五月，慈邑鄭禹梅梁始見公，公授以子劉子學言、聖學宗要諸書。」說明學言在此以前已經成編。

今上海圖書館存有子劉子學言姜希轍刻本二卷，卷首有姜希轍序，署明寫作時間是「康熙丙午秋日」，證明其書編成於康熙五年或者更早些時。姜序曰：

> ……（劉）先生身後二十餘年……蕭然儔侶，二三子之讀遺書者已不數人。黃宗羲曰：『……先生之學一變再變，不言妙用，不落想像，從嚴毅清苦之中而得自然，明示一困學之的。』張履祥曰：「世儒之為教也，好言本體，而先生獨言工夫……此皆有功聖門，而儒所謂一揆者也。」姜希轍曰：「……讀先生遺書而後讀諸儒語錄，庶幾無此患矣！」二、三子非敢為一辭之贊，粗寄誦讀，以歷盛衰者如此。今出之以示共學。其校讎則黃宗炎、高斗魁、呂留良、陸嘉淑分任之。學人姜希轍識。

按：姜刊本首頁姜序前有闕頁，可能還有黃宗羲的識語。但僅就姜序而論，所謂二三子即指劉宗周門人之尚存者如黃、張、姜等，子劉子學言當是他們合輯，而由黃宗炎、高斗魁、呂留良等分任校讐工作。

## 【十九】東浙文統若干卷今佚

按：東浙文統之目，見於黃宗羲著作及謝國楨著錄。南雷文案卷一稱心寺志序曰：「戊寅、己卯之際，余與越中知名士數十人，事子劉子於講舍，退而爲東浙文統之選。其時數十人者，上之學性命之學，次之亦以文章名節自任。其視億兆人如無有也。趙子禹功於其中，蓋亦一人之數耳。事有不可知，曾不一二十年，而數十人者，天下已莫能舉其姓氏。」又思舊錄曰：「華夏，字吉甫。……余選同社之文，吉甫入於文統。」據此推測，東浙文統一書，當係黃宗羲早年編選的一部文選彙編，編成於崇禎年間。所收之文，大抵是浙東地區的復社文士著作。蓋因其早已亡佚，故黃百家、全祖望、黃炳垕等均未提及。

# 卅一 梨洲散佚著作補考

全祖望爲鄭氏二老閣刻本明夷待訪錄題跋云：「原本不止於此，以多嫌諱弗盡出，今並已刻之板，亦燬於火。徵君著書兼輛，然散亡什九，良可惜也。」今考梨洲遺著存佚數，雖散亡不至於十分之九，然而亦已過半了。本書南雷詩文集考、梨洲曆算著作考、梨洲編選前人詩文集考等節，所考之梨洲佚著計三十三種，即：

自著詩文集類佚十種：始學庵集、庚戌集、蜀山集、病榻集 以上文集。老柳集、杏殤集、金礨集、露車集、心斷集、吳艇集 以上詩集；

文選彙編類佚九種：續宋文鑑、元文鈔、宋元集略、宋元文案、明史案、姚江文略、姚江瑣事、正氣錄、東浙文統；

自撰專著類佚十四種：黃氏喪服制、春秋日食曆、大統曆推法、回回曆法假如、監國魯元年丙戌大統曆、監國魯五年庚寅大統曆、氣運算法、句股圖說、開方命算、測圜要義、大統曆法辨、時憲書法解、圜解、割圜八線解。

現對其他二十四種散佚專著或編著作一略考：

## 【一】授書隨筆一卷

此書一名書經筆授。全祖望、錢林、江藩、黃炳垕、黃嗣艾等均著錄爲「授書隨筆一卷」。但洪煥椿據丁日昌撰持靜齋書目著錄爲「書經筆授三卷」，並云「有鈔本十七卷」，而未辨其眞僞。

全祖望梨洲先生神道碑文云：「授書隨筆一卷，則淮安閻徵君若璩問尙書而告之者。」

錢林文獻徵存錄黃宗羲傳云：「……授書隨筆一卷，是其發抒經學之籍也。」

黃炳垕黃氏世德傳贊黃宗羲傳云：「（所著書）經術則易學象數論六卷，授書隨筆一卷……。」

黃嗣艾南雷學案卷七「閻百詩先生」小傳云「（若璩）年二十，讀尙書至古文二十五篇，即疑其僞，沉潛二十餘年，請業於南雷公之門。南雷公披導榛蕪，撰授書隨筆一卷付之。先生始恍然得其癥結所在，著尙書古文疏證八卷。南雷公序之。」

據以上諸家著錄，可確證黃宗羲曾撰授書隨筆一卷。但此書向無傳本，蓋已亡佚。而洪煥椿著浙江文獻叢考、黃宗羲著述目刦曰：「書經筆授三卷。此書一作授書隨筆，清丁日昌持靜齋書目子部雜家類著錄。有鈔本十七卷。」

洪氏所謂授書隨筆之「鈔本十七卷」，即指原南京國立中央圖書館收藏之鈔本。此鈔本現存臺灣國立中央圖書館，並於一九七一年由學生書局影印出版（收入屈萬里主編之雜著秘笈叢刊）。

影印本原題「授書隨筆。題黃宗羲撰。」後經旅美學者余英時教授證定其非黃宗羲撰而是方中履之古今釋疑以後，始改題「古今釋疑。方中履撰。原題授書隨筆。」其卷首刊載余英時撰方中履及其古今釋疑——跋影印本所謂黃宗羲授書隨筆文一篇，其文略云：

> 今年夏，余遊臺灣，聞友人何君佑森言，臺北學生書局影印黃梨洲授書隨筆行世。余聞而疑之，謂佑森曰：「此書三百年來無見之者，並其書之有無亦不敢定，此間烏得有其稿，殆書賈造偽歟？……取而閱之，大異乎所揣。梨洲是書，清代著錄諸家，說各不同，有謂一卷者（全祖望梨洲先生神道碑），有謂二卷者（朱彝尊經義考），亦有謂三卷者（清史稿、藝文志）。唯其書乃梨洲因閻若璩問尚書而告之者，則各家無異辭。……今此影印本多至十七卷，又非專論古文尚書問題者，則非相傳之授書隨筆，可不待辨。……余窮數日之力，反覆搜考，終覓得其作者，及其誤為黃梨洲授書隨筆之經過，所獲有出於最初意想之外者。

光按：余氏之文寫於一九七一年底。其證據確鑿，考辨有力。所得結論，一謂十七卷鈔本決非黃宗羲之授書隨筆，而是書賈妄改書名，假梨洲之名以索善價者也；二謂此書原名古今釋疑，作者為桐城方以智之子方中履；三論十七卷鈔本之鈔寫時代為一九一〇至一九一六年間；四考方氏生平、氣節及其著作的歷史意義。除所論鈔本成立時代尚可商榷之外，都是無可置疑的。

因文繁，茲不贅引。

【二】四書私說一卷；

【三】從政錄一卷；

以上二目均見全祖望鮚埼亭集外編卷四十四奉九沙先生論刻南雷全集書文，云：「梨洲一生精力，原不在區區文詞間。以某固陋所見聞，其在經學，則有若易學象數論、授書隨筆、春秋日食曆、四書私說諸種；其在史學，則有若待訪錄、行朝錄、思舊錄、汰存錄、從政錄，以至西曆假如、測望諸種；其所未聞見者，尚應多有。」據此，則祖望編輯南雷黃子大全集之時（當在乾隆十三年戊辰），授書隨筆、四書私說、從政錄諸書，尚有傳本。惜今不可覓也。

【四】六家耆法六卷

黃炳垕撰黃梨洲公事實咏（清咸豐七年余姚黃氏刻本）百韻詩註云：「六家耆法六卷。」

【五】二程學案二卷

四庫全書總目卷九十七子部儒家類存目三曰：

二程學案二卷。兩江總督採進本。國朝黃宗羲撰，其子百家續成之。……是編以二程造德各殊，因輯二程語錄及先儒議論二程者各為一卷。百家又以己意附論各條之下。

光按：此書當即宋元學案之明道、伊川二學案之初稿本。蓋梨洲編撰宋儒學案之初，乃合二程爲一案，後由全祖望區分之。故今存黃璋補稿本祇有明道學案之目而無伊川學案之目（參見本書第三節宋元學案補考所論。）

**【六】邪氛錄一卷；**

**【七】虐征錄一卷；**

**【八】倒戈錄一卷；**

**【九】理學錄一卷；**

以上四種書目均見清康熙間徐秉義所著培林堂書目，其邪氛、虐征、倒戈三錄均在史部，理學錄在子部，並在書名前冠以「黃宗羲」之名，目後註明「鈔本一册」。培林堂書目現有民國四年鉛印本及臺灣影印本。

## 【十】明季災異錄一卷 存疑

按：清代諸家有關梨洲著述之著錄均未列此書名，唯謝國禎著黃梨洲學譜著述考曰：「是書記明季災異事。引宋志、五經通義加以註釋。」並云有「上海涵芬樓藏鈔本」。謝著增訂晚明史籍考（一九八一年上海古籍出版社新版）卷三亦著錄曰：

明季災異錄一卷，上海涵芬樓藏舊鈔本。原題：「史臣黃宗羲撰，男溶校。」按：是書記崇禎元年災異，引宋志、五經通義等書，加以註釋。

筆者頗疑此書並非梨洲遺著。一則前人無此著錄，二則宗羲三子名百藥、正誼、百家，孺名爲褒、芝、祝，並無名溶者。然筆者查閱今上海、北京圖書館，均未見到涵芬樓所藏鈔本，故無法確證其僞。姑妄存其目以俟他日補考。

## 【十一】蕺山同志考一卷

黃宗羲南雷雜著稿蕺山同志考序（該序已收入南雷餘集、黃梨洲文集本）曰：

蕺山子劉子以清苦嚴毅，疏通千聖之言，其傳出於德清許司馬敬菴，敬菴師吳興唐比部一庵，一庵事南海湛太宰甘泉，甘泉則白沙陳文恭之弟子也。先生講學二十餘年，歷東林、首善、證人三書院，從遊者不下數百人。然當桑海之際，其高弟子多歸風節。又先生在當時，不欲以師道自居，亦未嘗取從遊姓名而籍之。今先生夢奠已經一世，所餘二三皓首龐眉之門士，散在四方，既無所統一，而護車修書之後起，聞風遥集，不得與名劉氏之學，將安仰安放？其歸風節者，天下徒矜其無窮之名，不知學有所本，非直以一時感慨為諒也！某與某有慨於斯，因作蕺山同志考。……某嘗考索至三百七十六人，尚有遺者。雖其人未必皆能聞道，然師友之道墜地，所藉為一髮之繫者，寧不在茲乎！

按宗羲此序已將該書性質、內容交待得很清楚。惜其書今已亡佚，無從得知其詳。

## 【十二】　宋史補遺三卷

此書又名宋史叢目補遺。自黃百家、邵廷采、全祖望以下均有著錄。

全祖望梨洲先生神道碑文曰：「公嘗欲重修宋史而未就，僅存叢目補遺三卷。」

錢林文獻徵存錄黃宗羲傳曰：「以宋史爲不辭，欲輯宋史，未能就業，今叢目補遺三卷存焉。」

黃炳垕黃梨洲先生年譜、黃氏世德傳贊、黃梨洲公事實咏均著錄宋史叢目補遺三卷。然此書今已亡佚。

## 【十三】 明史條例一卷

文獻徵存錄黃宗羲傳曰：「宗羲雖不與修明史，然史官著作常轉咨之，因起明史條例：年月依國史；官爵世系取家傳；參詳是非，兼用稗官雜說。是時史館初置，頗引召雅徒凡數十人，鄞縣萬斯同稱一時南董，見宗羲說，施行之。」

蔡可園纂清代七百名人傳（臺灣廣文書局一九七八年版）學術編黃宗羲傳曰：「其明史有三例：一國史，取詳年月；二野史，取當是非；三家史，備官爵世系。明史稿出於萬斯同，斯同之學出於宗羲也。」

他如阮元儒林傳稿等也有類似記載。據我推測，黃宗羲曾計劃與黃百家、萬斯同等編纂明史，後因發生莊氏史獄而有所顧忌，遂編纂明史案二百四十四卷。其所著明史條例，則是編修明史的指南。當其弟子萬斯同應聘於明史館時，宗羲遂將明史案、明史條例一併交給斯同，斯同纂修明史稿時，即依明史條例之原則修史，並利用了明史案的基本資料。甚至黃百家所纂明史曆志二卷（今存稿本），萬言所撰之崇禎長編二卷（今存刻本）等書，可能也都濫觴於明史案。今明史案、明史條例皆逸，無從考定。

## 【十四】 續時略

謝國禎增訂晚明史籍考卷一著錄曰：「續時略，明餘姚黃宗羲太冲撰。按：……黃尊素舊有時略之作，記有明一代史事。太冲乃續輯自隆、萬以後四代爲續時略。萬季野撰明史稿，多取材是書。目見楊椿上明鑑綱目館總裁書。」

【十五】 緯書；

【十六】 三史；

黃宗羲南雷詩曆卷一王仲撝侍御過龍虎山堂詩有「百卷緯書眞絕學，千秋國史附江東」句，附宗羲自註云：「緯書、三史皆余所著，仲撝欲居剡共學。」

黃梨洲先生年譜「順治十八年」條云：「王侍御仲撝來，公授以天官壬遁之學。公方著緯書、三史，仲撝欲居剡共學。」同書「康熙十八年」條云：監修明史總裁徐元文徵公門士萬斯同、萬言同修史，「公以大事記忠端公所記、三史鈔授之」。

光按：宗羲過龍虎山堂詩作於順治十八年（一六六一），從該詩內容及年譜說明看，所謂緯書當指宗羲所著天文曆算之書的總名，所謂百卷者，言其多也，非指實數。而三史者，或即宗羲之行朝錄、弘光實錄、永曆紀年等歷史著作之合稱歟？今無原書及其他資料可證，姑存緯書、三史之目。

【十七】 補唐詩人傳一卷

此書或有補唐人詩傳之名，當係誤錄。全祖望、錢林、江藩、黃炳垕、黃嗣艾等皆著錄「補唐詩人傳一卷」，但無具體說明。

## 【十八】四明山古蹟記五卷

乾隆三十九年編浙江採集遺書總錄戊集史部著錄曰：

四明山志九卷，刊本。右國朝黃宗羲撰。……四明山古蹟記五卷，寫本。右卽前書稿本。中多塗乙處，但互有詳略，因兩存之。

四庫全書總目卷七十六史部地理類存目五在四明山志一條後並存四明山古蹟記之目，曰：

四明山古蹟記五卷。浙江巡撫採進本。不著撰人名氏，亦無序跋，詳書中所載，卽黃宗羲所撰四明山志稿本也。宗羲四明山志自序有曰：『壬午歲，余作四明志，亡友陸文虎欲刻之而未果。癸丑歲盡，偶展此卷，文虎評較之朱墨如初脫手，然其間凡例不齊，詞不雅馴。重為竄改，始得成書。』其序作於康熙十一年，所稱壬午，蓋明崇禎十六年也。此書不署年月，亦無文虎姓名題識，而中有朱墨數處，與宗羲序合，殆卽文虎評較之本歟？其第三卷、四卷、五卷內，有黃時貞添註四條，其一條稱壬辰六月識，又一條述老人談天啓間事，當在順治九年以後。或時貞得此稿本，又以意為訂正耶？四明山志既有成書，此未定之草固可置而不論矣！

光按：浙江採集遺書總錄一書，係由當時浙江巡撫三寶主持下編刻的，宗羲五世孫黃璋即爲該書總校官之一，書中著錄四明山古蹟記即四明山志之稿本，可以確信無疑。而四庫存目所據之本又即浙江巡撫採進本，自屬宗羲原稿。存目既曰「四明山志既有成書，此未定之草固可置而不論」，則四明山古蹟記一書，已毀於四庫館了。

## 【十九】 台宕紀遊一卷

此書一名台雁筆記。黃百家、全祖望等皆有著錄。

黃百家梨洲府君行略曰：「告羅黃巖，以其暇遊天台、雁宕，作台宕紀遊。」又曰：「庚辰，點解南糧……府君告羅黃巖……馳驅台、越間。」

黃炳垕黃梨洲先生年譜「崇禎十三年庚辰」條亦曰：「歲大祲，邑中點解南糧……公告羅黃巖……往來台、越間，以其暇遊天台、雁宕諸名勝，作台宕紀遊。」

據上記載，則台宕紀遊一書，乃遊天台、雁宕（今作雁蕩）二山之筆記，寫於崇禎十三年（一六四〇年）。此書今未見傳本，然孫殿起著販書偶記續編云有「康熙間精刊」本，不知現存何所？

## 【二十】讀龜山先生字說辯一卷　存疑

按：自黃宗羲以降至近人謝國禎有關梨洲著作之論著，從未提及此一書名。但孫殿起販書偶記讀編著錄曰：「台雁筆記一卷、登西臺慟哭記一卷、讀龜山先生字說辯一卷。清刻中黃宗羲撰。無刻書年月，約康熙間精刊。」

洪煥椿浙江文獻叢考黃宗羲著述目亦著錄曰：「讀龜山先生字說辯一卷。精刊本，約刊於康熙間，與下列兩書合刻：台雁筆記一卷、西臺慟哭記一卷。」

按：筆者曾多處查訪此一「康熙間精刊本」，然毫無線索，不得不面謁洪先生求教。詢及是否親見此本，先生答云：「叢考所據資料，乃四十年代搜集，今年代久遠，記不清了。」仍未得到證實。余頗疑此書並非梨洲著作，然無證據推翻前人著錄，故仍將其列入佚書之目。

## 【二十一】律呂新義二卷

此書見黃百家、邵廷釆、全祖望、黃炳垕等人著錄。

全祖望梨洲先生神道碑文曰：「律呂新義二卷。公少時嘗取餘杭竹管肉好停匀者，斷之爲十二律與四清聲試之，因廣其說者也。」

黃梨洲先生年譜「崇禎七年甲戌公二十五歲」條曰：「仍與讀書社諸子讀書武林。時公講習律呂，與張秀初取餘杭竹管肉好均者截爲十二律及四清聲，吹之以定黃鍾。」

## 【二十二】　忠端祠中神絃曲一卷

全祖望梨洲先生神道碑文在梨洲遺著「文集」類著錄忠端祠中神絃曲一卷。黃炳垕黃梨洲先生年譜「崇禎十五年壬午」條則記載更加詳細，曰：「建忠端公祠，卜地邑西之西石山……同邑在逆案以太常卿回籍者蔣某嗾其黨爭地，東浙士大夫皆爲之不平。時兩馮公中丞留仙、尙書鄴仙、陸文虎、萬履安、兩孝廉劉瑞當、明經凡十餘人會哭祠下，祭文傳播，黨逆者咋舌而死。」炳垕註云：「公有忠端祠神絃曲一卷。」據此，則該書係黃宗羲及其友人哭奠其父忠端公的祭文合編。

光按：今存南雷文定後集卷一有重建先忠端公祠堂記、四集卷二有遷祠記，其記初建忠端祠在崇禎五年壬申，年譜繫於十五年壬午，誤也。

## 【二十三】　天一閣書目

南雷文案卷二天一閣藏書記曰：

天一閣書，范司馬（名欽）所藏也，從嘉靖至今蓋已有五十年矣。司馬歿後，封閉甚嚴。癸丑（康熙十二年），余至甬上，范友仲破戒引余登樓，悉發其藏。余取其流通未廣者鈔為書目，凡經、史、地志類書坊間易得者及時人之集三式之書，皆不在此列。……茌苒七年……余之書目遂為好事流傳。崑山徐健庵（名乾學）使其門生謄寫去者不知凡幾。友仲之子左垣，乃併前所未列者重定一書目，介吾友王文三求為藏書記。

按：梨洲作藏書記之年在康熙十八年己未，其編天一閣書目之年在十二年癸丑。據記之言，則此目應爲天一閣藏善本書目。

民國十九年餘姚人陳登原撰天一閣藏書考曰：

明嘉靖間，范堯卿（欽）既創為藏書，又吸收豐氏萬卷樓之遺物，則必需訂有書目，以資統理。……首引堯卿侍郎之書目者，僅焦弱侯竑經籍志中列有四明范氏書目二卷。……堯卿以後，其為天一閣編次書目、記載歷歷可考者，則堯卿侍郎之玄孫左垣及梨洲黃氏也。……然則此次編次之目，蓋梨洲導其前路，而左垣為其後繼。其內容如何，今亦不可復見。

又天一閣藏書考註引繆荃孫藝風堂文漫存乙丁稿卷三云：

天一閣書目，焦氏經籍志云：四明范氏書目二卷，范欽撰。此一目也。范友仲引黃太沖登樓，取其流通未廣者，鈔其書目，冀以暇日分別鈔錄……友仲之子左垣，乃並以前所未列者重定一目，求太冲為記，此一目也。

按：自宗羲以後至今，雖有多人提及宗羲曾編天一閣書目，但未見引述其內容或著錄其版本，則此目早已散佚，如陳登原所謂「不可復見」矣！

## 【二十四】 自著年譜上一卷

南雷詩曆卷一載宗羲書年譜上一詩，曰：

等閒四十七於今，風絮雨萍何處尋？
八尺血光開鬼路，三商日影破琴心。
難推噩夢歸殘角，自比古人庶藝林。
珍重他年書下卷，芒鞋藤杖記登臨。

據此，則黃宗羲曾在四十七歲時（清順治十三年丙申，公元一六五六年）自著年譜上一卷。

黃炳垕黃梨洲先生年譜自序曰：

公嘗自作年譜，貽鄭高州，豫以志銘相屬。居無何，鄭氏不戒於火，失所藏；敝廬跨遭水火，並副本亦歸烏有。

按：全祖望梨洲先生神道碑文亦著錄「自著年譜」之目，而未言卷數。愚見以爲宗羲之自著年譜，可能僅有上卷而無下卷。而黃百家、邵廷采都未提及，恐百家撰行略時，自著年譜已毀於火。謝國禎著黃梨洲學譜著述考亦云「梨洲曾自撰年譜，不戒於火，業已亡佚」。然今人洪煥椿著浙江文獻叢考黃宗羲著述目竟稱：「自著年譜。光緒三十一年（一九〇五）杭州羣學社石印黃梨洲遺書十種本。」大誤也。按黃梨洲遺書十種乃諸暨人蔣麟振編輯，杭州羣學社石印行世（刊於光緒三十一年乙巳），今浙江圖書館尚存完本。其總目雖列十種，然屬梨洲遺書者實祇九種，其第十種爲「梨洲年譜」，實即黃炳垕所撰「黃梨洲先生年譜」之簡稱。然洪氏未審內容，而誤以爲即梨洲自著年譜加以著錄，亦可見前人書目之不可輕信也。筆者曾見某友著作中沿襲了洪氏錯誤，故特記於此，以警後之學者。

此外，前人有關梨洲遺著的著錄或彙刊本中，還有一些明顯的誤記或誤解，本書前列諸節已有所考論而未考其全，茲合併列目說明如次：

一屬他人著作而誤以爲梨洲遺著者，如滇考、鄭成功傳、張玄箸先生事略、玄珠密語四種，本書第十四、二十二節已考。未考者還有三種，補考如下：

(1) 嘉定屠城紀略

(2) 吳耿尚孔四王傳

光按：以上二書目見清道光間海寧馬瀛（字二槎）所著吟香仙館書目，目下均題「黃宗羲撰」。然吟香仙館所藏原書今不可覓，考今存明季野史彙編二十九種（清鈔本）及中國歷史研究資料叢書（上海書店影印本）所收之嘉定屠城紀略及吳耿尚孔四王合傳，均不著撰人姓氏，審其內容，作者皆以「我朝」、「本朝」、「天朝」稱清朝，並謂「南京福藩僭立」、「桂王僭號永歷」云云，可知決非黃宗羲所著之書。或者宗羲編明史案時，可能將這類史料編入，致使後人誤以爲宗羲所著也未可知。今無更多史料可證，故不列爲梨洲遺著。

(3) 黃山行脚草

按：此書乃宗羲次子黃正誼（字直方）所撰詩集，已由黃炳編入黃氏續錄卷四（與宗羲所編黃氏攟殘集合刻，今有康熙刻本。）然浙江文獻叢考著錄曰：「黃山行脚草一卷，清徐乾學傳是樓有藏本。」亦係誤記也。

一屬梨洲專著中或文集中之一單篇而被後人著錄爲一卷或單獨列一書目者，除行朝錄之各篇外，尚有：

(1) 葬制或問

按：本篇爲梨洲晚年之作，未收入南雷文定諸集，而全文存錄於黃百家之梨洲府君行略及邵廷采之黃文孝先生傳。但黃嗣艾南雷學案遺著目著錄「葬制或問一卷」、洪煥椿浙江文獻叢考著述目亦立「葬禮或問」之目，皆誤。

(2) 四明山九題考

按：黃炳垕黃梨洲年譜及黃梨洲公事實咏均著錄云「四明山九題考一卷，」並有註解。謝國楨黃梨洲學譜著述考又據黃梨洲年譜誤錄爲「四明山九題考一卷」。按此卷實屬四明山志卷四，不應單獨列目。

(3) 七　怪

(4) 論文管見

按：以上二文分見於南雷文案卷十、南雷文定三集卷三，後者或附於金石要例之後，不應單獨立目，而浙江文獻叢考則誤立之。

(5) 納　甲

(6) 納音

按：以上二目均爲易學象數論之篇名，邵廷采黄文孝先生傳爲之單獨立目，蓋未見象數論全書之故也。

另外還有一些著錄之誤，因其瑣細，茲不一一錄出。

# 附錄一：黃宗羲著作總目表

**文選彙編類** 計十九種，今存十種，佚九種

| | | | |
|---|---|---|---|
| 1 | 明文案 | 二百十七卷 | 存鈔本 |
| 2 | 明文海 | 四百八十二卷 | 存殘稿本、鈔本、影印本 |
| 3 | 明文授讀 | 六十二卷 | 存初刻本 |
| 4 | 姚江逸詩 | 十五卷 | 存初刻本 |
| 5 | 剡源文鈔 | 四卷 | 存刻本 |
| 6 | 杲堂文鈔 | 六卷 | 存刻本 |
| 7 | 子劉子學言 | 二卷 | 存初刻本 |
| 8 | 黃忠端公文集 | 六卷 | 存刻本 |
| 9 | 黃氏攟殘集 | 七卷 | 存初刻本 |
| 10 | 宋詩鈔 | 九十四卷 | 存鈔本、刻本 本書係與吳之振呂留良等合編 |
| 11 | 續宋文鑑 | 卷數不明 | 佚 目見梨洲先生神道碑文 |

12 元文鈔 卷數不明 佚 目同上
13 宋元集略 卷數不明 佚 目見南雷雜著與徐乾學書
14 宋元文案 卷數不明 佚 目見梨洲府君行略
15 明史案 二百四十四卷 佚 目見梨洲先生神道碑文
16 正氣錄 一卷 未見 目見黃梨洲先生年譜
17 姚江文略 十卷 佚 目見行略、南雷學案
18 姚江瑣事 二卷 佚 目同上
19 東浙文統 卷數不明 佚 目見南雷文案稱心寺志序

**自撰專著類** 六十四種，存二十六種，佚三十八種

20 明儒學案 六十二卷 存初刻、重刻本、鈔本、鉛印本
21 宋元學案 一百卷 存後人增補稿本、刻本、鉛印本
22 易學象數論 六卷 存鈔本、刻本、影印本
23 深衣考 一卷 存鈔本、刻本、影印本
24 破邪論 一卷 存刻本、鉛印本
25 孟子師說 二卷 或分七卷 存鈔本、刻本、鉛印本
26 子劉子行狀 二卷 存初刻、重刻本、鉛印本

27 明夷待訪錄　二卷　存一卷鈔本、刻本、鉛印本

28 留書　一卷　存鈔本、鉛印本

29 汰存錄　一卷　存刻本、鉛印本

30 黃氏家錄　一卷　存刻本

31 思舊錄　二卷　存一卷　存鈔本、刻本、鉛印本

32 弘光實錄鈔　四卷　存鈔本、刻本、鉛印本

33 行朝錄　三卷　十篇　存鈔本、刻本、鉛印本

34 海外慟哭記　一卷　存刻本、鉛印本

35 歷代甲子考　一卷　存刻本、鉛印本

36 金石要例　一卷　存刻本、鉛印本

37 西臺慟哭記註　一卷　存鈔本、刻本、鉛印本

38 冬青樹引註　一卷　存鈔本、刻本、鉛印本

39 今水經　一卷　存刻本、鉛印本

40 四明山志　九卷　存初刻、重刻本

41 匡廬遊錄　一卷　存刻本、鉛印本

42 授時曆故　四卷　原本一卷佚　存後人增補刻本

43 授時曆法假如　一卷　存初刻本

| | | | |
|---|---|---|---|
| 44 | 西洋曆法假如 | 一卷 | 存初刻本 |
| 45 | 新推交食法 | 二卷 原本佚 | 存後人整理稿本 |
| 46 | 授書隨筆 | 一卷 | 佚 目見梨洲先生神道碑文 |
| 47 | 四書私說 | 一卷 | 佚 目見鮚埼亭集外編卷四十四 |
| 48 | 從政錄 | 一卷 | 佚 同上 |
| 49 | 六家着法 | 六卷 | 佚 目見黃炳垕著誦芬室詩略 |
| 50 | 二程學案 | 一卷 | 佚 目見四庫全書總目存目三 |
| 51 | 邪氛錄 | 一卷 | 佚 目見徐秉義編培林堂書目 |
| 52 | 虐征錄 | 一卷 | 佚 同上 |
| 53 | 倒戈錄 | 一卷 | 佚 同上 |
| 54 | 理學錄 | 一卷 | 佚 同上 |
| 55 | 明季災異錄 | 一卷 | 未見 目見謝國楨著黃梨洲學譜 |
| 56 | 蕺山同志考 | 一卷 | 佚 目見南雷雜著稿、蕺山同志考序 |
| 57 | 宋史補遺 | 三卷 | 佚 目見行略、神道碑文 |
| 58 | 明史條例 | 一卷 | 佚 目見文獻徵存錄卷二黃宗義傳 |
| 59 | 續時略 | 卷數不明 | 佚 目見謝國楨增訂晚明史籍考卷一 |
| 60 | 補唐詩人傳 | 一卷 | 佚 目見神道碑文 |

| | | | | |
|---|---|---|---|---|
| 61 | 緯書 | 卷數不明 | 佚 | 目見南雷詩曆卷一詩註 |
| 62 | 三史 | 卷數不明 | 佚 | 目同上 |
| 63 | 四明山古蹟記 | 五卷 | 佚 | 目見四庫全書總目卷七十六 |
| 64 | 台宕紀遊 | 一卷 | 佚 | 目見行略、神道碑文 |
| 65 | 讀龜山先生字說辯 | 一卷 | 未見 | 目見孫殿起販書偶記續編 |
| 66 | 天一閣書目 | 卷數不明 | 佚 | 目見南雷文案卷二天一閣藏書記 |
| 67 | 律呂新義 | 二卷 | 佚 | 目見行略、神道碑文 |
| 68 | 黃氏喪服制 | 一卷 | 佚 | 目同上 |
| 69 | 忠端祠中神絃曲 | 一卷 | 佚 | 目見神道碑文 |
| 70 | 自著年譜上 | 一卷 | 佚 | 目見南雷詩曆卷一 |
| 71 | 春秋日食曆 | 一卷 | 佚 | 目見行略、神道碑文 |
| 72 | 大統曆推法 | 一卷 | 佚 | 目同上 |
| 73 | 回回曆假如 | 一卷 | 佚 | 目同上 |
| 74 | 監國魯元年丙戌大統曆 | 一卷 | 佚 | 目見神道碑文 |
| 75 | 監國魯五年庚寅大統曆 | 一卷 | 佚 | 目見黃梨洲學譜 |
| 76 | 氣運算法 | 一卷 | 佚 | 目見行略、神道碑文 |
| 77 | 句股圖說 | 一卷 | 佚 | 目同上 |

| | | | |
|---|---|---|---|
| 78 | 開方命算 | 一卷 | 佚　目同上 |
| 79 | 測圜要義 | 一卷 | 佚　目同上 |
| 80 | 大統曆法辨 | 四卷 | 佚　目見阮元疇人傳卷三十六黃宗羲 |
| 81 | 時憲書法解 | 一卷 | 佚　目同上 |
| 82 | 圜解 | 一卷 | 佚　目同上 |
| 83 | 割圜八線解 | 一卷 | 佚　目同上 |

**自撰詩文集類** 共二十八種，存十八種，佚十種

| | | | |
|---|---|---|---|
| 84 | 南雷文案 | 十二卷 | 存初刻重刻本、鈔補本、鉛印本 |
| 85 | 吾悔集 | 四卷 | 存初刻、重刻本、鉛印本 |
| 86 | 撰杖集 | 一卷 | 存初刻、重刻本、鉛印本 |
| 87 | 南雷文定前集 | 十一卷 | 存初刻、重刻本、鉛印本 |
| 88 | 南雷文定後集 | 四卷附一卷 | 存本同上 |
| 89 | 南雷文定三集 | 三卷 | 存初刻、重刻本、鉛印本 |
| 90 | 南雷文定四集 | 四卷 | 存初刻、重刻本、鉛印本 |
| 91 | 南雷文定五集 | 三卷附一卷 | 存初刻、重刻本、鉛印本 |
| 92 | 南雷文約 | 四卷 | 存初刻、重刻本、鉛印本 |

| 編號 | 書名 | 卷數 | 內容 | 存佚 |
|---|---|---|---|---|
| 93 | 南雷雜著 | 不分卷 | 收文四十篇詩二首 | 存稿本二冊、影印本一冊 |
| 94 | 南雷文鈔 | 一冊 | 收文四十六篇 | 存鈔本 |
| 95 | 南雷文鈔 | 三冊 | 收文一百五十五篇詩一首、附書札 | 存鄭祏鈔本 |
| 96 | 南雷集外文 | 一冊 | 收文十七篇詩一首 | 存鈔本、刻本　改名南雷餘集 |
| 97 | 南雷詩曆 | 一冊 | | 存萬言鈔本 |
| 98 | 南雷詩曆 | 三卷 | | 存初刻、重刻本、鉛印本 |
| 99 | 南雷詩曆 | 四卷 | | 存本同上 |
| 100 | 南雷詩曆 | 五卷 | | 存初刻本、鉛印本 |
| 101 | 匡廬行脚詩 | 一卷 | | 存刻本、鉛印本　目見鮚埼亭集外編卷二十五 |
| 102 | 始學庵集 | 卷數不明 | | 佚　目見南雷黃子大全集序 |
| 103 | 庚戌集 | 卷數不明 | | 佚　目見南雷文案卷一庚戌集自序 |
| 104 | 蜀山集 | 卷數不明 | | 佚　目見南雷文定凡例 |
| 105 | 病榻集 | 一卷 | | 佚　目見南雷黃子大全集序 |
| 106 | 老柳集 | 一卷 | | 佚　目見黃梨洲先生年譜 |
| 107 | 杏殤集 | 一卷 | | 佚　同上 |
| 108 | 金罍集 | 一卷 | | 佚　同上 |
| 109 | 露車集 | 一卷 | | 佚　同上 |

110 心斷集　一卷　佚　同上

111 吳艇集　一卷　佚　同上

以上合計一百十一種，現存五十四種，亡佚五十七種。所存梨洲自撰之專著、詩文已編入黃宗義全集各册，將由浙江古籍出版社陸續出版。詳見各節考證。

# 附錄二　清初啓蒙思想家黃宗羲傳

公元一六九五年，中國學術文化史上傑出的思想家、史學家和文學家——梨洲先生黃宗羲在鄉間草廬與世長辭了。他在逝世前夕寫給學生萬承勳的信中講了四條「可死」的道理：「年紀到此，可死；自反平生雖無善狀，亦無惡狀，可死；於先人未了，亦稍稍無歉，可死；一生著述未必盡傳，自料亦不下古之名家，可死。如此四可死，死眞無苦矣！」是的，黃宗羲是懷着死而無愧的心情離開人世的。我們現在來評判他的「自料」，可以說他頗有自知之明。他一生著述弘富，約計兩千餘萬字，惜身後故廬迭遭水火之災，清朝統治者又大搞文字獄，致使其遺著散亡大半，未能盡傳。但僅從流傳下來的數百萬字著作對於後世的巨大影響來看，他對人類精神文明寶庫的貢獻，確實不下於古之名家，特別是在政治思想領域，其成就恐怕更勝於古之名家。

## 少年英名

黃宗羲，字太冲，號南雷，浙江餘姚縣（今改餘姚市）人。據說在他出生之前，母親夢見了象徵吉祥的麒麟，故爲他取個乳名叫麟。然而，宗羲一生百災千難，禍患連綿不斷，哪兒談得上什麼吉祥！後來，當他抗清失敗以後，曾在著作中爲自己起了許多別號，例如梨洲老人、梨洲山人、藍水漁人、魚澄洞主、雙瀑院長、古藏室史臣，等等，倒是表達了他寧居山林，不仕新朝的民族氣節和銳意著述、爲後人留書立言的高尚情操。由於他家居梨洲山邊，在最著名的明夷待訪錄中署名「梨洲老人」，所以學者們尊稱他爲黃梨洲先生。

明神宗萬曆三十八年八月八日（公元一六一〇年九月五日），黃宗羲出生在餘姚縣通德鄉黃竹浦村（今餘姚市明偉鄉浦口村）一個普通讀書人的家庭。父黃尊素，字眞長，號白安，在萬曆四十四年考中了進士，次年被授予寧國府（治所在今安徽宣城縣）推官之職。於是黃尊素携妻挈兒，開始了坎坷而險惡的宦海生涯，而年僅七、八歲的黃宗羲也就從小培養了關心國事的政治意識。

明熹宗天啓三年（一六二三），黃尊素奉調入京，升任山東道監察御史。十四歲的黃宗羲剛剛在家鄉通過了秀才考試，補爲仁和縣（今屬杭州市）博士弟子員，又跟隨父母前往北京的御史官邸，一面刻苦讀書，一面從父輩的政治生涯中領略人生的道理。

當時的明王朝，政治上極端腐敗。熹宗朱由校昏庸無能，朝政大權掌握在以大宦官魏忠賢爲首的腐朽官僚集團手中，時人斥之爲「閹黨」。閹黨結黨營私、朋比爲姦，窮奢極欲地攫取社會財富，迫害正直官員，鎭壓人民的反抗，因而大大激化了社會矛盾以及統治階級的內部矛盾。早在萬曆中葉，以革職官員顧憲成爲首，集結同志友好高攀龍、錢一本等人，在家鄉無錫的東林書院以講學爲名，「諷議朝政，裁量人物」（明史顧憲成傳），於是，「朝士慕其風者，多遙相唱和」（同上），逐漸形成了一個政治派別，即所謂「東林黨」。東林黨人大多是正直的官僚士大夫，他們主張改革弊政，要求減輕人民的賦稅負擔，反映了中小地主階級和新興市民階級（主要是工商業者）的利益，而黃尊素便是東林黨人中一位重要人物。

天啓年間，東林黨和閹黨的鬥爭日益激烈。天啓五年（一六二五），魏忠賢集團大興寃獄，逮捕了東林黨領袖人物楊漣（曾任左副都御史）、左光斗（左僉都御史）等六人。次年二月，又將應天巡撫周起元、左都御史高攀龍以及周順昌、繆昌期、李應昇、周宗建、黃尊素等朝廷官員逮捕入獄。魏忠賢及其同伙還編造了東林點將錄，羅織莫須有的罪名，迫害東林黨人。又指使其爪牙，用極其殘暴的手段，將這兩次逮捕的十多名正直官員害死在公堂上或牢獄中。黃尊素被害於天啓六年六月初一日，年僅四十三歲。他在臨難前所作正氣詩寫道：「正氣長留海嶽愁，浩然一往復何求！十年世路無工拙，一片剛腸總堪憂。麟鳳途窮悲此際，燕雀聲雜值今秋。錢塘有浪胥門目，唯取忠魂泣髑髏。」（黃忠端公文集）表現了大義凜然，臨死不屈的崇高氣節。

這一年，黃宗羲年僅十七歲。當父親在無錫寓所被捕押解京城時，宗羲滿懷悲憤，親自伴送到常州。臨別時，父親諄諄囑咐兒子拜劉宗周爲師，刻苦攻讀經史，了解古今治亂興亡的歷史教訓，以便成爲國家有用之材。宗羲牢記父訓，依依惜別親人。不料泣別之日，便成永訣之時。

不久，黃尊素被害的凶信傳到餘姚家中，全家老少悲痛萬分。宗羲的祖父黃曰中（號鯤溟公）憤怒寫下「爾忘句踐殺爾父乎」八個大字貼在墻上，激勵孫兒爲父報仇雪寃。

天啓七年 明熹宗死，其弟朱由檢即位 改元崇禎。崇禎元年（一六二八年）正月，黃宗熙滿懷對禍國殃民的魏忠賢閹黨集團的深仇大恨，身藏鐵錐，寫下奏疏，離家赴京，爲父申寃。當他到達北京時，政局已經起了很大變化。崇禎帝爲鞏固政權，罷了閹黨魁首魏忠賢、崔呈秀的官，迫使他們自殺，宣布了他們的罪狀。並且平反了天啓朝的寃案，撫恤死難諸臣家屬。黃尊素被贈爲三品官，賜予祭葬。但閹黨餘孽尚存，宗羲於是上書崇禎帝，請求誅殺許顯純、崔應元、曹欽程、李實等人。

五月，刑部會審許顯純、崔應元等，黃宗羲出庭對證。在威嚴的刑部公堂上，黃宗羲突然取出暗藏的鐵錐猛刺許顯純，刺得這個當年不可一世的姦臣遍身血汚，狼狽不堪。但他狡辯說，自己是萬曆皇后的外甥，根據法律可以減刑。黃宗羲義正辭嚴地駁斥說：「顯純與閹黨構難，忠良盡死其手，當與謀逆同科。夫謀逆則以親王高煦、宸濠尚不免於戮，況皇后之外親乎？」審訊結果，判處了許、崔二人死刑。黃宗羲又當衆痛打崔應元，拔了他的胡鬚，去祭祀先父的亡靈。

審判結束後，黃宗羲又與死難諸家子弟一起，在詔獄中門祭奠忠魂，哭聲如雷，聞於宮廷。崇禎帝知道後，嘆息說：「忠臣孤子，甚惻朕懷！」（全祖望：梨洲先生神道碑文，以下簡稱神道碑文）

黃宗羲入京頌寃、錐刺閹黨的事迹，轟動了整個京城，傳遍了朝野上下。「當是時，先生義勇勃發，自分一死，冲仇人胸。……會審之日，觀者無不裂眦變容。當是時，姚江黃孝子之名震天下。事定還里，四方名士無不停舟黃竹浦，愿交孝子者。」（邵廷釆思復堂文集卷三遺獻黃文孝先生傳）。年輕的黃宗羲給人們留下了大智大勇大孝大義的深刻印象。

## 博覽羣書

黃宗羲生長在書香門庭，從小就受到嚴格的家庭敎育，養成了良好的讀書習慣。跟隨父母住在北京的御史官邸時，父親每天都要他完成八股制藝的功課，而宗羲却喜款偷看那些野史、小說。幾十年後，他追敍說：「宗羲此時年十四，課程旣畢，竊買演義，如三國、殘唐之類數十册，藏之帳中。俟父母熟睡，則發火而觀之。」（南雷文鈔・家母求文節略）終於有一天，這些書被父母發現了。母親怕他躭誤做八股文的功課，希望黃尊素出面制止。但父親比較開通，說：「如果禁止他讀小說，就會傷害他的探索精神，還是讓他用這類書去啓發聰明智慧吧！」這件事說明宗羲在少年時代就不熱衷科名，而喜愛博覽羣書、獨立思考。這對他後來揭露批判科舉流弊、提倡「經世」實學是有很大影響的。

崇禎元年秋，黃宗羲護持着父親靈柩回到家鄉。辦完喪事以後，即遵照父親遺囑，到郡城紹興，跟隨老師劉宗周學習。劉宗周，字起東，號念臺，學者稱「念臺先生」，因其講學於蕺山，故又稱爲「蕺山先生」。他是當時名儒，在萬曆、天啓兩朝，就曾與高攀龍、鄒元標、馮從吾等人講學於無錫東林書院。崇禎初，又與陶奭齡共舉越城證人之會（即紹興證人書院）。但劉、陶爲學宗旨不同，劉子主「愼獨」，而陶氏則近禪。所以不久便分道揚鑣，陶氏另立分會於白馬山，開門授徒，所講都是佛教因果之說。黃宗羲認爲非常荒謬，力駁陶氏邪說，又邀集吳、越名士四十餘人至劉宗周門下聽講。從此，蕺山門人日益增多，「愼獨」之說得到廣泛傳播。

在名師劉宗周的指導下，黃宗羲的學問大有長進。然而，黃宗羲能「青出於藍而勝於藍」，終成大器，除得益於老師外，更多地還是得益於自學和社會實踐。

崇禎三年（一六三〇），黃宗羲寄身於南京叔父的官邸讀書。他的朋友沈壽民勸他重理學業，準備應考。於是，他在南京參加了鄉試。但滿腹經綸的黃宗羲却榜上無名，落第還鄉，途經京口時，他遇見了曾任內閣大學士的文震孟，呈上落塲答卷給文看。文十分欣賞宗羲的才華，勉勵他說：你以後「當以古文鳴世，一時得失不足計也」（思舊錄）。這次科舉落第，對黃宗羲是極大的教育，使他初步看清了科舉制度的腐敗。從此以後，他將那些時文制藝一類八股文章束之高閣，而發憤苦讀經史和諸子百家之書。

當初，黃尊素在被押赴京的路上，曾告誡宗羲說：「學者不可不通知史事。將架上徵獻錄涉略可也。」（黃炳垕：黃梨洲先生年譜，以下簡稱年譜）。於是，宗羲遵照父親遺訓，開始有計劃地讀書。他先從明代十三朝實錄讀起，再讀二十一史，「每日丹鉛一本，遲明而起，鷄鳴方已，兩年而畢」（同上），他「通知史事」的目的是爲了「致用」。他還鑽研了四書、五經等儒家經典，廣泛研讀了諸子百家之書，以及天文、地理、曆法、數學、音樂、佛教、道教等方面的書籍。甚至對耶穌會教士傳入的西方自然科學著作，他也認眞地作了研究。這爲他以後成爲博學多識的一代學術大師，奠定了堅實的知識基礎。

黃宗羲刻苦讀書，廣搜博求的精神是非常感人的。全祖望撰梨洲先生神道碑文寫道：

> 公……於書無所不窺者。憤科舉之學錮人生平，思所以變之。既盡發家藏書讀之。不足，則鈔之同里世學樓鈕氏、澹生堂祁氏，南中則千頃齋黃氏，吳中則絳雲樓錢氏，窮年搜討。遊屐所至，遍歷通衢委巷，搜鬻故書。薄暮，一童肩負而擔出，乘夜丹鉛，次日復出，率以為常。

正因爲他能博覽羣書，又能融會貫通，見解卓異，所以年僅二十幾歲，就名聲大振，「一時老宿聞公名者，競延致之相折衷」，他同弟弟黃宗炎（字晦木）、黃宗會（字澤望）「皆大有聲，於是儒林有東浙三黃之目」（引文均同上）。各地求教問學的人紛至沓來，蔚爲盛況。

青年時期的黃宗羲滿懷愛國赤忱，曾在留都南京參加了一場重大的政治鬥爭，即與復社名士周鑣、吳應箕、陳貞慧、顧杲等人一起，聯名發表了留都防亂公揭（一名南都防亂揭），嚴正揭露和聲討閹黨餘孽阮大鋮的陰謀與罪行。

明朝末葉，文人結社之風遍於大江南北，一批志同道合的文人學士，組成一個團體，推舉

一、二人充當領袖，定期或不定期地舉行集會，或者飲酒作樂，吟詩誦文，或者高談闊論，諷議朝政，當時稱這種集會叫「文會」、「社集」，又叫「社盟」、「社局」、「坊社」等等。到天啓、崇禎年間，隨着東林黨和閹黨的鬥爭激烈展開，文人結社也就愈益帶上濃厚的政治色彩。

在各種文社中，以江蘇太倉人張溥（字天如，號西銘）、張采（字受先，號南郭）領導的復社成員最多，範圍最廣，影響也最大。崇禎三年（一六三〇），張溥召集復社金陵大會，正在南京準備應考的黃宗羲便由周鑣（字仲馭）介紹加入了復社，又由何喬遠（字匪莪）介紹加入了南京的詩社。從此，他與復社名士張溥、楊廷樞、陳子龍、吳偉業、沈壽民、冒辟疆、陳貞慧等時相過從，結爲文友。崇禎六年至七年（一六三三—一六三四），宗羲在杭州加入孤山讀書社（又名武林讀書社，隸屬復社），與江浩、張岐然、沈壽民、沈士柱等一班名士讀書論學，人們欽佩他能夠「鑿空新義，石破天驚」。

在這前後，黃宗羲很可能與其弟黃宗炎、黃宗會及寧波好友萬泰（字履安）、陸符（字文虎）等在家鄉餘姚組織過「梨洲復社」，因爲在現存的梨洲手稿——南雷雜著稿原件上留有「梨洲復社」的印章。

張溥領導的復社，也不免混入一些士林敗類，但總的來說，復社是反對閹黨亂政、主張改革朝政的最有影響的文人團體，當時被視爲「小東林」，因而遭到了閹黨餘孽阮大鋮等人的刻骨仇恨。

阮大鋮本來是魏忠賢的走狗文人。崇禎初年，他被列入「逆案」，削職爲民，避居安徽懷寧老家。但賊心不死，仍圖東山再起。崇禎五年（一六三二），由他幕後操縱，在懷寧成立了「中江文社」，只是由於方以智的揭露，中江文社才曇花一現，如鳥獸散。這時，李自成領導的農民起義軍攻佔了安徽大部地區，阮大鋮失魂落魄，逃到南京避難，又暗中招納亡命之徒，用金錢美女收買復社人士，招搖撞騙，大有捲土重來之勢。

阮大鋮的行徑，激怒了復社志士。他們認爲，阮大鋮圖謀復出，很可能成爲第二個魏忠賢，必須將他趕出南京，才能消除隱患。於是，共推吳應箕（字次尾）起草，由天啓朝受閹黨迫害的忠臣子弟顧杲（顧憲成之孫）、黃宗羲帶頭署名，發佈了聲討阮大鋮罪行的留都防亂公揭。

留都防亂公揭就像一篇戰鬥檄文，義正辭嚴，情緒激昂。它淋漓盡致地揭露了阮大鋮「獻策魏璫，傾殘善類」，「招納亡命」、「陰險叵測」的醜惡嘴臉；表達了復社志士「但知爲國除姦，不惜以身賈禍」的凜然正氣。他們宣言：「若使大鋮罪狀得以上聞，必將重膏斧質，輕投魑魅。即不然，而大鋮果有力障天，威能殺士，杲亦請以一身當之，以存此一段公論，以寒天下亂臣賊子之膽！」（引自謝國禎明清之際黨社運動考）

這篇公揭的發表，在當時確實起了「寒亂臣賊子之膽」的作用。阮大鋮嚇得「杜門咋舌欲死」，溜到南京城外牛首山的寺廟中躲避了好幾年。

揭文的發表，大長了正人君子的志氣。黃宗羲與一班復社文人及東林子弟還舉行了「桃葉渡大會」，痛斥阮大鋮罪行，引起社會上的普遍注目，當時連烟花女子、梨園子弟也不願引喉歌唱阮大鋮寫的燕子箋傳奇了。

然而，對社會邪惡勢力的道德譴責，如果沒有強大的正義力量作後盾，是起不了多大實際作用的。明末愛國志士的悲劇在於：整個統治階級已經腐敗透頂，分崩離析，不堪收拾，明王朝已經病入膏肓，無可救藥。一批文弱書生——他們可能是社會上一些頭腦清醒、人格高尚的分子——的大聲疾呼，也祇能是「有心殺賊，無力回天」。

果然，留都防亂公揭發表幾年以後，即崇禎十七年（一六四四）春，明王朝被李自成農民起義軍推翻了。接着，清兵入關，打敗了農民軍。清王朝定都北京。五月，明鳳陽總督馬士英等在南京擁立福王稱帝，建立弘光政權。這個政權仍然極其腐敗。馬士英因擁戴福王有功，獨攬軍政大權，立即起用阮大鋮爲兵部侍郎。他們不但不積極準備抗清，反而大肆鎮壓愛國志士。阮大鋮編造了一份蝗蝻錄（誣指東林黨人爲蝗，復社人士爲蝻），按留都防亂公揭的名單搜捕復社志士，企圖一網打盡。他首先殺害了與農民軍有過聯繫的復社人士周鐘，又牽連及於周鐘的堂兄周鑣，將周鑣害死在獄中。那些列名公揭的復社人士或被殺，或被捕，或逃亡。黃宗羲也與顧杲一起被捕入獄。第二年五月，清軍攻下南京，弘光政權瓦解，黃宗羲才得以乘亂脫身，回到家鄉。宗羲晚年回憶此事時說：「弘光南渡，止結得留都防亂揭一案也。」（陳定生先生墓誌銘）但這樁公案雖然了結，而黃宗羲「半生瀕十死」的艱苦經歷，還祇是個開頭。

## 毀家抗清

黃宗羲晚年所作怪說一文寫道：「自北兵南下懸書購余者三，名捕者一，守圍城者一，以謀反告訐者二三，絕氣沙墠者一晝夜，其他連染邏哨之所及，無歲無之，可謂瀕於十死者矣！」這正是他在抗清鬥爭中所歷艱險的眞實寫照。

順治二年（一六四五）五月，清軍攻下南京後揮師南下，很快就佔領杭州。接着豫親王多鐸率部向浙東推進。殘餘明軍節節敗退，州縣官吏聞風喪膽，或棄官逃跑，或投靠清朝。然而，不甘清軍蹂躪的浙東人民和愛國官吏紛紛自動組織起來，投入抗清武裝鬥爭。這年閏六月初九日，原明九江道僉事孫嘉績和吏科給事中熊汝霖首先在餘姚舉起義旗，參加起義的民衆達數千人，此後，紹興府秀才鄭遵謙殺了清朝招撫使，在紹興舉義，原明刑部員外郎錢肅樂等在寧波聚衆響應。本來已準備降清的定海總兵王之仁率兵響應錢肅樂，主動接受肅樂約束。還有原明兵部尙書張國維也在家鄉積極組織鄉農，投入武裝抗清。六月二十七日，各路義軍從台州迎接明魯王朱以海到紹興，打起監國旗號，開始了長達八年的浙東抗清鬥爭。

當熊汝霖、孫嘉績在餘姚起義時，黃宗羲立即積極響應。他與弟宗炎、宗會商議，變賣家產以作抗清經費，集合了家鄉黃竹浦一帶六百多名青壯年農民組成一支義軍，去迎接監國魯王。當時，人們稱這支義軍爲「世忠營」。次年二月，魯王任命黃宗羲擔任兵部職方司主事。宗羲請求以「布衣」從事，但未獲准許。

在追隨監國魯王抗清期間，黃宗義堅持了許多正確主張，也提出過不少深謀遠慮的進取性策略。

魯王政權建立不久，幾支義軍北渡錢塘江，雖曾屢次挫敗清軍。但將帥們目光短淺，不知進取，而圖保自己實力，甚至提出「劃地分餉」，搞起了分裂。這年十一月，馬士英、阮大鋮率殘兵敗卒投靠了魯王悍帥方國安。許多大臣都列數馬、阮罪狀，請誅馬士英。但當政的熊汝霖惟恐得罪方國安，以致釀成意外，就出面調和說：「現在不是殺馬士英的時候，還是讓他立功贖罪吧。」黃宗義堅決反對這種和稀泥態度，對熊汝霖說：「（士英）非不當殺，（諸臣）力不能殺耳。然春秋之義，孔子亦豈能殺陳桓？固不可言不當殺也。」（行朝錄．魯紀年上）熊汝霖祇好認錯。

監國魯元年（清順治三年）二月，前明總兵陳梧在嘉興携李城被清軍打敗，從海上逃到餘姚，縱兵擄掠鄉民。餘姚縣令王正中派兵攻擊陳梧，鄉民們也奮起除暴，殺了陳梧。於是，陳梧部衆大亂。這時魯王臣僚中有人主張罷免正中，以穩定軍心。黃宗義仗義執言，嚴正指出：「（陳梧）借喪亂以濟其私，致干衆怒，是賊也。正中守土，即當爲國保民，何罪之有？」（神道碑文）這言論爲魯王採納，遂未追究正中。

那時，魯王部將王之仁以保守爲策略，無所作爲，黃宗義致書王之仁，指出了保守策略的危險性，說：「諸公何不沉舟決戰、由赭山直趨浙西？而日於江上放船鳴鼓，攻其有備，蓋意在自守也。蕞爾三府，以供十萬之衆，北兵即不發一矢，一年之後，恐不能支，何守之爲？」又說：「崇明，江海之門戶，曷以兵擾之？亦足分江上之勢。」（均見神道碑文，幷見魯紀年）當時行朝諸臣，雖然同意黃宗羲的看法，却不能付諸實踐。

這年五月，孫嘉績將所屬「火攻營」交給黃宗羲指揮，宗羲便與王正中聯合，組成了一支三千人的隊伍，又聯合查繼佐所屬義軍，一同西行渡海，駐扎在潭山。浙西抗清義軍的首領陳潛夫（原明太僕寺卿）、朱大定（尚寶司卿）、吳乃武（兵部主事）等率軍與黃宗羲軍會師，並自願受其約束。義師隊伍十分嚴整，前鋒直抵乍浦城下。宗羲又與城內義士孫奭約定，準備里應外合，奪取乍浦。但這時，清軍主力已抵乍浦不遠，且已作好渡江東進準備，因此，王正中部作戰失利；五月底，錢塘江水位猛降，而守衞南岸的方國安却恃險無備，被清軍乘夜策馬過江，致使浙師大敗。六月初一，清軍佔領紹興，方國安便刼持魯王出逃。

這次江上兵潰，對浙東抗清事業是個沉重打擊，但黃宗羲抗清鬥志毫不動搖，毅然率領殘部退入浙東的四明山區，駐軍杖錫寺內，意在結寨固守，作爲抗清根據地。爲了訪求魯王的下落，黃宗羲化粧外出。臨行，告誡部將茅瀚、汪涵要團結山民，嚴禁部衆騷擾羣衆。但宗羲走後，部下不聽節制，搶奪糧食，激起民憤。山民燒燬了杖錫寺，茅、汪二將被燒死，餘衆也被山民打死。宗羲無營可歸，不得不潛回餘姚家中，伺機再起。又因清政府懸賞捉拿黃宗羲，他被迫奉持老母，携帶妻兒，避居化安山丙舍。次年，又回到黃竹浦故居。

魯王朱以海得知方國安將出賣自己投降清朝，遂從營中逃出，在張名振、鄭彩等人保護下，先到舟山，再南下入閩，重立監國旗號。其部下也曾一度收復福建沿海三府一州二十七縣。但由於魯王政權內部文武臣僚相互傾軋，以致得地復失。監國魯王四年（清順治六年，一六四九年）七月，魯王由閩入浙，駐軍於健跳所（今屬浙江臨海）的海面上。黃宗羲聞訊當即前往，魯王任命爲左僉都御史，接着又提升爲左副都御史。黃宗羲多麼希望魯王政權大有作爲！他上書魯王，極力推薦在四明山抗清鬥爭中建立戰功的王翊，請求朝廷委以重任。奏章中說：「諸營之強，莫如王翊；其乃心王室，亦莫如翊；諸營文臣輒自稱都御史、侍郎，武臣自稱都督，其不自張大，亦莫如翊，宜優其爵，使之總領諸營，以捍海上。」（見神道碑文，參見行朝錄·四明山寨記）但這個建議遭到定西侯張名振的反對，魯王也祇給了王翊河南御史的虛銜。

這時的黃宗羲雖然名列大臣，但既無兵權，建議又不被採納，實際上處於英雄無用武之地。於是，天天與禮部尚書吳鍾巒坐在海船中，讀書論學之外，就註解授時曆、泰西曆、回回曆等曆書。

這年八月，宗羲聽說清朝下令，將所有不肯降順的明朝官員的家屬登記上報。黃宗羲擔心母親受到株連，嘆息說：「主上以忠臣之後仗我，我所以棲棲不忍去也。今方寸亂矣，吾不能爲姜伯約矣！」（神道碑文）於是，宗羲上書魯王，請求回家，魯王亦准其所請。不久，魯王移駐舟山，又召宗羲返朝。

這年冬天，魯王任命澄波將軍阮美出使日本，請求日本派遣援兵。同時，任命兵部右侍郎馮京第及左副都御史黃宗羲作爲監軍官員同行。他們渡海到達長崎島和薩斯瑪島（一譯薩摩島，即今九州南端之鹿兒島），因日本不肯出兵，失望而歸❶。出使歸來後，宗羲不再在行朝任職，而回鄉隱居。

順治七年，清軍加緊鎭壓四明山和舟山地區的抗清志士，對查獲到的與義師有牽連的人及其家屬，或逮捕囚禁，或立即殺害。黃宗羲與四明山抗清名將馮京第、王翊，均被懸賞通緝。但宗義並未被嚇倒。他曾挾帶魯王的密信（帛書），試圖聯絡金華地區的義師。不幸的是當年七月，清軍進攻大蘭山，義軍被殲，馮京第、王翊均被殺害。

順治八年（一六五一）夏秋之交，黃宗羲得知清軍將大舉進攻舟山，秘密派人入海向魯王報警。九月，清軍經過苦戰，攻下了舟山縣城，行朝大臣張肯堂、吳鍾巒、朱永祐等英勇犧牲。魯王則在定西侯張名振、兵部左侍郎張煌言等救護下逃到厦門、金門，依附鄭成功。順治十年（一六五三），魯王勢孤力單，被迫取消了「監國」稱號，浙東抗清鬥爭宣告徹底失敗。

順治十一年（一六五四），已經投奔南明永曆政權的定西侯張名振又派出密使，與黃宗羲等人聯絡，但行至天台即被清兵俘獲，於是清政府又到處搜捕黃宗羲。順治十三年（一六五六），慈溪抗清義士沈爾緖被人告發，清政府認爲黃宗羲是主謀。又到處張榜搜捕他。在這幾年顚沛

---

❶ 關於黃宗羲「乞師日本」一事，梁啓超曾提出質疑，加以否定。然而全祖望之梨洲先生神道碑文、黃炳垕之黃梨洲年譜、滃洲老民之海東逸史、李聿求之魯之春秋均確認其事。詳究梨洲親撰之避地賦、海外慟哭記，亦可加以證定。詳見本書行朝錄考。此不贅論。

流離，艱難困苦的生活中，黃宗羲的家庭也是累遭禍殃，其弟黃宗炎兩次被捕判處死刑，幸賴友人營救得釋。兒媳孫氏、小兒子阿壽和聰明伶俐的孫女阿迎接連病死。其故居又兩次遭到火災。所以，黃宗羲悲痛地寫下了「八口旅人將去半，十年亂世尚無央」、「半生瀕十死，兩火際一年」的詩句（見南雷詩曆）。

然而，人生道路上的種種苦難和打擊，並沒有使這位梨洲老人低頭屈服，反而磨煉了他的意志，使他豐富了社會經驗，深化了理論思考。他在抗清鬥爭失敗後，告別了刀光劍影的戎馬生涯，而致力於講學著書的學術事業。他在後半生四十多年的窮困生活中，用自巳銳利的筆，寫下了大量有關政治、歷史、哲學、文學的著作。這些著作閃耀着時代的光輝，記錄了一位文化巨人的歷史貢獻。

## 著書應世

黃宗羲的一生，經歷了八十五個春秋，享壽八十六虛歲。我們可以把他的一生劃分爲兩大階段：前半生從明萬曆三十八年到清順治十年（一六一〇－一六五三），即他四十四歲以前，是其讀書學習並從事政治實踐時期；後半生從順治十年到康熙三十四年（一六五三－一六九五），即從四十四歲到逝世止，是其著書講學時期。之所以以一六五三年分界，是由于這一年是浙東抗清鬥爭徹底失敗之時，也是黃宗羲寫下第一部重要著作，可稱爲明夷待訪錄之前身的留書之年。

這兩件事是黃宗羲步入人生新階段的標誌。

清順治十年三月，魯王在金門島宣佈取消「監國」稱號，標誌着浙東抗清鬥爭徹底失敗。這時，宗羲雖未結束動蕩流離的生活，但他已開始冷靜地總結明朝滅亡的歷史教訓了。他決心爲後人留下一些有益於經世治國的言論文章，於是在同年九月，寫下了一部重要的政治思想著作，即留書一卷八篇❷。當時，作者年僅四十四歲，却自稱梨洲老人❸。其留書自序說：

「古之君子著書，不惟其言之，惟其行之也。僕生塵冥之中，治亂之故，觀之也熟；農瑣餘隙，條其大者，為書八篇。……自有宇宙以來，著書者何限？或以私意攙入其間，其留亦為無用。吾之言非一人之私言也，後之人苟有因吾言而行之者，又何異乎吾之自行其言乎？是故其書不可不留也。」

這篇自序，說明了作者寫書的目的，是要總結歷史上的「治亂之故」，著書立說，留待後人去實行。留書的內容，突出地反映了黃宗羲對明朝腐朽政治的批判和對清朝新政權的仇視，也反

❷ 留書各篇名是：文質、封建、衛所、朋黨、史、田賦、制科、將。今天一閣藏有乾隆間慈溪二老閣主人鄭性、鄭大節校鈔本一種，存錄前五篇，後三篇有目無文。詳見本書第一節留書考。

❸ 「梨洲老人」之號，首見於留書，再見於明夷待訪錄，後在作者詩文中多次使用。它是借用唐代詩人施肩吾宿四明山詩有「梨洲老人命余宿」一句而來。宗羲家居四明山麓，梨洲山邊，故以此號自稱。

映了他對中央集權的封建專制制度弊病的認識及對地方自治的肯定，但他當時的思想水平，還祇停留在民族主義，而沒有昇華到民主啓蒙思想的高度。

時隔十年，即康熙元年至二年間（一六六二—一六六三），這時，南方各地的抗清鬥爭已相繼失敗，清王朝的統治趨向穩固，黃宗羲對恢復明室已不抱任何幻想了。但他並不承認新王朝統治的合法性。在他看來，當時依然是「亂運未終」，治世有待未來。他進一步探究了歷史上的「治亂之故」，爲後世「條具爲治大法」，於是在留書八篇的基礎上，寫成了明夷待訪錄二卷❹。在明夷待訪錄中，黃宗羲的政治思想發生了質的飛躍。他不再像留書那樣僅僅把批判矛頭指向腐敗的明王朝和來自「夷狄」的清王朝，而是指向了秦、漢以來統治中國的整個封建君主專制制度，從政治、經濟、法律、軍事、教育、文化等各個方面提出了頗有民主啓蒙思想傾向的政治大綱，從而奠定了黃宗羲作爲「偉大啓蒙思想家」的歷史地位。

在清朝康熙時代，黃宗羲經歷了母死、妻喪、弟亡、子夭的家庭變故，又因爲故居累遭水火而多次遷徙，還由於家境貧困而四方奔走謀生。然而比起過去棲身於窮島荒谷、瀕臨十死的險惡生活來，總算穩定得多了。他的絕大多數著作，就是在這個時期完成的，一些昔日所寫的專著初稿和詩文集，也在這個時期作了重新修改和編訂。

明文案和明文海，是黃宗羲費時最長，用力最勤的兩部明人文選。

明代從一三六八年朱元璋建國至一六四四年朱由檢亡國，約近三百年。其間，文人學士固然不計其數，刊刻行世之文集也有數千家，但正如黃宗羲所說：「三百年人士之精神，專注於場屋之業，割其餘以爲古文，其不能盡如前代之盛者無足怪也。」（明文案序）當然也有不少好文章，所謂「情至之語」，被「埋沒於應酬訛雜之內，堆積几案之上」，誰會去認眞看呢？黃宗羲認爲，明朝雖亡，但一代之文決不可廢棄。爲了保存有明一代文章之精華，反映時代之精神，他不辭勞苦繁瑣，從康熙七年（一六六八）起，就自覺地開始搜集整理明人文集，經過七個寒暑的篩選，到康熙十四年（一六七五），終於編定了一部二百十七卷的明文案。他對這部文選很滿意，認爲「有某茲選，彼千家之文集龐然無物，即盡投之水火，不爲過矣」。

明文案編成之年，黃宗羲已經六十六歲。但他精力充沛，「六十如少壯」，仍繼續收集明人文集。在他七十四歲高齡時（康熙二十二年），仍然不辭辛勞，長途跋涉，到江蘇崑山徐乾學（字健菴）家的藏書樓——傳是樓去看書鈔書，收集了三百餘種文集，並在這一基礎上將明文案擴編爲明文海，計四百八十二卷。這部書，是由黃宗羲親自編輯定目，由其門生子弟鈔錄的，黃宗羲還作了許多注解和評論，前後經歷了二十多年，到他八十四歲時才最後完成。明文海編成以後，宗羲曾對兒子黃百家說：「非此不足存一代之書。」四庫全書總目提要稱贊此書「搜羅極富，所閱明人文集幾至二千餘家」、「可謂一代文章之淵藪，考明人著作者，必當以是編爲極備矣」，這些評語確非誇大！三百年後的現在，明文海的稿本、鈔本依然存在，而被編

❹ 據筆者考證，明夷待訪錄原稿應是二卷二十六篇，後來二老閣刻此書時刪出去了一些有明顯反清內容的篇章，故今本祇存一卷二十一篇，而留書原本之五篇則以鈔本形式流傳至今。

選過的那些明人文集則有許多已經毀佚了。這更可看到宗羲編輯這部文選巨著的重要意義。

黃宗羲晚年編撰的另一部大型著作是明儒學案。這部書共六十二卷，近百萬字，寫成於康熙十五年（一六七六），當時作者六十七歲。這是一部系統總結明代各家各派思想主旨及發展演變狀況的學術史專著。

中國古代思想家都很重視學術思想史的總結工作，戰國末年的莊子・天下篇，西漢司馬談的論六家要指、劉歆的七略、朱熹的伊洛淵源錄都是學術史專著。但它們都很簡略，也缺少系統性。在總結明代學術史方面，黃宗羲之前也有人作了嘗試。例如周汝登（字海門）寫過一部聖學宗傳，孫奇逢（即孫夏峰）寫過一部理學宗傳。但他們或在材料上搜羅不廣，或採擇不精，體例雜亂，學術偏見也很大。而黃宗羲的明儒學案，搜集材料極其豐富，體例編排較合理。它按學派分門別類，對各家各派都做到「言行並載，支派各分」，在敍述和評論中又能做到「提要鈎玄，擇精語詳」。這是一般學者做不到的。所以此書一出，立即風行學界，也爲後世學者所推崇。與他同時代的學者湯斌（號潛庵）稱贊說：「先生著述弘富，一代理學之傳，如大禹導山導水，脈絡分明……眞儒林之巨海，吾黨之斗杓也。」（見南雷文定附錄交游尺牘）黃宗羲的私淑弟子全祖望則稱明儒學案是「有明三百年儒林之藪也」（神道碑文），四庫全書總目提要稱此書「亦千古之炯鑑矣」。總之，明儒學案是我國第一部系統完整的斷代學術思想史專著，是我們今天研究明代思想文化史的必讀書。

黃宗羲不但全面系統地總結了明代的學術思想（包括經學、哲學、史學、文學）發展的歷史，而且有志於系統整理宋、元兩代乃至整個中國封建社會學術思想的發展歷史。他曾編著了宋元文案（今佚）、宋元學案（未竟而卒，後由黃百家、全祖望等續補為一百卷）、明史案二百四十四卷（今佚）以及續宋文鑑、元文鈔（均佚）等大型學術專著或資料彙編。

黃宗羲是一位博學多才的學術大師。他在政治、歷史、哲學、文學、藝術、宗教、天文、地理、數學等許多領域都有研究，並寫下許多專著和詩文，可謂「著作弘富，學問淵博」。但其著作頗多觸忌犯諱文字，多被禁燬，又累遭水火之災，因而散亡嚴重，難以搜羅齊全。近代有人著錄為六十餘種，又有人著錄七十餘種，其實遠不止此。據筆者考辨統計，梨洲著作總數至少有一百一十種，一千三百餘卷，兩千餘萬字。大體可以分為三大類：第一類是文選和資料彙編，即由宗羲編選的前人（主要是宋、元、明三代）文集、詩集，如明文案、明文海、明史案、宋元文案、姚江逸詩、剡源文鈔等，計十九種，約千卷；第二類是自撰學術專著，如明儒學案、宋元學案、易學象數論、明夷待訪錄、行朝錄、四明山志、授時曆故、曆學假如、宋史補遺、東浙文統、黃氏家錄等等，計六十四種，二百六十餘卷；第三類是自著詩文集，如南雷文案、南雷文定、南雷文約、南雷雜著、南雷詩曆等等，計二十八種，七十餘卷（除去重複計算者，則有四十餘卷）。目前尚存者共有五十餘種，約一千一百卷❺。

❺ 關於黃宗羲著作總數及其書名、存佚情況，請參閱本書總數考及附錄黃宗羲著作總目表。本傳恕不詳舉。

總之，黃宗羲在後半生中，特別是在康熙年間，勤奮著述，死而後已。他的著作成就，無論是在數量上或是在質量上，都不亞於古之名家。而且，在他那個時代，能夠在著作方面與之媲美的，恐怕祇有王夫之一人而已。與黃宗羲、王夫之並稱爲「明清之際三大家」的顧炎武，在著作數量上是遠不及黃、王二氏的。

## 講學浙東

黃宗羲不僅勤於寫作，而且誨人不倦。他在清初曾長期從事講學，培養了許多有用人材，並開創了中國學術史上一個重要學派——清代浙東學派。

黃宗羲的講學活動主要在康熙二年（一六六三）至十八年（一六七九），即他五十四歲至七十歲這段時間，先後到語溪（今桐鄉縣，明稱崇德縣、清改石門縣），海昌（今海寧縣）、紹興、寧波、鄞縣等地設館講學。而在這前後，無論是在餘姚故居還是外出交遊期間，都有許多求學者向他請教。他總是一一爲之講解，將平生學到的知識傳授別人。在二十年間，拜他爲師的人多達數百名，甚至不少地方官員也專門邀請他去講學，或到他下榻處聽講。正如全祖望梨洲先生神道碑文所記：「東之鄞，西至海寧，皆請主講，大江南北，從者駢集，守令亦或與會。已而，撫軍張公以下皆請公開講，公不得已應之。」由此可見當時黃宗羲講學的盛況，及其影響之大了。這裡，我們將他在語溪、海昌及紹興證人書院與甬上證人書院講學情況略作敍述。

康熙二年四月至六月，黃宗羲首次到語溪設館講學，先後寄寓於呂氏梅花閣和吳氏水生草堂，與朋友呂留良討論學問，並與吳之振、吳自牧父子一起選編宋詩鈔。次年二月和十月，又兩度到語溪講學。康熙四年，再至語溪講學，與弟黃宗炎和學生萬斯選拜謁了宋代名士輔廣（字漢卿，號潛庵）墓，並作輔潛庵傳。康熙五年，仍在語溪設館。在此期間，他將吳之振家藏書籍幾乎全部讀遍，收集了大量史料。

康熙五年（一六六六），黃宗羲在語溪講學期間，曾到海寧訪問老同學陳確（字乾初）和著名學者黃道周的學生朱朝瑛（字康流）。他在朱朝瑛家「日發其所著五經，討論終夜」（思舊錄）。

以後，黃宗羲曾在康熙十五年至十八年（一六七六—一六七九）間，多次到海寧講學，並擔任主講人。當時，縣令許三禮（字酉三）約請了一些官僚士大夫前來聽講。黃宗羲告誡他們說：「你們能做到愛民盡職，才是眞學問呵！」在講學時，黃宗羲雖然也是用四書、五經一類儒家經典作教材，但他不搞教條主義，而是鼓勵學生相互辯論駁難。他對學生講解說：「各人自用得着的方是學問，尋求數墨，以附會一先生之言，則聖經賢傳，皆是糊心之具。朱子所謂『譬之燭籠，添得一條骨子，則障了一路光明也』。」（見年譜）。可見黃宗羲的治學態度是主張理論聯繫實際、反對教條主義和本位主義的。

在海昌講學時，黃宗羲很重視講授自然科學知識。他向許三禮等人傳授了他研究授時曆、西洋曆、回回曆的知識，向陳訏（字言揚）傳授了中國和西方的數學知識。陳言揚深得老師學術精華，寫了一本關於『句股定理』的專著。黃宗羲非常高興，親自爲之作序。他在敍陳言揚句股述一文中，概述了中國古代的數學曲折發展的簡史，批判了中國封建社會中知識分子不重視自然科學的弊病，深有感觸地說：『西洋改容圓爲矩度，測圓爲八線，割圓爲三角。吾中土人讓之爲獨絕，辟之爲違天，皆不知二、五之爲十者也。數百年以來精於其學者……不過數人而已。海昌陳言揚因餘一言發藥，退而述爲句股書，空中之數，空中之理，一一顯出。』他還回顧了自己過去鑽研數學的情景：避居窮山深谷，『雙瀑當窗，夜半猿啼倀嘯，布算簌簌』，到了如痴如醉地步。但學成之後，猶如學了「屠龍之技」，「不但無所用，且無可與語者」。現在看到學生有所成就，喜出望外，他表示要將所學「盡以相授」，並期待陳訏「引而伸之，亦使西人歸我汶陽之田也」。他深有感觸地說：「嗚呼！此特六藝中一事，先王之道，其久而不歸者復何限哉！」這可說是對封建社會扼殺自然科學的嚴正譴責。同時也表明，黃宗羲治學和講學的重要目的，是希望使中國的自然科學得以發展起來，以與西方一較短長。

如前所述，黃宗羲在青少年時代遵從父訓，拜劉宗周爲師，學於紹興證人書院。劉宗周逝世後，證人書院停辦了二十多年。到康熙六年（一六六七）九月，黃宗羲會合同門學友姜希轍、張應鰲等人，又在紹興恢復了證人書院的講學活動，以闡揚先師的學問氣節。其後兩年，他曾數度與學友們會講於紹興證人書院。這段時間，他寫作和編輯了多種闡述劉宗周學術思想的著作，如子劉子行狀、子劉子學言、答董吳仲論學書、答惲仲昇論子劉子節要書等等。他的學生鄭梁（字禹梅）讀了黃宗羲親自編定的子劉子學言、聖學宗要等書並聆聽老師的講論以後，自愧學識淺陋，竟將舊作統統燒掉，而把此後的著作稱爲見黃稿。

當然，黃宗羲即使對老師的學說也並不主張盲從，而是提倡懷疑精神，他在答董吳仲論學書中說：「昔人云：『小疑則小悟，大疑則大悟，不疑則不悟。』老兄之疑（指董作劉子質疑），固將以求其深信也。彼泛然而輕信之者，非能信也，乃是不能疑也。」這種提倡懷疑，要在疑中求信的精神對於我們今天研究學問，仍然是有借鑒作用的。而黃宗羲對先師學術宗旨的理解，又是在經歷了種種實踐的磨難和全面研讀了老師的著作以後，才融會貫通的，他曾自我總結說：「始學於子劉子，其時志在舉業，不能有得，聊備蕺山門人之一數耳。天移地轉，殭餓深山，盡發（劉子）藏書而讀之近二十年，胸中窒礙解剝，始知往日之孤負爲不可贖也。」（見年譜）。

黃宗羲講學影響最大而且最有成就的地方，還是在寧波，即創辦甬上證人書院時期。

說起甬上證人書院，得先敍述一下黃宗羲與萬氏、董氏、鄭氏諸家的關係。

萬氏指萬泰一家四代。萬泰（一五九八—一六五七），字履安，號悔庵，寧波人，生於明萬曆二十六年，比黃宗羲年長十二歲，死於清順治十四年。崇禎九年，萬泰得中舉人，其才爲士林所重。他與黃宗羲交誼甚厚，既是復社同道，又是抗清同志，曾設奇計從獄中救出黃宗炎。他對黃氏父子的氣節學問十分敬仰，曾多次率領子弟到黃竹浦拜訪宗羲兄弟，請教學問。他常對朋友們說：「今日學術文章，當以姚江黃氏爲正宗。」（李鄴嗣：杲堂詩文鈔・送季野授經會稽序）萬泰共有八子六孫，其中比較著名的是五子萬斯選、六子萬斯大、少子萬斯同和長孫萬言。萬泰逝世後，黃宗羲即寄書其長子萬斯年，招萬氏兄弟及萬言到餘姚受業，正如萬言所說：「餘叔侄以先王父之舊，受業梨洲先生者有年」。（懷舊詩序）在現存梨洲詩文集中，有黃宗羲爲萬泰、萬斯年、萬斯選、萬斯大作的墓誌銘，還有多篇爲萬氏祖孫著作所寫的序、跋、題辭及論學書、唱和詩。宗羲之孫女也嫁給了萬斯年之孫萬承勳。正如宗羲所說，黃、萬兩家是「四世之交」。

董氏指董德偁一家三代。董德偁（一六〇三—一六六一年）字天鑑，號銘存，世居寧波。其父董應圭是萬曆間舉人，官至知府，與宗羲之父黃尊素是同門學友。德偁之子允瑫、允珂、允璘、允瑋四兄弟都是黃宗羲的得意門生，皆有文名。黃宗羲在前鄉進士董天鑑墓誌銘中，稱其與董氏有「三世交情」。並爲允瑫、允璘作墓誌銘，稱讚說：「甬江之上，唯董氏爲多才子」。（董在中墓誌銘）

鄭氏指鄭梁一家三代。鄭梁（一六三七—一七一三年）字禹梅，號寒村，慈溪人，康熙間進士，官至廣東高州（今茂名市）知府，是宗羲高弟子，以詩文著稱於世。梁之父鄭溱（一六一二—？）字平子，是宗羲摯友。梁之子鄭性（一六六五—一七四三年），也爲宗羲及門弟子。鄭梁臨終，囑咐鄭性立祠於家，以紀念其父、師。鄭性遵從父訓，在住宅東面特築二老閣，既作祭祀鄭溱、黃宗羲二位前明遺老之地，又作藏書、刻書之所。所刻之書稱「二老閣本」。如明儒學案、明夷待訪錄、思舊錄、南雷文約、南雷詩曆諸書，均由鄭性與其長子鄭大節據原稿校訂刊刻，有些則由鄭氏父子校訂鈔錄，留存至今。梨洲學術得以傳播弘揚，在很大程度上應歸功於鄭梁、鄭性及二老閣刻本。

甬上證人書院，就是在萬、董、鄭三家以及陳赤衷、李鄴嗣等人的擁護下，由黃宗羲擔任主講而創辦起來的。

在甬上證人書院建立之前，清廷曾於順治十七年頒佈詔令，嚴禁文人結社，但並未能禁止各地反清文士的結社活動。如顧炎武就在江蘇創立驚隱詩社，閻修齡在淮上辦瞭望社，屈大均在廣東辦西圓詩社，僧甬可在沈陽建冰天詩社等等。浙東文人的民族意識本來十分強烈，結社之風也從未衰歇。康熙初年，寧波、紹興、石門等地的文會文社又蓬勃發展起來。如黃宗羲、姜希轍在紹興恢復了會稽證人書院，在寧波則有陳赤衷、董允瑫等創建的澹園社，范光陽等人辦的心社、陸宇爗、董德偁等人舉辦的西湖八子社、李鄴嗣、高宇泰等人舉辦的南湖九子社等。

康熙四年，萬氏兄弟、董氏兄弟與陳赤衷、鄭梁、范光陽等將幾個文社合併，建立甬上策論會。這年春天，萬斯大、萬斯同、陳錫嘏、陳赤衷、董允瑫、董允璘、仇兆鰲等二十餘名策論會成員相約到餘姚向黃宗羲求教。

康熙六年，在陳赤衷倡議下，將「策論會」改爲『講經會』，以講論五經爲主要科目。他們「搜故家經學之書，與同志討論得失。一義未安，迭互鋒起；賈、馬、盧、鄭，非無純越，必使倍害自和而後已；思至心破，往往有荒途爲先儒之所未廓者』（陳夔獻墓誌銘）於是，浙東爲學之士，『雨併笠，夜續燈，聚夔獻之家……連床大被，所談不出於王霸，積日月不厭。余每過必如之』（同上），可謂一時盛況。

康熙七年三月，黃宗羲再次到寧波講學。他的數十名學生在鄞縣廣濟橋和延慶寺等地分別舉行大會，在老師提議下，正式建立了甬上證人書院。之所以命名爲「證人書院」，是表示要繼承劉宗周的學術事業，改變明代文人講學的積習流弊，造就一種新的學風。如同黃宗羲在董吳仲墓誌銘中所記載的：

「先師（劉宗周）立證人書院，講學於越中，（今紹興市）至甲申（崇禎十七年）而罷講。後二十四年為丁未（康熙六年），余與姜定庵（希轍）復講會，修遺書，括磨斯世之耳目。然越中類不悅學，所見不能出於訓詁場屋，而甬上（今寧波市）之聞風而興者，一時多英偉高明之士，吳仲（董允璘）其一也。明年，余至甬上，諸子大會於僧寺（延慶寺），亦遂以「證人」名之。甬上講學之事，數百年所創見……風氣為之一變。」

黃宗羲在甬上講學的地址，看來並不固定。根據記載，他先後在延慶寺、高氏宗祠、張氏宗祠、陳夔獻（赤衷）家、萬氏白雲莊等處主講，但時間較長、次數較多的地方，還是萬氏白雲莊。所以全祖望甬上證人書院記說：『書院在城西之管村，萬氏之別業也』。萬言之子萬承勳在哭黃梨洲先生詩中，有『憶開講席白雲莊，杖履欣然一葦航』的句子。

甬上證人書院從康熙七年（一六六八）創建，到康熙十四年（一六七五）結束，前後經歷了八年。這期間，共有一百多人參加講會，向黃宗羲問學，其中不少人成了當代聞名的經學家、史學家或文學家。有的則考中科舉，當了清朝的官，把學到的知識，用到『經世致用』的實踐中去。

黃宗羲的講學，是有明確的宗旨和獨特風格的。這就是：反對束書空談，重視眞才實學；提倡明經通史，主張經世致用。他對那些空談道德性命而沒有眞才實學的人十分鄙夷，揭露說：『今之言心學者，則無事乎讀書窮理；言理學者，其所讀之書不過經生之章句，其所窮之理不過字義之從違……封己守殘，摘索不出一卷之內……天崩地解，落然無與吾事，猶且說同道異，自附於所謂道學者……。』（留別海昌同學序）這對那些空談家們眞不異當頭棒喝！他總結了明中葉以來講學的流弊，說「明人講學，襲語錄之糟粕，不以六經爲根抵，束書而從事於游談」（神道碑文）。他還批評明末一些讀書社（如雲間幾社、武林讀書社、婁東復社）的文人們不務實學，「本領脆薄，學術龐雜」，所以「終不能有所成就」（陳夔獻墓誌銘）。既然如此，那麼應當提倡什麼呢？黃宗羲特別強調學者們要明經通史，以求經世致用。他說：「末世經學不明，以致人心日晦，從此文章事業俱不能一一歸正。」（送范國雯北行序）又說：「學必原本於經術，而後不爲蹈虛，必證明於史籍而後足以應務。」（全祖望甬上證人書院記）「經術所以經世，方不爲迂儒之學」。（神道碑文）既然經術和史籍對於經世應務、文章事業如此重要，所以黃宗羲要求前來受業的學生們「必先窮經」，同時，『兼令讀史』。由上可見，黃宗羲是把刻苦鑽研儒家經典和熟悉歷史作爲他講學授徒的兩門主課的。而他的這些議論，對於克服那種滿足於抄襲古人語錄，務虛不務實的講學流弊，有着振聾發聵的作用。全祖望評論說：『凡受公之教者，不墮講學之流弊』（同上），『前此講堂錮疾，爲之一變』（甬上證人書院記）。

這一評論，看來並不過分。

黃宗羲講學，並不局限於經學和史學，同時還講授天文、曆法、地理、數學等自然科學知識。如前所述，他在海寧講學時，就培養了一個精通數學的學生陳言揚。他還向海昌知縣許西三傳授了有關授時曆、西洋曆、回回曆的科學知識。他的學生萬經（萬斯大之子）在寒村七十壽序文中回憶說：黃梨洲在甬上講學時，他的弟子對經學、史學以及天文、地理、六書、九章至遠西（指西方國家）測量推步之學，都能刻苦學習，「爭各磨礪，奮氣怒生，皆卓然有以自見」。盡管黃宗羲的自然科學知識水平不算最高，接受的西方自然科學知識還不豐富，但在那風氣未開的封建專制時代，已經是很不容易的了。他同他的朋友方以智一樣，在自然科學領域也是站在時代最前列的，比起那些祇懂經史之學而不懂「質測」之學的正統老儒（包括他的老師劉宗周）來，黃宗羲確實要高明得多了。

康熙十八年（一六七九年），黃宗羲已經七十歲了。這位古稀老人從此停止了講學活動，而集中精力從事著書立說。就在前一年，康熙皇帝下達了徵選「博學鴻儒」的詔令，命令中央和地方三品以上官員推薦「學行兼修，文詞卓越」的人才，由他「親試錄用」。結果雖然網羅了一批名士，但像顧炎武、王夫之、黃宗羲這類民族意識強烈的傑出人材卻並未應徵。當時掌管翰林院的大臣葉方藹曾向康熙帝舉薦黃宗羲，黃的學生陳錫嘏聞訊後大吃一驚，就趕快去找葉方藹剖陳利害，代爲力辭。因爲他深知老師矢志不仕新朝的氣節，朝廷如果逼他，就會把他推向絕路。葉方藹這才作罷。事後，黃宗羲致書陳錫嘏表示感謝，說自己「年近七十，不學而衰，稍涉人事，便如行霧露中，……若復使之待詔金馬，魏野所謂斷送老頭皮也」（與陳介眉庶常書），表示了永不出山的決心。時隔兩年，即康熙十九年，監修明史總裁徐元文（字立齋）建議皇帝聘請黃宗羲赴京修史，康熙帝即命地方官「以禮敦請」，宗羲又以年老多病爲理由堅辭不往。康熙帝知道不能勉強，就頒發特旨，命令地方官將黃宗羲有關明史的論著、史料鈔錄送京，移交史館。徐元文又延請其子黃百家參與修史，他雖然同意了，却修書一封寄給徐元文，以伯夷、叔齊托孤呂尙，得以「三年食薇」的故事諷刺說：「現在，我送兒子跟你們一起修史，總可以把我放過了吧。」到康熙二十九年黃宗羲八十一歲高齡時，康熙帝還曾向刑部尙書徐乾學詢問宗羲近況，想召他來京當顧問，徐乾學雖然盛贊黃宗羲學問淵博，但知道不可招致，只好用『篤老恐無來意』解釋，康熙帝嘆息說：「人才眞是難得啊！」

終黃氏一生，他始終保持了『亡國大夫』、『故國遺民』的氣節，既未入清廷當官，也不肯參加官方的正式活動。（如官修史、志，鄉飲酒會）但他不是迂儒，不是釋老門徒，既沒有放棄『經世應務』的思想而遁入空門，更不曾頹廢放縱而潦倒終生，而是抱着對歷史負責的精神處世處己。這一處世態度，在他晚年許多著作中都有體現。如他七十六歲時寫的謝時符先生墓誌銘說：「嗟呼！亡國之戚，何代無之？使過宗周而不憫黍離，陟北山而不憂父母，感陰雨而不念故夫，聞山陽笛而不懷舊友，是無人心矣！故遺民者，天地之元氣也。然士各有分，朝不坐、宴不與，士之分亦止於不仕而已。所稱宋遺民如王炎午者，嘗上書速文丞相之死，而已亦未嘗廢當世之務。是故種瓜賣卜，呼天搶地，縱酒祈死，穴垣通飲饌者，皆過而失中者也。」

這裡所表彰的，是懷念故國，不仕新朝但却不廢當世之務的氣節，反對的是因爲亡國而消極遁世，縱酒祈死等過而失中的行爲。正是在這種思想指導下，黃宗羲在抗淸鬥爭失敗，恢復明室的希望破滅之後，保持了「朝不坐，宴不與」、「止於不仕」的「亡國士大夫」氣節，却不廢當世之務，孜孜不倦地搜集、整理史料，從事於著書講學事業，以保存一代文獻，總結歷史經驗爲己任。他雖堅持自身「止於不仕」的原則，却不反對學生或子孫參與修史或應擧出任。他在晚年所寫回憶錄（如思舊錄）及碑傳、詩文中，一再歌頌和表彰那些在抗淸鬥爭中英勇不屈、慷慨死節的人物如張煌言、馮京第等，表達了他的強烈民族意識和反抗政治壓迫的精神。但在另一方面，他又在一些詩文中讚揚了淸朝康熙皇帝及當權大臣徐元文、徐乾學等。例如，黃宗羲在寫給內閣學士徐乾學的一封信中，稱讚康熙皇帝爲當今「聖主」，歌頌「皇上仁風篤烈，救現在之兵災，除當來之苦集」，並稱徐乾學受到重用是「古今儒者遭遇之隆，蓋未有兩；五百年名世，于今見之」，還提出了「其要以收拾人才爲主」的政策建言（見南雷雜著稿．與徐乾學書）。有人以此作爲黃宗羲「晚節不終」的證據。我倒認爲這正是梨洲先生開明通達、正視現實的證明。因爲歷史在進步，當梨洲晚年，淸朝統治已經鞏固，康熙皇帝也確有英明偉大之處，這時還要求黃宗羲像他寫留書、明夷待訪錄時代那樣去罵淸朝爲「夷狄」、斥淸帝爲「虜酋」，恐怕未免太迂腐了。況且，今人評價黃宗羲是「失節」還是「進步」，不應站在一個明朝遺老的立場上，而應站在歷史發展的立場上，採取歷史主義的方法加以分析評價，這樣才可能客觀一些。

黃宗羲通過他的寫作和講學活動，言傳身教，培養了衆多人材。作爲其學術活動的一大成果，就是開創了一個對清代和近代學術思想史具有重大影響的學派——清代浙東學派。

清代浙東學派的出現不是偶然的，它是明中葉以來中國封建社會政治經濟發展、特別是明末清初「天崩地解」時代的產兒。它在清朝統治趨於穩固的康、雍、乾時期稍稍收斂其鋒芒而得到進一步的發展，其影響及於清末民初，其精神則煥發於近代中國的民族民主革命時代，從而起了進步的歷史作用。

浙東學派的理論奠基者和創始人是黃宗羲，但其思想淵源則可上溯到劉宗周、王陽明、鄧牧、謝翶乃至宋代理學、心學、事功之學的代表人物。它的哲學理論基礎是『氣一元論』的世界觀，其政治理想是批判君主專制的民本主義，其治學目的是『經世應務』，爲學途徑是『明經通史，兼貫百科』，治學特點是『博學實證，質疑求信』。

浙東學派的主流是以『經世致用』爲目的的經史之學，但也重視文學和自然科學。其代表人物除了黃宗羲之外，在經學方面有萬斯大、黃宗炎，史學方面有萬斯同、邵廷采、全祖望、章學誠，文學方面有鄭梁、李鄴嗣，天文曆學和數學方面有黃百家、陳訏，甚至晚清的黃炳垕也可歸入這一派。這些人中，又以萬斯同（一六三八——一七〇二）、全祖望（一七〇五——一七五五）、章學誠（一七三八——一八〇一）成就最大，他們在精神上和學問上，都繼承和發揚了梨洲先生黃宗羲的風格和傳統。

## 一代泰斗

歷史上任何偉大人物，都是時代的產兒。他的光輝業績，並非天才人物心血來潮的創造，而是深深根源於他那個時代的政治、經濟和社會現狀之中，同他所處時代的特點和歷史潮流密切相關。

黃宗羲生活在明末清初社會大變動的時代，即所謂「天崩地解」時代。當時的中國封建社會，發生了如下重要變化：

第一，延續了近兩千年的封建經濟結構到明中葉發生了裂變：商品經濟得到較快發展，特別是江南蘇、松、杭地區的棉紡業和絲織業中，出現了生產規模較大的手工作坊，出現了出錢雇工生產的「機戶」和依靠出賣勞動力爲生的「機工」，構成所謂「機戶出資，機工出力」的新型生產關係，在部分農村地區，以生產商品爲目的的種植業也有了長足的發展。與上述變化相聯繫，城市中出現了一個隊伍日益擴大的工商業者階層，或稱新興市民階級。他們與傳統的社會關係和社會勢力發生着日益增多的矛盾和衝突。總之，這是中國封建社會中資本主義因素萌芽和生長的時期。

第二，明代從萬曆後期至崇禎末年，政治極端腐敗。其主要標誌是統治集團內部四分五裂，黨爭不已。宦官集團專權跋扈，廠衛特務橫行無忌，對人民橫征暴斂，對主張改革的正直官員殘酷迫害。這就大大激發了統治階級內部的矛盾以及封建統治者和廣大人民的矛盾，一方面造成了東林黨人要求改革朝政和魏忠賢閹黨集團反改革的政治鬥爭，另一方面則導致了大規模農民起義，最終推翻了腐朽的朱明王朝。

第三，我國東北地區的女眞族（後稱滿族）建立的清王朝，於崇禎十七年（一六四四）乘李自成農民軍推翻明王朝之機派兵入關，打敗農民軍後，建都北京，統治全國。接着，清王朝實行野蠻的民族征服和屠殺政策，從而使民族矛盾尖銳化，激起了以漢族爲主體的武裝抗清鬥爭。清王朝用了三十多年時間才以武力平息了各族人民的反抗。至康熙時期，改用鎭壓與牢籠相結合、發展生產與加強思想文化專制相結合的兩手政策，才鞏固了清王朝的統治，並使社會走向安定，經濟得到恢復和發展。

第四，從萬曆七年（一五七九）開始，西方國家（明末清初主要是葡萄牙、西班牙、荷蘭、意大利）的殖民主義者、商人和傳敎士陸續來到中國。他們或用武力侵占中國領土、掠奪中國財富，或因傳敎需要，傳播西方文化。其中有些人如利瑪竇、金尼閣、艾儒略、畢方濟、湯若望、羅雅谷、南懷仁等，向中國統治者、士大夫介紹了西方的數學、天文曆法等自然科學知識，他們的天文曆算著作也得到比較廣泛的刊行，如李之藻在杭州翻譯彙刊的天學初函、徐光啓在北京翻譯刊刻的崇禎曆書，在當時士大夫中影響較大。於是在明末清初，造成了一個西方文化衝擊中國傳統文化的新形勢。正如梁啓超說的：「明末有一場大公案，爲中國學術史上應該大筆特書者，曰歐洲曆算學之輸入……在這種新環境下，學界空氣當然變換。後此清朝一代學者，對於曆算學都有興味，而且最喜歡談經世致用之學，大概受利（瑪竇）、徐（光啓）諸人影響不少。」（中國近三百年學術史）他在這裡實際上揭示了明末清初的「經世致用」之學與西方自然科學的關係。

黃宗羲就在這樣的時代背景下走過了曲折的一生，蘊育和形成了他的思想與學說。下面，我們着重從政治思想、史學和哲學三方面概述其理論成就。

## 一、政治思想

宗羲的政治思想著作很多，但最集中、最有特色的是留書和明夷待訪錄。這兩部書，是其強烈的反清民族主義和激烈的反封建民主啓蒙思想的綱領性著作。

黃宗羲在留書中總結了明亡歷史教訓。他認爲明朝亡國的原因是多方面的，有衞所制度的腐敗，有閹黨亂政，有科舉取士制度的流弊，有土地賦稅制度的不合理，但最大原因莫過於「夷狄」作亂。他說：「自三代以後，亂天下者無如夷狄矣。」（封建篇）他進一步探究「夷狄」所以能夠「亂天下」的原因，認爲是由於秦以後「廢封建之罪也」（這裡所謂「封建」是「封邦建國」之意，帶有地方自治性質，而「廢封建」則指建立中央集權的專制制度）。他甚至認爲，如果不「廢封建」，那麼即使天子「失天下於諸侯」，也還是「以中國之人治中國之地」，尚不至於「率禽獸而食人，爲夷狄所寢覆」。他在書中一再總結「夷狄亂天下」的歷史教訓，並且直接把清朝說成「僞朝」，把清統治者罵作「虜酋」，提出要嚴夷夏之辨。他說：「中國之於夷狄，內外之辨也。以中國治中國，以夷狄治夷狄，猶人不可雜之於獸，獸不可雜之於人也。」（史篇）顯然，寫作留書時（該書完成於清順治十年）才四十四歲的黃宗羲，其思想還處在反清民族主義立場上。今天看來，這類見解未免帶有狹隘民族主義的偏見。但我們不能苛求於古人，更不能撇開當時的民族矛盾。在尚未出現近代民族觀念的清初，黃宗羲作爲一個漢族知識份子具有這種思想並不奇怪，而且應當說主要表現了他的崇高民族氣節和愛國主義精神。

如果說留書主要反映了作者的反清民族主義思想的話，那麼明夷待訪錄（寫於康熙元年至二年，作者五十三至五十四歲時）所表達的，則是從強烈的反清擴大到對整個封建君主專制制度進行系統批判的民主啓蒙思想傾向了。黃宗羲在明夷待訪錄中破天荒第一次提出了「爲天下之大害者，君而已矣」的政治觀點，指出封建君主是「以我之大私爲天下之大公」的獨夫民賊，專制制度是「使天下不得安寧」的罪惡之源，天下人民不應該爲君主一人一姓的私利奔走效勞。這樣犀利的語言，節直是在呼喚反封建的革命！他從政治、經濟、法律、軍事、教育、文化、用人等方面一一揭露批判了封建專制制度的不平等本質，提出了『天下（人民）爲主，君爲客』、『君與臣，共曳木之人也』的君臣平等原則，提出了用『天下之法』代替君主『一家之法』的法律平等原則，提出了『人各得自私自利』、『貴不在朝廷，賤不在草莽』的人權平等原則。這確實近似於中國資本主義萌芽時代的『人權宣言』。他還提出了『公其非是於學校』即把中央的太學和地方的學府作爲評論政治得失、分辨是非的政治教育機關。這可以說接近於近代資產階級議會民主的政治設想了。

在經濟思想方面，明夷待訪錄提出了一系列有利於發展商品經濟、發展工商業的進步主張。他一反歷代封建統治者的「重農抑商」政策，提出「工商皆本」思想，主張禁絕「不切於民用」的封建迷信和奢侈習俗（如巫、佛、娼等），提倡工商業的正當發展；主張「廢金銀」而「通錢鈔」的幣制改革，以使市場上「常有千萬財用，流轉無窮」而獲得「久遠之利」。這些理論主張，盡管帶有空想和幼稚的成分，但在客觀上却符合發展資本主義的歷史要求。

此外，黃宗羲還揭露了封建土地制度、賦稅制度、軍事制度、科舉制度的許多弊病，提出了比較系統全面的社會改革方案。其理論勇氣與改革精神是十分可貴的。

## 二、史學思想

黃宗羲是一位傑出的歷史學家，他不僅編寫了大量史學著作，開創了浙東史學派，而且更重要的是，提出了一系列頗有價值的史學理論原則和比較科學的治史方法。

「經世應務」，是黃宗羲治史的根本目的和爲學宗旨。他說過：「學必原本於經術而後不爲蹈虛，必證明於史籍而後足以應務。」（全祖望：甬上證人書院記）又說：「夫二十一史所載，凡經世之業無不備矣！」（補歷代史表序）他所說的「經世」、「應務」，就是爲現實政治（現實政治不等於現任統治者的政治）服務。而歷史是現實的借鑒，只有熟讀歷史書籍，了解歷史經驗，才能服務得好。然而，強調經世應務也不等於提倡寫時髦文章，而應當講究眞才實學。他痛恨「科舉抄撮之學」對史學的扼殺，憤怒地批判說：「自科舉之學盛，而史學遂廢。……

今未嘗有史學之禁，而讀史者顧無其人，由是而嘆人材之日下也。」（同上）又說：「自科舉之學盛，世不復知有書矣。六經、子、史，亦以爲多華之桃李，不適於用……先王之大經大法，兵、農、禮、樂，下至九流六藝，切於民生日用者蕩爲荒烟野草：由大人之不說學以致之也。」（傳是樓藏書記）他相信，「數窮必復」，那些時髦文章，終究不會長久的。（同上）

在「經世應務」思想指導下，黃宗羲治史的特點，便是把重點放在近現代史（對他來說是宋、元、明史，特別是明史）的研究上，特別重視政治史和思想史，注重於歷史上「治亂之故」的總結上。他的史學著作，以明史最多，其次是宋、元歷史。他編撰明文海、明史案、明儒學案以及行朝錄、弘光實錄鈔，都體現了上述原則和特點。

黃宗羲史學思想的另一特點，就是着力表彰歷史人物的氣節和實際的功業。他在贈編修弁玉吳君墓誌銘中尖銳批評了那些崇尚空談、假名欺世者，說他們「以語錄爲究竟，僅附答問一二條於伊、洛門下，便厠儒者之列，假其名以欺世：治財賦者則目爲聚斂，開閫捍邊者則目爲粗材，讀書作文者則目爲玩物喪志，留心政事者則目爲俗吏，徒以生民立極、天地立心、萬世開太平之闊論鈐束天下；一旦有大夫之憂當報國之日，則蒙然張口，如坐云霧。世道以是潦倒泥腐，遂使尚論者以爲立功建業，別是法門，而非儒者之所與也。」所以在他看來，在實踐中立功建業的人才值得尊敬和表彰，而那些祇知背誦語錄、高談闊論却輕視事功的人則往往是關鍵時刻喪失氣節的無恥之徒。黃宗羲在其史學著作和許多墓誌銘、詩文中着重表彰和歌頌的人，有的是抗暴安民不畏權奸的東林黨人（如楊漣、左光斗、黃尊素等），有的是歷盡艱難、視死如歸的抗清名將（如史可法、張煌言、鄭成功等），有的是慷慨殉國或富有民族氣節的歷史人物（如宋代文天祥、謝皋羽等），有的是「亡國而不失其正」的明朝遺民（如汪渢、謝泰階等），有的則是深明大義、氣節可嘉的普通婦女或義士俠客（如桐城方烈婦、王義士、陸周明等）。至於那些堅守民族氣節的文人學士就更多了。

黃宗羲的史學理論，主張治史要有鮮明的立場和觀點。他認爲，史書的作用，應當有褒有貶，揚善懲惡。他說過：「爲史而使亂臣賊子得志於天下，其不如無史之爲愈也。」（留書・史）又說：「大奸大惡將何所懲創乎？曰：苟其人之行事，載之於史，傳之於後，使千載而下，人人欲加刃其頸，賤之爲禽獸，是亦足矣。孟子所謂『亂臣賊子懼』，不須以地獄蛇足其後也。」（破邪論・地獄）從這一原則出發，他對各種史書體例的褒貶原則一一作了解釋。如認爲列傳必須「善善惡惡」，而言行錄雖然「善善之意長」，但必須記載那些品行高浩、一言一行可奉爲後世楷模的人（明名臣言行錄序）；認爲地方志雖與正史有所不同，但也須寓褒貶於其間，指出「志與史例，其不同者，史則美惡俱載，以示褒貶；志則存美而去惡，有褒而無貶，然其所去，是亦貶之之例也」（再辭張郡侯修志書）；認爲「夫銘者，史之類也。史有褒貶，銘則應其子孫之請，不主褒貶，而其人行應銘法則銘之，其人行不應銘法則不銘，是亦褒貶寓於其間」（與李杲堂陳介眉書）。總之，無論何種形式，都應當寓褒貶於史學著作。難能可貴的是，黃宗羲主張爲婦女寫墓誌銘時，應當「一往深情」，從細小事情中見其精神，因爲「古今來事無巨細，唯此可歌可泣之精神，長留天壤」（張節母葉孺人墓誌銘）。宗義的史、志、碑文，就都是寓以褒貶，深情歌頌那可歌可泣的精神的。

黃宗羲的治史方法，也有其獨到見解和特色。他認爲，作爲學者，必須博覽羣書、獨立思考，否則，「讀書不多，無以證斯理之變化；多而不求於心，則爲俗學」（神道碑文）。而作爲史家，則不僅要廣泛搜集、閱讀各種史料，熟悉歷史事實，還必須認眞作出考證，與各種史料彈駁參正，以去僞存眞，考信不誣。他作明史條例，提出「國史取詳年月，野史取當是非，家史備官爵世系」的治史原則（見阮元國史儒林傳稿・黃宗羲傳）；他曾以南明史爲例，指出『桑海之交，紀事之書雜出，或傳聞之誤，或愛憎之口，多非事實。以餘所見，唯傳信錄、所知錄、刼灰錄，庶幾與鄧光薦之塡海錄，可考信不誣」（桐城方烈婦墓誌銘）。他又在談孺木墓表中表揚談遷寫國榷時「汰十五朝之實錄，正其是非；訪崇禎十七年之邸報，補其缺文」的堅毅精神，而批評『今之作者，矢口遷、固，而不屑於悅、宏，……不能通知一代盛衰之始終，徒據殘書數本，諛墓單辭，便思抑揚人物」的不嚴肅態度。可見，黃宗羲提倡的治史方法，是實事求是而且全面客觀的科學方法。他編選和撰著明文海、明儒學案等書，不但花費了十多年的時間，搜輯披閱了數千家文集，而且作了考辨眞僞、提要鈎玄的大量工作，他在寫作今水經、四明山志等歷史地理著作時，也是作了大量考證甚至實地考察工作的。

總之，黃宗羲的史學理論和治史方法，在他那個時代，是達到了很高水平的，而且至今仍有值得我們借鑒和學習的地方。

## 三、哲學思想

黃宗羲在後半生，長期從事於中國思想史特別是宋、元、明三代乃至清初思想史的整理工作，沉浸在深刻的哲學思考之中。他要對歷史上的治亂興亡尋求普遍的理論說明，特別是要對明清之際「天崩地解」時代的社會大變動作出哲學的回答。他還需要對憧憬中的未來社會——代替封建君主專制而起的理想國作出哲學的論證，力圖建立一個新的理論體系。因此，他的哲學思考必然是批判的、創造性的、生動活潑的，而不是保守的、教條式的、死板僵化的。

有明一代，前半期是程朱理學占統治地位，後半期是王陽明心學占統治地位。但到明末清初，無論是理學還是心學，都出現了理論上的危機，都回答不了大變動時代提出的種種新問題。正如黃宗羲在留別海昌同學序中所批評的：「今之言心學者，則無事乎讀書窮理；言理學者，其所讀之書不過經生之章句，其所窮之理不過字義之從違……封己守殘，摘索不出一卷之內……天崩地解，落然無與吾事，猶且說同道異，自附於所謂道學者，豈非逃之者之愈巧乎？」既然理學家和心學家都巧於逃避現實問題，那就需要對理學和心學作出時代的批判，而代之新的哲學。黃宗羲就是在時代對新哲學的呼喚下着手哲學史的整理和哲學理論的思考的。他編撰明儒學案和宋元學案，寫作易學象數論和孟子師說，就是這種努力的具體表現。

從理論淵源來說，黃宗羲的哲學批判是沿着其師劉宗周對程朱理學的批判及對王陽明心學的修正這條路子走的。劉宗周是明、清哲學史上一個承上啓下的人物，可以說是王陽明學派的殿軍，又是清代浙東學派的先驅。他在本體論上力圖用氣一元論代替王陽明的良知本體論，在認識論上則強調「事上磨煉」的工夫，以修補王陽明「致良知」說的漏洞。黃宗羲年輕時跟隨劉宗周學習，晚年又熟讀老師的全部著作，因此繼承並發展了劉宗周的哲學思想。當然，這種繼承和發展是批判性的、創造性的。

在本體論上，確切一點說是在宇宙觀上，黃宗羲建立了明確的氣一元論。他在太極圖講義中非常清楚地指出：「通天地，亘古今，無非一氣而已。」（見宋元學案・濂溪學案下）就是說，物質的氣是世界萬物的本原，它在時空上是無限的。他在孟子師說・浩然章裡也說：「天地間只有一氣充周，生人，生物。」在易學象數論・圖書四裡說：「夫太虛，絪縕相感，止有一氣。無所謂天氣也，無所謂地氣也。自其清通而不可見，則謂之天；自其凝滯而有形象，則謂之地。」類似觀點在明儒學案中更是俯拾皆是，如蕺山學案說「盈天地間皆氣也」；崇仁學案說「天地之間只有一氣」；浙中學案說「夫大化只此一氣」，等等；都說明黃宗羲的宇宙本體論，是「氣」的哲學，而不是「理」的哲學。

黃宗羲的氣一元論，是運動變化、生生不息的理論。他的太極圖講義說「氣本一也，而有往來闔辟升降之殊，則分之爲動靜，有動靜則不得不分之爲陰陽」；與友人論學書說「大化之流行，只有一氣無間。時而爲和……寒降而復爲和，循環無端，所謂生生之爲易也」；易學象數論・圖書四說「是故一氣之流行，無時而息」，等等；都說明了那個「通天地，亘古今」的氣，是在不斷運動、流行變化的。既然如此，那麼天崩地解也是由於一氣流行而產生的正常現象，改朝換代也不必大驚小怪，而且今後還要變化不息，來自「夷狄」的「僞朝」必將成爲過眼風雲，「君爲主」的專制社會也將爲「無君」的民主社會所取代。這便是黃宗羲哲學的邏輯結論。

在理氣關係問題上，黃宗羲是理氣統一論者，他批判了宋明理學家的「理在氣先」、「理氣爲二」、「氣有聚散而理無聚散」等等理氣二元觀點。他指出，理與氣，是「一物而兩名，非兩物而一體」，「自其浮沉升降者而言，則謂之氣；自其浮沉升降不失其則者而言，則謂之理」（明儒學案．諸儒學案二）；又說：「理不能離氣以爲理」（甘泉學案二）；「理爲氣之理，無氣則無理」，「以大德敦化者言之：氣無窮盡，理無窮盡，不特理無聚散，氣亦無聚散也。以小德川流言之：日新不已，不以已往之氣爲方來之氣，亦不以已往之理爲方來之理；不特氣有聚散，理亦有聚散也」（河東學案一）。這清楚地說明：「氣是本體，理是規律，二者不可分離，但又不是兩物一體」。從宏觀的宇宙總體而言，物質之氣是無窮無盡的，依存於氣的「理」也是永遠存在的。但從微觀的事事物物的變化發展而言，則具體的事物（氣）有生有滅，陳謝新代，具體事物的規律（理）也是隨事物的生滅而存否的。這種辯證的理氣關係理論應當說是唯物主義的一元論，如果運用得當，本來是可以正確地說明人類社會的發展變化和新舊社會的更替的。

但黃宗羲僅僅在宇宙本體論和理氣關係上是唯物主義的一元論者。當他的哲學進入認識論領域說明思維與存在、主體與客體的關係時，情形就不同了。他在明儒學案序中說：

盈天地皆心也，變化不測，不能不萬殊。心無本體，工夫（一本作『功力』）所至，卽其本體。故窮理者，窮此心之萬殊，非窮萬物之萬殊也。窮心則物莫遁，窮物則心滯於一隅。是以古之君子，寧鑿五丁之間道，不假邯鄲之野馬，故其途亦不得不殊。

顯然，這是從認識論上講心，物、理的關係。「心」是認識的主體，「物」是客觀存在的事物，「理」指事物的規律（或指對規律的理性認識）。「盈天地皆心」句，是講心能認識整個世界，客觀世界是變化無窮的，所以規律也是千變萬化的。『心無本體」句，是講人的認識無本體可言，「窮理」的功夫到了火候，也就認識了事物。這幾句話並無大謬。但「故窮理者」以下幾句話就有問題了，大意是說：所謂窮理，是要了解作爲認識主體的「心」本身固有的各種理，而不是從千千萬萬的客觀事物中去認識理。也即從自身的理性磨煉上去求理，而不必假借外物。從自身認識了理，也就認識了客觀事物的理；從外物去認識理會產生片面性。所以古往今來有學問的人，寧可花苦功夫去發掘自身的認識能力，而不必假借外物的幫助走捷徑，所以人們窮理的途徑也是各不相同的。這樣，黃宗義所謂的「窮理」，就祇是一種主觀的自我認識過程，而不是主觀符合客觀、反映客觀的認識過程了，所謂的「工夫」也就祇能指內心的修養工夫而不是客觀的實踐了。應當說，這是一種主觀唯心主義的認識理論。對此，我們從他的明儒學案改本序看得更清楚。他說：

盈天地皆心也。人與天地萬物為一體，故窮天地萬物之理，卽在吾心之中。後之學者錯會前賢之意，以為此理懸空於天地萬物之間，吾從而窮之，不幾於義外乎！此處一差則萬殊不能歸一。夫苟工夫著到不離此心，則萬殊總為一致。

這裡，他所謂「窮天地萬物之理」，還是「求諸身不求諸外」的唯心主義認識途徑。而在唯物論者看來，「天地萬物之理」正存在於「天地萬物之間」（這「之間」應作「之內」解），而不是「吾心之中」。

那麼，黃宗羲是怎樣從唯物主義宇宙本體論陷入唯心主義認識論的呢？他的失足之處，就在於用認識論領域的「心性」關係去機械類比本體論中的「氣理」關係。他在批評羅欽順時說過：

第先生之論心性，頗與其論理氣自相矛盾。夫在天為氣者，在人為心；在天為理者，在人為性。理氣如是則心性亦如是，決無異同。人受天之氣以生，祇有一心而已。而一動一靜、喜怒哀樂循環無已，當惻隱處自惻隱……是卽所謂性也，初非別有一物立於心之先，附於心之中也。（明儒學案．諸儒學案中）

這裡且不說羅氏的錯誤，而祇論宗義的失足。本來在黃宗羲哲學中，氣與理的關係是客觀事物與事物的規律的關係，而心與性在這裡是講人的物質軀體與其秉性、道德素養之間的關係，用理氣去類比性心雖有一點道理，但已很不恰當了。而問題還在於「心」不僅是物質軀體，而且還是認識「物」的認識主體，它與「氣」是不能等同的。而黃宗羲却將它們等同起來，這就必然要在認識論中討論心、物、理關係時犯錯誤了。類似的失足還見於孟子師說。他在浩然章說：「天地間祇有一氣充周，生人生物。人稟是氣以生，心即氣之靈處，所謂知氣在上者也。心體流行，其流行而有條理者即性也。……萬古如是，若有界限於間。流行而不失其序，是即理也。」顯然，他在這裡也把理氣與性心混淆了。而且講「心即氣之靈處」、「知氣在上」，更是將物質與意識混爲一談。因此，他在認識論上就走向了唯心論。

雖然如此，黃宗羲的認識論仍是有其積極因素的。他強調心的作用，實際是重視認識的能動作用；強調「工夫」，說明其認識論是排斥認識的主觀直覺或「頓悟」的。這比起那些空談心性的人要高明得多了。

總之，黃宗羲的哲學思想，試圖對時代大變動作出理論論證。他獲得了部分成功，但未能建立起系統的唯物主義理論體系。而這與他不能擺脫宋、明理學特別是王學的羈絆是很有關係的。而且，他還受着時代的局限和階級偏見的局限。對此，我們不能苛求於古人。

黃宗羲的學術成就是多方面的，本文祇是概述了其中最主要的幾點，許多方面尚未展開分析。例如在政治思想方面，他深刻批判了封建社會的科舉取士制度，提出了「寬於取而嚴於用」的取士用人原則，提出「其要以收拾人才爲主」（南雷雜著稿・與徐乾學書）的政治思想；在哲學方面，他的反佛思想是徹底的，對道教、天主教及鬼神迷信、封建習俗（如擇地卜葬）都有所批判；在歷史觀方面批判了歷史循環論，提出了「大化流行，生生不息」的進化歷史觀；在倫理觀上，則提出具有民主自由傾向的「人各得自私自利」的新型倫理觀，與傳統的「餓死事小，失節事大」的封建倫理觀相對立，在史學思想方面，他還明確提出了「銘者史之類」、「以詩補史」的思想，對史表、曆志、地理志、地方志的編修和鄉邦文獻的保存既有理論上的見解，又有實際的貢獻；他還堅決反對機械搬用自然科學方法去研究和說明社會歷史（如在易學象數論中批評了「一切委於數」的「執運測驗之法」）；在文學方面，他提出文主自然說，認爲好文章「皆自胸中流出，而無比擬皮毛之迹」，主張寫風雷之文，歌頌豪傑精神，認爲詩「從性情而出」，能藏納「一人之性情，天下之治亂」；他反對文學作品模仿古風，拘於名人家數，主張變風變雅，認爲文學作品「千變萬化，各有至處，不必出於一途」，提出了具有啓蒙主義傾向的文學發展觀。諸如此類，包含了許多可貴的創見甚至是天才思想的萌芽，反映了黃宗羲在其所處時代所達到的思想水平，是前人所不及的。

作爲中國資本主義萌芽時代的民主啓蒙思想代表作，黃宗羲的明夷待訪錄寫成於一六六三年，這比法國資產階級革命的思想先驅盧梭（一七一二—一七七八）寫作的民約論（又稱社會契約論，一七六二年出版）要早一個世紀。在這一百年（一六六三—一七六二）中，西方資產階級革命風起雲湧，資本主義生產力取得了長足的進步。而在中國，封建專制制度並沒有被明末農民大起義摧毀，也沒有因爲北方少數民族入主中原而瓦解，當然，也沒有爲明夷待訪錄等啓蒙思想著作所批倒，相反，它重新獲得了鞏固和發展，而「存天理，滅人欲」的封建倫理學仍然占據着思想界的統治地位，禁錮和窒息着人民的思想。然而，新思想既已萌發，就要生長起來！明夷待訪錄如同一顆已經發了芽的民主思想種子，有着頑強的生命力。封建政權的文字獄，封建文人的謾罵或「糾謬」，都沒有能把它毀滅，相反，它在民間得到了愈益廣泛的刊印和流傳。二百多年以後，當清末維新運動興起時，它成了維新青年的啓蒙書，成了反封建的有力思想武器。梁啓超在中國近三百年學術史一書中提到此書時說：「我們當學生時代，實爲刺激青年最有力之興奮劑。我自己的政治活動，可以說是受這部書的影響最早而最深」、「光緒間，我們一班朋友曾私印許多送人，作爲宣傳民主主義的工具」。他又在清代學術概論一書中說：「梁啓超、譚嗣同輩倡民權共和之說，則將其書節鈔，印數萬本秘密散布，於晚清思想之驟變，極有力焉。」可見黃宗羲的思想和著作在近代政治史、思想史上的重要地位。不僅如此，當中國大陸經歷了「文化大革命」的艱難之後，我國學術界、文化界出現了重新研究評價明夷待訪錄的思想和歷史價值的熱潮，難道這不正是爲了徹底肅清封建專制主義在中國的流毒和影響嗎？

作爲一個哲學家，黃宗羲的理論貢獻要比同時代的王夫之遜色，但他的明儒學案卻將永垂不朽！他對於整理中國哲學遺產特別是明代思想遺產所作的貢獻是同時代的任何學者所不及的。他運用了新的觀點和方法整理中國哲學史，實開清代和近代學術研究的新風，對今天的哲學史研究仍有重要借鑒作用。這一歷史貢獻又是不可抹殺的。

作爲一個史學家，黃宗羲爲後人留下了一千多萬字的史學著作，開創了一個重要的史學流派，提出了有價值的史學觀點和實證式的史學方法，倡導了「經世致用」的新學風，這是值得謳歌的。當然，他的史學理論還沒有擺脫正統史學的束縛，他的史學方法論也還不夠系統，還缺乏科學性，這又是歷史局限所使然。

作爲一個封建時代的自然科學家，他的自然科學成就主要是在數學和曆學方面，有很大的歷史局限。但在這兩個方面，他不但闡揚了中國自然科學的優秀遺產，而且吸收了西方自然科學的優秀成果，他不保守、有眼光，能看到「中學」的弱點和「西學」的長處，這種正視現實，追求眞理的精神是值得稱道的。

作爲一個文學家和詩人，黃宗羲的詩文是樸實無華而又一往深情的。他是一位古文大師，又是一位文學評論家和文藝理論家。他的文論、詩論雖然沒有引起文學史界的足夠重視，但卻有着許多反映時代精辟見解，是值得人們深入研究的。

黃宗羲的生命，是與他的寫作生涯一起結束的。他從八十三歲（康熙三十一年）以後，已經病魔纏身、臥床不起，但仍然寫下了許多詩文和書函（集爲病榻隨筆一卷），在病床上給兒子黃百家口授了明儒學案序，最後完成了明文海巨著的編選。

康熙三十四年（一六九五）初，黃宗羲自知不久於人世，乃作梨洲末命一篇，囑咐家人說：「吾死後，即於次日之早，用棕棚抬至壙中，一被一褥，不得增益；棕棚抽出，安放石床。……春秋祭掃，培土要緊……凡世俗所行折齋、做七，一概掃除。來吊者五分至一兩並紙燭，盡行卻之。相厚之至，能於墳上植梅五株，則稽首謝之。」這是何等簡樸的葬禮和祭禮。

他的兒子與族人感到這樣的遺命難以盡遵，宗羲又作葬制或問一篇，以釋家人之疑，重申了「不用棺槨，不循流俗」的遺囑。這表達了一個無神論者不與迷信習俗同流合汚的高尚情操。

「鋒鏑牢囚取次過，依然不廢我弦歌。死猶未肯輸心去，貧亦其能奈我何！」這是黃宗羲在抗清失敗避居深山時寫的感懷詩。當筆者寫完這篇小傳時，情不自禁地爲梨洲老人的弦歌不廢而慶幸，特再寫下幾句讚語作爲尾聲：

黃梨洲生平讚

慷慨赴闕，擊刺姦黨，從學蕺山，道弘志廣；毀家紓難，十死亦往；縱覽興亡，留書待訪，窮搜明文，學案始創；研微知幾，曆數不爽；浙東風采，南雷文章；青世垂名，百世流芳！

**一九八六年三月寫於杭州，一九八八年十月改定於新加坡**

國立中央圖書館出版品預行編目資料

**黃宗羲著作彙考**/ 吳光著 -- 初版 -- 臺北市：臺灣學生，民79

12,323面；21公分 --（國學研究叢書；5）

ISBN 957-15-0099-2（精裝）-- ISBN 957-15-0100-x（平裝）

1.著作目錄

017.272

黃宗羲著作彙考（全一册）

著作者：吳光

出版者：臺灣學生書局

發行人：丁文治

發行所：臺灣學生書局

臺北市和平東路一段一九八號
郵政劃撥帳號〇〇〇二四六六八號
電話：三六三三四六三一四六
FAX：三六三三六三三六

本書局登記證字號：行政院新聞局局版臺業字第一一〇〇號

印刷所：淵明印刷有限公司

地址：永和市成功路一段43巷五號
電話：九二八七一一四五

香港總經銷：藝文圖書公司

地址：九龍又一村達之路三十號地下後座
電話：三─八〇五八〇七

定價 精裝新臺幣二六〇元
平裝新臺幣二一〇元

中華民國七十九年五月初版

01104



ISBN 957-15-0099-2（精裝）
ISBN 957-15-0100-X（平裝）

# 國學研究叢書

① 戰國策研究 鄭良樹著
② 周易經傳象義闡釋 朱維煥著
③ 王梵志詩研究 上下冊 朱鳳玉著
④ 兩宋以來大學改本之研究 李紀祥著
⑤ 黃宗羲著作彙考 吳　光著
⑥ 南雷雜著眞蹟 吳　光整理釋文